日本摹刻明顧從德本《素問》（下）

主編◎錢超塵
副主編◎王育林　劉陽

北京科学技术出版社

《黃帝內經》版本通鑒
第一輯

《黄帝内經》版本通鑒·第一輯

日本摹刻明顧從德本《素問》（下）

泝然 十五ノ二ヲ
聖人易語良馬易御 十五ノ三ウ
莭湊 十五ノ十ヲ十六ノ九ヲ
胗 十六ノ一ウ十八ノ五ヲ
捷 十六ノ三ウ四ヲ
數刺其俞而藥之 十六ノ六ヲ
洒淅 十七ノ一ヲ
煩惋 十七ノ四ヲ
耳聵辟 十七ノ五ウ
擊於五藏 十八ノ一ウ
還逆 十八ノ八ウ
鬄易左角髮交左二寸燔治飲以美酒一杯 十八ノ七ヲ
箕公 十六ノ二ウ三ヲ
中指孔穴圖經 十六ノ十ウ十ヲ
欸華 十五ノ七ヲ
經脉流注 十六ノ九ヲ
閱 十六ノ六ウ注反音
焦 十六ノ三ヲ注
大絡奇病 十八ノ一ウ
任脉衝脉督脉者一源而三岐也 十六ノ二ウ三ウ三ヲ

膕 十五ノ二ウ十ヲ
風者百病之始也 十六ノ一ヲ
少腹 十六ノ一ウ
機 十六ノ三ウ四ヲ
深斥 十七ノ二ヲ三ウ
九候若一命曰平人 十七ノ五ヲ
夫邪之生也云云 十七ノ五ヲ
音釋 八ノ一ウ
餅餌 十八ノ九ヲ
客氣同氣 十八ノ十ウ
不求穴俞直取邪處故云即取之 十七ノ七ウ
緣脉流注孔穴圖經 十六ノ三ヲ
八或為九 十六ノ一ヲ
髀樞 十六ノ三ヲ注
擫 十八ノ七ヲ注

檉 十五ノ三ウ十八ノ五ヲ
奇邪 十五ノ九ウ
上氣有音 十六ノ三ヲ
淫濼脛痠 十六ノ四ヲ
玄府 十六ノ七ウ十一ヲ
白氣 十七ノ二ウ
奇邪 十八ノ一ウ
患一曰死甘動為噫云云 十八ノ九ウ
留一作流 十六ノ九ヲ
字脉 十八ノ三ウ注
罩 十八ノ二ウ

藏之金匱 十五ノ三ウ十ヲ
谿谷 十五ノ九ウ
腧 十六ノ一ウ
蹇 十六ノ三ウ
易亦也 十六ノ五ヲ
方開 十六ノ九ウ
是 十七ノ四ウ
句 十七ノ五ヲ
燔鍼劫刺焠鍼藥熨 十七ノ七ヲ十七ウ
胂 十八ノ五ウ注作伸
繫系廷孔 十六ノ二ウ
十二時名 十八ノ十ヲ
金蘭之室 十五ノ十ヲ
古經脉流注圖經 十六ノ二ウ
中諸孔穴經 十六ノ一ウ注
勇泉 十八ノ五ヲ
血 十七ノ二ヲ
至陰 十六ノ六ウ

大素全存
大素九經脉 皮部
甲二十五經脉絡脉支别下

重廣補注黃帝内經素問卷第十五

啓玄子次注林億孫奇高保衡等奉敕校正孫兆重改誤

皮部論篇第五十六 新校正云按全元起本在第二卷

黃帝問曰余聞皮有分部脉有經紀筋有結絡骨有度量其所生病各異別其分部左右上下陰陽所在病之始終願聞其道岐伯對曰欲知皮部以經脉爲紀者諸經皆然 循經脉行止所主則皮部可知諸經謂十二經脉也十二經脉皆同 陽明之陽名曰害蜚 蜚生化也害殺氣也殺氣行則生化弭故曰害蜚 上下同法視其部中有浮絡者

經絡 三一

皆陽明之絡也（上謂手陽明下謂足陽明也）其色多青則痛多黑則痺黃赤則熱多白則寒五色皆見則寒熱也絡盛則入客於經陽主外陰主內（陽謂陽絡陰謂陰絡此通言之也手足身分所見經絡皆然）少陽之陽名曰樞持（樞謂樞要持謂執持）上下同法視其部中有浮絡者皆少陽之絡也絡盛則入客於經故在陽者主內在陰者主出以滲於內諸經皆然太陽之陽名曰關樞（關司外動以靜鎮為事如樞之運則氣和平也）上下同法視其部中有浮絡者皆太陽之絡也絡盛則入客於經少陰之陰名曰樞儒（儒順也守要而順陰陽開闔之用也　新校正云按甲乙經儒作檽）上下同法視其部中有浮絡者皆少陰之絡也絡盛則入客於經其入經也從陽部注於經

其出者從陰內注於骨心主之陰名曰害肩（心主脉入掖下氣不和則妬害肩掖之動運）上下同法視其部中有浮絡者皆心主之絡也絡盛則入客於經太陰之陰名曰關蟄（關閉蟄類使順行藏 新校正云按甲乙經蟄作執）上下同法視其部中有浮絡者皆太陰之絡也絡盛則入客於經（部皆謂本經絡之所部分浮謂浮息也）凡十二經絡脉者皮之部也（列陰陽位部主於皮故曰皮之部也）是故百病之始生也必先於皮毛邪中之則腠理開開則入客於絡脉留而不去傳入於經留而不去傳入於府廩於腸胃（廩積也聚也）邪之始入於皮也泝然起毫毛開腠理（泝然惡寒也起謂毛起豎也腠理皆謂皮空及文理也）其入於絡也則絡脉盛色變（盛謂盛滿變謂易其常也）其入客於經也則感

虛乃陷下經虛邪入故曰感虛脈虛氣少故陷下也其留於筋骨之間寒多則筋攣骨痛熱多則筋弛骨消肉爍䐃破毛直而敗攣急也弛緩也消爍也鍼經曰寒則筋急熱則筋緩寒勝為痛熱勝為氣消䐃者肉之標故肉消則䐃破毛直而敗也帝曰夫子言皮之十二部其生病皆何如岐伯曰皮者脈之部也脈氣留行各有陰陽之氣隨經所過而部主之故云脈之部邪客於皮則腠理開開則邪入客於絡脈絡脈滿則注於經脈經脈滿則入舍於府藏也故皮者有分部不與而生大病也脈行皮中各有部分脈受邪氣隨則病生非由皮氣而能生也新校正云按甲乙經不與作不愈全元起本作不與元起云氣不與經脈和調則氣傷於外邪流入於內必生大病也帝曰善

經絡論篇第五十七新校正云按全元起本在皮部論末王氏分

黃帝問曰夫絡脈之見也其五色各異青黃赤白黑

不同其故何也岐伯對曰經有常色而絡無常變也經行氣故色見常應於時絡主血故受邪則變而不一矣帝曰經之常色何如岐伯曰心赤肺白肝青脾黃腎黑皆亦應其經脉之色也帝曰絡之陰陽亦應其經乎岐伯曰陰絡之色應其經陽絡之色變無常隨四時而行也順四時氣化之行止寒多則凝泣凝泣則青黑熱多則淖澤淖澤則黃赤此皆常色謂之無病五色具見者謂之寒熱淖濕也澤潤液也謂微濕潤也帝曰善

氣穴論篇第五十八新校正云按全元起本在第二卷

黃帝問曰余聞氣穴三百六十五以應一歲未知其所願卒聞之岐伯稽首再拜對曰窘乎哉問也其非

聖帝孰能窮其道焉因請溢意盡言其處孰謂也帝捧手逡巡而却曰夫子之開余道也目未見其處耳未聞其數而目以明耳以聰矣目以明耳以聰言心志通明迥如意也歧伯曰此所謂聖人易語良馬易御也帝曰余非聖人之易語也世言真數開人意今余所訪問者真數發蒙解惑未足以論也開氣穴真數庶將解彼蒙昧之疑惑未足以論述深微之意也然余願聞夫子溢志盡言其處令解其意請藏之金匱不敢復出言其處謂穴俞處所歧伯再拜而起曰臣請言之背與心相控而痛所治天突與十椎及上紀天突在頸結喉下同身寸之四寸中央宛宛中陰維任脈之會低鍼取之刺可入同身寸之一寸留七呼若灸者可灸三壯按今甲乙經經脈流注孔穴圖經當脊十椎下並無穴目恐是七椎也此則督脈氣所主之上紀之處次如下說新校正云按甲乙經天

突在結喉下五寸。上紀者胃脘也。謂中脘也中脘者胃募也在上脘下同身寸之一寸居心蔽骨與齊之中手太陽少陽足陽明三脉所生任脉氣所發也刺可入同身寸之一寸二分若灸者可灸七壯新校正云按甲乙經云任脉之會也下紀者關元也。關元者少腸募也在齊下同身寸之三寸足三陰任脉之交會刺可入同身寸之二寸留七呼若灸者可灸七壯背胷邪繫陰陽左右如此其病前後痛濇胷脇痛而不得息不得臥上氣短氣偏痛新校正云按别本偏一作滿脉滿起斜出尻脉絡胷脇支心貫鬲上肩加天突斜下肩交十椎下。尋此支絡脉流注病形證悉是督脉支絡自尾骶出各上行斜絡脇支心貫鬲上加天突斜之肩而下交於十椎。新校正云詳自背與心相控而痛至此疑是骨空論文簡脫誤於此藏俞五十穴。藏謂五藏肝心脾肺腎非兼四形藏也俞謂井滎俞經合非背俞也然井滎俞經合者肝之井也大敦也滎行間也俞太衝也經中封也合曲泉也大敦在足大指端去爪甲角如韭葉及三毛之中足厥陰脉之所出也刺可入同身寸之三分留十呼若灸者可灸三壯行間在足大指之間脉動應手陷者中足厥陰脉之所流也。新校正云按甲乙經留作流餘所流並作留刺可入同身寸之六分留十呼若灸者可灸三壯太衝在

七鋟

足大指本節後同身寸之二寸陷者中 新校正云按刺腰痛注云本節後內間同身寸之二寸陷者中動脉應手 足厥陰脉之所注也刺可入同身寸之三分留十呼若灸者可灸三壯 中封在足內踝前同身寸之一寸半 新校正云按甲乙經云一寸 陷者中仰足而取之伸足乃得之足厥陰脉之所行也刺可入同身寸之四分留七呼若灸者可灸三壯曲泉在膝內輔骨下大筋上小筋下陷者中屈膝而得之足厥陰脉之所入也刺可入同身寸之六分留十呼若灸者可灸三壯心包之井者中衝也滎勞宮也俞太陵也經間使也合曲澤也中衝在手中指之端去爪甲角如韭葉陷者中手心主脉之所出也刺可入同身寸之一分留三呼若灸者可灸一壯勞宮在掌中央動脉手心主脉之所溜也刺可入同身寸之三分留六呼若灸者可灸三壯太陵在掌後骨兩筋間陷者中手心主脉之所注也刺可入同身寸之六分留七呼若灸者可灸三壯間使在掌後同身寸之三寸兩筋間陷者中手心主脉之所行也刺可入同身寸之六分留七呼若灸者可灸七壯 新校正云按甲乙經云灸三壯 曲澤在肘內廉下陷者中屈肘而得之手心主脉之所入也刺可入同身寸之三分留七呼若灸者可灸三壯脾之井者隱白也滎大都也俞太白也經商丘也合陰陵泉也隱白在足大指之端內側去爪甲角如韭葉足太陰脉之所出也刺可入同身寸之一分留三呼若灸者可灸三壯大都在足大指本節後陷者中足太陰脉之所溜也刺可入同身寸之三分留七呼若灸者可灸三壯太白在足內側核骨下陷者中足太陰脉之所注也刺可入同身寸之三分留七呼若灸者可灸三壯商丘在足內踝下微前陷者中足太陰脉之所行也刺可入

同身寸之四分留七呼若灸者可灸三壯陰陵泉在膝下內側輔骨下陷者中伸足乃得之足太陰脈之所入也刺可入同身寸之五分留七呼若灸者可灸三壯肺之井者少商也滎魚際也俞太淵也經經渠也合尺澤也少商在手大指之端內側去爪甲角如韭葉手太陰脈所出也刺可入同身寸之一分留一呼若灸者可灸三壯 新校正云按甲乙經作一壯 魚際在手大指本節後內側散脈手太陰脈之所流也刺可入同身寸之二分留三呼若灸者可灸三壯太淵在掌後陷者中手太陰脈之所注也刺可入同身寸之二分留二呼若灸者可灸三壯經渠在寸口陷者中手太陰脈之所行也刺可入同身寸之三分留三呼不可灸傷人神明尺澤在肘中約上動脈手太陰脈之所入也刺可入同身寸之三分留三呼若灸者可灸三壯腎之井者涌泉也滎然谷也俞大谿也經復留也 新校正云按甲乙經溜作留餘復溜字並同 合陰谷也涌泉在足心陷者中屈足捲指宛宛中足少陰脈之所出也刺可入同身寸之三分留三呼若灸者可灸三壯然谷在足內踝前起大骨下陷者中足少陰脈之所流也刺可入同身寸之三分留三呼若灸者可灸三壯刺此多見血令人立饑欲食太谿在足內踝後跟骨上動脈陷者中足少陰脈之所注也刺可入同身寸之三分留七呼若灸者可灸三壯復溜在足內踝上同身寸之二寸陷者中 新校正云按刺腰痛篇注云在內踝後上二寸動脈 足少陰脈之所行也刺可入同身寸之三分留三呼若灸者可灸五壯陰谷在膝下內輔骨之後大筋之下小筋之上按之應手屈膝而得之足少陰脈之所入也刺可入同身寸之四分若灸者可灸三壯如是五藏之俞藏各五穴則二十五俞以左右脈

具而言之則五十穴。府俞七十二穴。府謂六府非兼九形府也俞亦謂井滎俞原經合非背俞也肝之府膽膽之井者竅陰也滎俠谿也俞臨泣也原丘虛也經陽輔也合陽陵泉也竅陰在足小指次指之端去爪甲角如韭葉足少陽脉之所出也刺可入同身寸之一分留一呼 新校正云按甲乙經作三呼 若灸者可灸三壯俠谿在足小指次指岐骨間本節前陷者中足少陽脉之所流刺可入同身寸之三分留三呼若灸者可灸三壯臨泣在足小指次指本節後間陷者中去俠谿同身寸之一寸半足少陽脉之所注也刺可入同身寸之三分 新校正云按甲乙經作二分 留五呼若灸者可灸三壯丘虛在足外踝下如前陷者中去臨泣同身寸之三寸足少陽脉之所過也刺可入同身寸之五分留七呼若灸者可灸三壯陽輔在足外踝上 新校正云按甲乙經云外踝上四寸輔骨前絶骨之端如前同身寸之三分所 去丘虛同身寸之七寸足少陽脉之所行也刺可入同身寸之五分留七呼若灸者可灸三壯陽陵泉在膝下同身寸之一寸䯒外廉陷者中足少陽脉之所入也刺可入同身寸之六分留十呼若灸者可灸三壯髀之府胃胃之井者厲兌也滎內庭也俞陷谷也原衝陽也經解谿也合三里也厲兌在足大指次指之端去爪甲角如韭葉足陽明脉之所出也刺可入同身寸之一分留一呼若灸者可灸一壯內庭在足大指次指外間陷者中足陽明脉之所流也刺可入同身寸之三分留十呼 新校正云按甲乙經云作二十呼若灸者可灸三壯陷谷在足大指次指外間本節後陷者中去內庭同身寸之二寸足陽明脉之所注也刺可入同身寸之五分留七呼若灸者可灸三壯衝陽在足跗上同身寸之五寸骨間動脉上去陷谷同身寸之三寸足陽明脉之所過也刺可入同身寸之三分留十呼若灸者可灸三壯解谿在衝陽後同身寸之二寸半新校正云按甲乙經作一寸半刺瘧注作三寸半素問二注不同當從甲乙經之說腕上陷者中足陽明脉之所行也刺可入同身寸之五分留五呼若灸者可灸三壯三里在膝下同身寸之三寸骱骨外廉兩筋肉分間足陽明脉之所入也刺可入同身寸之一寸留七呼若灸者可灸三壯肺之府大腸大腸之井者商陽也滎二間也俞三間也原合谷也經陽谿也合曲池也商陽在手大指次指內側去爪甲角如韭葉手陽明脉之所出也刺可入同身寸之一分留一呼若灸者可灸三壯二間在手大指次指本節前內側陷者中手陽明脉之所流也刺可入同身寸之三分留六呼若灸者可灸三壯三間在手大指次指本節後內側陷者中手陽明脉之所注也刺可入同身寸之三分留三呼若灸者可灸三壯合谷在手大指次指歧骨之間手陽明脉之所過也刺可入同身寸之三分留六呼若灸者可灸三壯陽谿在腕中上側兩筋間陷者中手陽明脉之所行也刺可入同身寸之三分留七呼若灸者可灸三壯曲池在肘外輔屈肘兩骨之中手陽明脉之所入也以手拱胸取之刺可入同身寸之五分留七呼若灸者可灸三壯心之府小腸小腸之井者少澤也滎前谷也俞後谿也原腕骨也經陽谷也合少海也少澤在手小指之端去爪甲下同身寸之一分陷者中手太陽脉之所出也刺可入同身寸之一分留二呼若灸者可灸一壯前谷在手小指外側本節前陷者中手太陽脉之所流也刺可入同身寸之一分留三呼若灸者可灸三壯後谿在手小指外側本節後陷者中手太陽脉之

所注也刺可入同身寸之一分留二呼若灸者可灸一壯腕骨在手外側腕前起骨下陷者中手太陽脈之所過也刺可入同身寸之二分留三呼若灸者可灸三壯陽谷在手外側腕中銳骨之下陷者中手太陽脈之所行也刺可入同身寸之二分留三呼新校正云按甲乙經作二呼若灸者可灸三壯少海在肘内大骨外去肘端同身寸之五分陷者中屈肘乃得之手太陽脈之所入也刺可入同身寸之二分留七呼若灸者可灸五壯心包之府三焦三焦之井者關衝也滎液門也俞中渚也原陽池也經支溝也合天井也關衝在手小指次指之端去爪甲角如韭葉手少陽脈之所出也刺可入同身寸之一分留三呼若灸者可灸三壯液門在手小指次指間陷者中手少陽脈之所流也刺可入同身寸之二分若灸者可灸三壯中渚在手小指次指本節後間陷者中手少陽脈之所注也刺可入同身寸之二分留三呼若灸者可灸三壯陽池在手表腕上陷者中手少陽脈之所過也刺可入同身寸之二分留六呼若灸者可灸三壯支溝在腕後同身寸之三寸兩骨之間陷者中手少陽脈之所行也刺可入同身寸之二分留七呼若灸者可灸三壯天井在肘外大骨之後同身寸之一寸兩筋間陷者中屈肘得之手少陽脈之所入也刺可入同身寸之一寸留七呼若灸者可灸三壯腎之府膀胱膀胱之井者至陰也滎通谷也俞束骨也原京骨也經崑崙也合委中也至陰在足小指外側去爪甲角如韭葉足太陽脈之所出也刺可入同身寸之一分留五呼若灸者可灸三壯通谷在足小指外側本節前陷者中太陽脈之所流也刺可入同身寸之二分留五呼若灸者可灸三壯束骨在足小指外側本節後赤白肉際陷者中足太陽脈之所注

也刺可入同身寸之三分留三呼若灸者可灸三壯京骨在足外側大骨下赤白肉際陷者中按而得之足太陽脈之所過也刺可入同身寸之三分留七呼若灸者可灸三壯崑崙在足外踝後跟骨上陷者中細脈動應手足太陽脈之所行也刺可入同身寸之五分留十呼若灸者可灸三壯委中在膕中央約文中動脈　新校正云詳委中穴與甲乙經及刺瘧篇注痺論注同文骨空論云在膝解之後曲脚之中背面取之又熱穴論注刺熱篇注云在足膝後屈處足太陽脈之所入刺可入同身寸之五分留七呼若灸者可灸三壯如是六府之俞兩各六穴則三十六俞以左右脈具而言之則七十二穴

熱俞五十九穴。水俞五十七穴。並具水熱穴論中　新校正云按熱俞又見刺熱篇注

頭上五行行五五二十五穴。此亦熱俞之五十九穴也

中𦙶兩傍各五凡十穴。謂五藏之背俞也肺俞在第三椎下兩傍心俞在第五椎下兩傍肝俞在第九椎下兩傍脾俞在第十一椎下兩傍腎俞在第十四椎下兩傍此五藏俞者各俠脊相去同身寸之一寸半並足太陽脈之會刺可入同身寸之三分肝俞留六呼餘並留七呼若灸者可灸三壯俠脊數之則十穴也

大椎上兩傍各一凡二穴。今甲乙經經脉流注孔穴圖經並不載未詳何俞也　新校正云按大椎上傍無穴大椎下傍穴名大杼後有故王氏云未詳

目瞳子浮白二穴。瞳子髎在目外去眥同身寸之五分手太陽手足少陽三脈之會刺可入同身寸之三分若灸者

可灸三壯浮白在耳後入髮際同身寸之一寸足太陽少陽二脈之會刺可入同身寸之三分若灸者可灸三壯左右言之各二爲四也**兩髀厭分中二穴**謂環銚穴也在髀樞後足少陽太陽二脈之會刺可入同身寸之一寸留二十呼若灸者可灸三壯新校正云按正氏云在髀樞後按甲乙經云在髀樞中後當作中灸三壯甲乙經作五壯**犢鼻二穴**在膝髕下骭上俠解大筋中足陽明脈氣所發刺可入同身寸之六分若灸者可灸三壯**耳中多所聞二穴**聽宮穴也在耳中珠子大如赤小豆手足少陽手太陽三脈之會刺可入同身寸之一分若灸者可灸三壯新校正云按甲乙經云刺可入三分**眉本二穴**攢竹穴也在眉頭陷者中足太陽脈氣所發刺可入同身寸之三分留六呼若灸者可灸三壯**完骨二穴**在耳後入髮際同身寸之四分足太陽少陽之會刺可入同身寸之三分留七呼若灸者可灸三壯新校正云按甲乙經云刺可入二分灸七壯**項中央一穴**風府穴也在項上入髮際同身寸之一寸大筋內宛宛中督脈陽維二經之會疾言其肉立起言休其肉立下刺可入同身寸之四分留三呼灸之不幸使人瘖**枕骨二穴**竅陰穴也在完骨上枕骨下搖動應手足太陽少陽之會刺可入同身寸之三分若灸者可灸三壯新校正云按甲乙經云刺可入四分灸可五壯**上關二穴**鍼經所謂刺之則欬不能欠者也在耳前上廉起骨開口有空手少陽足陽明之會刺可入同身寸之三分留七呼若灸者可灸三壯刺深令人耳無所聞**大迎**

二穴。在曲頷前同身寸之一寸三分骨陷者中動脉足陽明脉氣所發刺可入同身寸之三分留七呼若灸者可灸三壯。下關二穴。鍼經所謂刺之則欠不能欬者也在上關下耳前動脉下廉合口有空張口而閉足陽明少陽二脉之會刺可入同身寸之三分留七呼若灸者可灸三壯耳中有乾擿之不得灸也。新校正云按甲乙經擿之作擿抵。天柱二穴。在俠項後髮際大筋外廉陷者中足太陽脉氣所發刺可入同身寸之二分留六呼若灸者可灸三壯。巨虛上下廉四穴。上廉足陽明與大腸合也在膝犢鼻下䯒外廉同身寸之六寸足陽明脉氣所發刺可入同身寸之八分若灸者可灸三壯下廉足陽明與小腸合也在上廉下同身寸之三寸足陽明脉氣所發刺可入同身寸之三分若灸者可灸三壯。新校正云按甲乙經井刺熱篇注水熱穴注上廉在三里下三寸此云犢鼻下六寸者蓋三里在犢鼻下三寸上廉又在三里下三寸故云六寸也。曲牙二穴。頰車穴也在耳下曲頰端陷者中開口有空足陽明脉氣所發刺可入同身寸之三分若灸者可灸三壯也。天突一穴。已前釋也。天府二穴。在腋下同身寸之三寸臂臑內廉動脉手太陰脉氣所發禁不可灸刺可入同身寸之四分留三呼。天牖二穴。在頸筋間缺盆上天容後天柱前完骨下髮際上手少陽脉氣所發刺可入同身寸之一寸留七呼若灸者可灸三壯。扶突二穴。在頸當曲頰下同身寸之一寸人迎後手陽明脉氣所發仰而取之刺可入同身寸之四分若灸者可灸三壯。天窻二穴。

在曲頰下扶突後動脉應手陷者中手太陽脉氣所發刺可入同身寸之六分若灸者可灸三壯。**肩解二穴**謂肩井也在肩上陷解中缺盆上大骨前手足少陽陽維之會刺可入同身寸之五分若灸者可灸三壯　新校正云按甲乙經灸五壯。**關元一穴**新校正云詳此已前釋舊當篇再注令去之。**委陽二穴**三焦下輔俞也在膕中外廉兩筋間此足太陽之別絡刺可入同身寸之七分留五呼若灸者可灸三壯屈身而取之。**肩貞二穴**在肩曲甲下兩骨解間肩髃後陷者中手太陽脉氣所發刺可入同身寸之八分若灸者可灸三壯。**瘖門一穴**在項髮際宛宛中入係舌本督脉陽維二經之會仰頭取之刺可入同身寸之四分不可灸灸之令人瘖　新校正云按氣府注云去風府一寸。**齊一穴**齊中也禁不可刺刺之使人齊中惡瘍潰矢出者死不可治若灸者可灸三壯。**胸俞十二穴**謂俞府或中神藏靈墟神封步廓左右則十二穴也俞府在巨骨下俠任脉兩傍橫去任脉各同身寸之二寸陷者中下五穴遞相去同身寸之一寸六分陷者中並足少陰脉氣所發仰而取之刺可入同身寸之四分若灸者可灸五壯。**背俞二穴**大杼穴也在脊第一椎下兩傍相去各同身寸之一寸半陷者中督脉別絡手足太陽三脉氣之會刺可入同身寸之三分留七呼若灸者可灸七壯。**膺俞十二穴**謂雲門中府周榮胷鄉天谿食竇左右則十二穴也　新校正云按甲乙經作周榮胷鄉　雲門在巨骨下俠任脉傍橫去任脉各同身寸之六寸　新校正云按水熱穴注作胷中行兩傍與此文雖異處

所無別。陷者中動脈應手。雲門中府相去同身寸之一寸，餘五穴遞相去同
身寸之一寸六分，陷者中，並手太陰脈氣所發。雲門舉臂取之，餘並仰而
取之。雲門刺可入同身寸之七分，太深令人逆息。中府刺可入同身寸之三分，
留五呼。餘刺可入同身寸之四分，若灸者可灸五壯。　新校正云：詳王氏以此
十二穴并手太陰，按甲乙經雲門乃手太陰，中府乃手足
太陰之會，周榮已下乃足太陰，非十二穴並手太陰也。**分肉二穴**在足外踝上絕
骨之端，同身寸之三分，筋肉分間，陽維脈氣所發，刺可入同身寸之三分，留七
呼，若灸者可灸三壯。　新校正云：按甲乙經無分肉穴，詳處所疑是陽輔，在足
外踝上輔骨前，絕骨端，如前三分所。又按刺腰痛注作
絕骨之端，如後二分，刺入五分，留十呼，與此注小異。**踝上橫二穴**內踝上
者交信
穴也。交信去內踝上同身寸之二寸，少陰前，太陰後，筋骨間，足陰蹻之郄，刺可
入同身寸之四分，留五呼，若灸者可灸三壯。外踝上附陽穴也，附陽去外踝上
同身寸之三寸，太陽前，少陰後，筋骨間，陽蹻之郄，刺可入同身寸之
六分，留七呼，若灸者可灸三壯。　新校正云：按甲乙經附陽作付陽。**陰陽蹻
四穴**陰蹻穴在足內踝下，是謂照海，陰蹻所生，刺可入同身寸之四分，留六
呼，若灸者可灸三壯。陽蹻穴是謂申脈，陽蹻所生，在外踝下陷者中。
新校正云：按刺腰痛篇注作在外踝下五分，繆刺論注云外踝下半寸容爪
甲，刺可入同身寸之三分，留七呼，若灸者可灸三壯。　新校正云：按甲乙經留
七呼作六呼，刺腰
痛篇注作十呼。**水俞在諸分，**分謂肉之分理
間，治水取之。**熱俞在氣穴，**寫熱則
取之。

寒熱俞在兩骸厭中二穴骸厭謂膝外俠膝之骨厭中也大禁二十五在天府下五寸謂五里穴也所以謂之大禁者謂其禁不可刺也鍼經曰迎之五里中道而上五至而已五往而藏之氣盡矣故五五二十五而竭其俞矣蓋謂此也又曰五里者尺澤之後五里與此文同凡三百六十五穴鍼之所由行也新校正云詳自藏俞五十至此并重複共得三百六十穴通前天突十椎上紀下紀共三百六十五穴除重複實有三百一十三穴帝曰余已知氣穴之處遊鍼之居願聞孫絡谿谷亦有所應乎孫絡小絡也謂絡之支別者岐伯曰孫絡三百六十五穴會亦以應一歲以溢奇邪以通榮衛榮衛稽留衛散榮溢氣竭血著外為發熱內為少氣疾寫無怠以通榮衛見而寫之無問所會榮積衛留內外相薄者見其血絡當即寫之亦無問其脉之俞會也帝曰善願聞谿谷之會也岐伯曰肉之大會為谷肉之小會為谿肉分之間谿谷之會以行榮衛以會大氣

溱聚也

（新校正云：按甲乙經作以舍大氣。）邪溢氣壅，脉熱肉敗，榮衛不行，必將爲膿，內銷骨髓，外破大膕，（熱過故致是。）留於節湊，必將爲敗。（若留於骨節之間，津液所溱之處，則骨節之間髓液皆潰爲膿，故必敗爛筋骨而不得屈伸矣。）積寒留舍，榮衛不居，卷肉縮筋，（新校正云：按全元起本作寒肉縮筋。）肋肘不得伸，內爲骨痺，外爲不仁，命曰不足，大寒留於谿谷也。（邪氣盛甚，真氣不榮，髓溢內消，故爲是也。不足，謂陽氣不足也。寒邪外薄，久積淹留，陽不外勝，內消筋髓，故曰不足，大寒留於谿谷之中也。）谿谷三百六十五穴會，亦應一歲。其小痺淫溢，循脉往來，微鍼所及，與法相同。（若小寒之氣，流行淫溢，隨脉往來爲痺病，用鍼調者，與常法相同爾。）帝乃辟左右而起，再拜曰：今日發蒙解惑，藏之金匱，不敢復出。乃藏之金蘭之室，署曰氣穴所在。岐伯曰：孫絡之脉別經者，其血盛而當寫者，亦三百六十五脉，並注於絡，傳注十

内經十五

大素金存
大素大氣府

二絡脈。非獨十四絡脈也。十四絡者，謂十二經絡兼任脈督脈之絡也。脾之大絡起自於脾，故不幷言之也。内解寫於中者十脈。解謂骨解之中經絡也。雖則別行，然所受邪亦隨注寫於五藏之脈，左右各五，故十脈也。

氣府論篇第五十九

新校正云：按全元起本在第二卷。

足太陽脈氣所發者七十八穴。兼氣浮薄相通者言之，當言九十三穴，非七十八穴也。正經脈會發者七十八穴，浮薄相通者一十五穴，則其數也。兩眉頭各一，謂攢竹穴也。所在刺灸分壯，與氣穴同法。入髮至項三寸半，傍五相去三寸。謂大杼風門各二穴也。所在刺灸分壯，與氣穴同法。新校正云：按別本云，入髮至項三寸。又注云：寸，同身寸也。諸寸同法。與此注全別。此注謂大杼風門各二穴，所在灸刺分壯，與此氣穴同法。今氣穴篇中無風門穴，而注言與同法，此注之非可見。此非王氏之誤，誤在後人。詳此入髮至項三寸半，傍五相去三寸，蓋是說下文浮氣之在皮中五行，行五之穴，故王都不解釋，直云寸爲同身寸也。但以頂誤作項，剩半字耳。所以言入髮至頂者，自入髮顖會穴至頂百會凡三寸，自百會後至後頂又三寸，故云入髮至頂三寸。傍五者，爲兼四行傍數有五行也。相去三寸者，蓋謂自百會頂中數左右前後各三寸，有五行，行五，共二十五穴也。後人誤認將頂爲項，以爲大杼風門，此甚誤也。況大杼在第一椎下兩傍，風門又在

九經

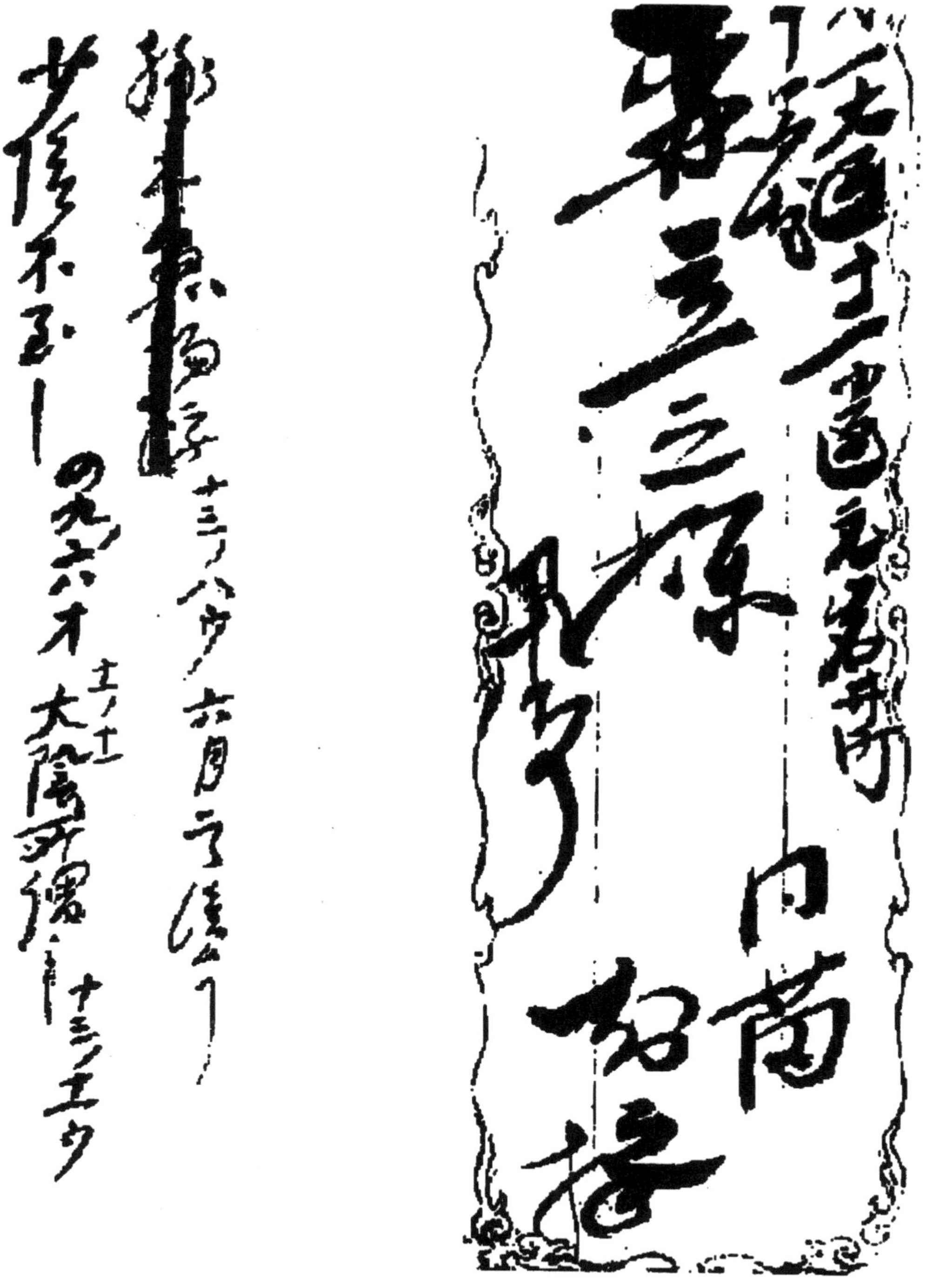

第二椎下上至髮際非此三寸半也其誤甚明

其浮氣在皮中者凡五行行五五五二十五

浮氣謂氣浮而通之可以去熱者也五行謂頭上自髮際中同身寸之二寸後至頂之後者也二十五者其中行則顖會前頂百會後頂強間五督脈氣也次俠傍兩行則五處承光通天絡却玉枕各五本經氣也又次傍兩行則臨泣目窗正營承靈腦空各五足少陽氣也兩傍四行各五則二十也中行五則二十五也其刺灸分壯與熱穴同法

項中大筋兩傍各一

謂天柱二穴也所在刺灸分壯與氣穴同法

風府兩傍各一

謂風池二穴也刺灸分壯與氣穴同法 新校正云按甲乙經風池足少陽陽維之會非太陽之所發也經言風府兩傍乃天柱穴之分位此亦復明上項中大筋兩傍穴也此注剩出風池二穴於九十三數外更剩前大杼風明及此風池六穴也

俠背以下至尻尾二十一節十五間各一

十五間各一者今中誥孔穴圖經所存者十三穴左右共二十六謂附分魄戶神堂譩譆鬲關魂門陽綱意舍胃倉肓門志室胞肓秩邊十三也附分在第二椎下附項內兩傍各相去俠脊同身寸之三寸足太陽之會刺可入同身寸之八分若灸者可灸五壯魄戶在第三椎下兩傍上直附分足太陽脈氣所發下十二穴並同正坐取之刺可入同身寸之五分若灸者如附分法神堂在第五椎下兩傍上直魄戶刺可入同身寸之三分灸同附分法譩譆在第六椎下兩傍上直神堂新校正云按骨空論注云以手厭之令病人呼譩譆之聲則

指下動矣刺可入同身寸之六分留七呼灸如刺分法鬲關在第七椎下兩傍上直譩譆正坐闢肩取之刺可入同身寸之五分若灸者可灸三壯新校正云按甲乙經可灸五壯䰟門在第九椎下兩傍上直鬲關正坐取之刺灸分壯如鬲關法陽綱在第十椎下兩傍上直䰟門正坐取之刺灸分壯如䰟門法意舍在第十一椎下兩傍上直陽綱正坐取之刺灸分壯如陽綱法胃倉在第十二椎下兩傍上直意舍刺灸分壯如意舍法肓門在第十三椎下兩傍上直胃倉刺同胃倉可灸三十壯新校正云按肓門灸三十壯與甲乙經同水穴注作灸三壯志室在第十四椎下兩傍上直肓門正坐取之刺灸分壯如䰟戶法胞肓在第十九椎下兩傍上直志室伏而取之刺灸分壯如䰟戶法新校正云按志室胞肓灸如䰟戶五壯甲乙經作三壯水穴注亦作三壯秩邊穴法志室亦作三壯秩邊在第二十一椎下兩傍上直胞肓伏而取之刺灸分壯如䰟戶法

五藏之俞各五六府之俞各六肺俞在第三椎下兩傍俠脊相去各同身寸之一寸半刺可入同身寸之三分留七呼若灸者可灸三壯心俞在第五椎下兩傍相去及如肺俞法留七呼肝俞在第九椎下兩傍相去及刺如心俞法留六呼脾俞在第十一椎下兩傍相去及刺如肝俞法留七呼腎俞在第十四椎下兩傍相去及刺如脾俞法留七呼膽俞在第十椎下兩傍相去如肺俞法正坐取之刺可入同身寸之五分留七呼胃俞在第十二椎下兩傍相去及刺如脾俞法留七呼三焦俞在第十三椎下兩傍相去及刺如膽俞法大腸俞在第十六椎下兩傍相去及刺如肺俞法留六呼小腸俞在第十八椎下兩傍相去

又刺如心俞法，留六呼。膀胱俞在第十九椎下兩傍，相去及刺如腎俞法，留六呼。五藏六府之俞，若灸者並可灸三壯。新校正云：詳或者疑經中各五各六以各五各六字爲誤者，非也。所以言各者，謂左右各五各六，非謂每藏府而各五各六也。

委中以下至足小指傍各六俞，謂委中、崑崙、京骨、束骨、通谷、至陰六穴也。左右言之，則十二俞也。其所在刺灸如氣穴法。經言脈氣所發者七十八穴，今此所有兼亡者九十三穴，由此則大數差錯，傳寫有誤也。新校正云：詳王氏云兼亡者九十三穴，今兼大杼、風門、風池爲九十九穴，以此王氏總數計之，明知此三穴後之妄增也。

足少陽脈氣所發者六十二穴：兩角上各二，謂天衝、曲鬢左右各二也。天衝在耳上如前三分，刺可入同身寸之三分，若灸者可灸五壯。曲鬢在耳上入髮際曲隅陷者中，鼓頷有空，足太陽少陽二脈之會，刺灸分壯如天衝法。**直目上髮際內各五，**謂臨泣、目窻、正營、承靈、腦空左右是也。臨泣在直目上入髮際五分，足太陽少陽陽維三脈之會，留七呼。目窻在臨泣後同身寸之一寸，正營在目窻後同身寸之一寸，承靈在正營後同身寸之一寸半，腦空在承靈後同身寸之一寸半，俠枕骨後枕骨上，並足少陽陽維二脈之會，刺可入同身寸之四分，餘並刺可入同身寸之三分，若灸者並可灸五壯。新校正云：按腦空在枕骨後枕骨上，甲乙經作玉枕骨下。**耳前角上各一，**謂頷厭二穴也。在曲角下顳顬之上上廉，手足少陽足陽明三脈之會，刺可入同身寸之七分，留七呼，若灸者可灸三壯，刺深令人耳無所聞。

耳前角下各一謂懸釐二穴也在曲角上顳顬之下廉手足少陽陽明四脈之交會刺可入同身寸之三分留七呼若灸者可灸三壯　新校正云按後手少陽中云角上此云角下必有一誤銳髮下各一謂和髎二穴也在耳前銳髮下橫動脈手足少陽二脈之會刺可入同身寸之三分若灸者可灸三壯　新校正云按甲乙經云手足少陽手太陽之會客主人各一客主人穴名也在耳前上廉起骨開口有空手足少陽足陽明三脈之會刺可入同身寸之三分留七呼若灸者可灸三壯　新校正云按甲乙經及氣穴注刺禁注並云手少陽足陽明之會與此異耳後陷中各一謂翳風二穴也在耳後陷者中按之引耳中手足少陽二脈之會刺可入同身寸之三分若灸者可灸三壯下關各一下關穴名也所在刺灸氣穴同法耳下牙車之後各一謂頰車二穴也刺灸分壯氣穴同法缺盆各一缺盆穴名也在肩上橫骨陷者中足陽明脈氣所發刺可入同身寸之二分留七呼若灸者可灸三壯太深令人逆息　新校正云按骨空注作手陽明掖下三寸脇下至胠八間各一掖下三寸同身寸也掖下謂淵掖輒筋天池脇下至胠則日月章門帶脈五樞維道居髎九穴也左右共十八穴也淵掖在掖下同身寸之三寸足少陽脈氣所發舉臂取之刺可入同身寸之三分禁不可灸輒筋在掖下同身寸之三寸復前行同身寸之一寸援脇　新校正云按甲乙經援作著下同　足少陽脈氣所發刺可入

同身寸之六分若灸者可灸三壯天池在乳後同身寸之二寸新校正云按甲乙經作一寸掖下三寸搓脇直掖撅肋間手心主足少陽二脉之會刺可入同身寸之三分 新校正云按甲乙經作七分 若灸者可灸三壯日月膽募也在第三肋端橫直心蔽骨傍各同身寸之二寸五分上直兩乳 新校正云按甲乙經云日月在期門下五分 足太陰少陽二脉之會刺可入同身寸之七分若灸者可灸五壯章門脾募也在季肋端足厥陰少陽二脉之會側卧屈上足伸下足舉臂取之刺可入同身寸之八分留六呼若灸者可灸三壯帶脉在季肋下同身寸之一寸八分足少陽帶脉二經之會刺可入同身寸之六分若灸者可灸五壯五樞在帶脉下同身寸之三寸足少陽帶脉二經之會刺可入同身寸之一寸若灸者可灸五壯維道在章門下同身寸之五寸三分足少陽帶脉二經之會刺灸分壯如章門法居髎在章門下同身寸之四寸三分髂骨上 新校正云按甲乙經作監骨 陷者中陽蹻足少陽二脉之會刺灸分壯如維道法所以謂之八間者自掖下三寸至季肋凡八肋骨

髀樞中傍各一

謂環銚二穴也刺灸分壯氣穴同法 新校正云按氣穴論云兩髀厭分中王注爲環銚穴又甲乙經注環銚在髀樞中今云髀樞中傍各一者蓋謂此穴在髀樞中也傍各一者謂左右各一穴也非謂環銚在髀樞中傍也

膝以下至足小指次指各六俞

謂陽陵泉陽輔丘虛臨泣俠谿竅陰六穴也左右言之則十二俞也其所在刺灸分壯氣穴同法

足陽明脉氣所發者六十八穴額顱

髮際傍各三〔謂懸顱陽白頭維左右共六穴也正面髮際橫行數之懸顱在曲角上顳顬之中足陽明脉氣所發刺入同身寸之三分留三呼若灸者可灸三壯陽白在眉上同身寸之一寸直瞳子足陽明陰維二脉之會刺可入同身寸之三分灸三壯頭維在額角髮際俠本神兩傍各同身寸之一寸五分足少陽陽明二脉之交會刺可入同身寸之五分禁不可灸　新校正云按甲乙經陽白足少陽陽維之會今王氏注云足陽明陰維之會詳此在足陽明脉氣所發中則足陽明近是然陽明經不到此又不與陰維會疑王注非甲乙經爲得矣

面鼽骨空各一〔謂四白穴也在目下同身寸之一寸足陽明脉氣所發刺可入同身寸之四分不可灸　新校正云按甲乙經刺入三分灸七壯

大迎之骨空各一〔大迎穴名也在曲頷前同身寸之一寸三分骨陷者中動脉足陽明脉氣所發刺可入同身寸之三分留七呼若灸者可灸三壯

人迎各一〔人迎穴名也在頸俠結喉傍大脉動應手足陽明脉氣所發刺可入同身寸之四分過深殺人禁不可灸

缺盆外骨空各一〔謂天髎二穴也在肩缺盆中上伏骨之陬陷者中手足少陽陽維三脉之會刺可入同身寸之八分若灸者可灸三壯　新校正云按甲乙經伏骨作毖骨

膺中骨間各一〔謂膺窻等六穴也膺窻在胷兩傍俠中行各相去同身寸之四寸巨骨下同身寸之四寸八分陷者中足陽明脉氣所發仰而取之刺可入同身寸之四分若灸者可灸五壯此穴之上又有氣戶庫房屋翳下又有乳中乳根氣戶在巨骨下下直膺窻去膺窻上同身寸之四寸八

分。庫房在氣戶下同身寸之一寸六分。屋翳在氣戶下同身寸之三寸二分。下即膺窗也。膺窗之下即乳中也。乳中穴下同身寸之一寸六分陷者中，則乳根穴也。並足陽明脉氣所發，仰而取之。乳中禁不可灸刺，灸刺之不幸生蝕瘡，瘡中有清汁膿血者可治，瘡中有瘜肉若蝕瘡者死。餘五穴並刺可入同身寸之四分，若灸者可灸三壯。新校正云：按甲乙經灸五壯。

俠鳩尾之外，當乳下三寸，俠胃脘各五。

謂不容、承滿、梁門、關門、太一五穴也。左右共十穴也。俠腹中行兩傍相去各同身寸之四寸。新校正云：按甲乙經云各二寸，疑此注剩各字。不容在第四肋端，下至太一各上下相去同身寸之一寸，並足陽明脉氣所發。刺可入同身寸之八分，若灸者可灸五壯。新校正云：按甲乙經不容刺入五分，此云並入八分，疑此注誤。

俠齊廣三寸各三。

廣，謂去齊橫廣也。廣三寸者，各如太一之遠近也。各三者，謂滑肉門、天樞、外陵也。滑肉門在太一下同身寸之一寸，天樞在滑肉門下同身寸之一寸，正當於齊，外陵在天樞下同身寸之一寸，並足陽明脉氣所發。天樞刺可入同身寸之五分，留七呼。滑肉門、外陵各刺可入同身寸之八分，若灸者並可灸三壯。新校正云：按甲乙經天樞在齊傍各二寸，上曰滑肉門，下曰外陵，是三穴者去齊各二寸也。今此經注云廣三寸，素問、甲乙經不同，然甲乙經分寸與諸書同，特此經為異也。

下齊二寸俠之各三。

下齊二寸，則外陵下同身寸之一寸，大巨穴也。各三者，謂大巨、水道、歸來也。大巨在外陵下同身寸之一寸，足陽明脉氣所發，刺可入同身寸之八分，若灸者

可灸五壯。水道在大巨下同身寸之三寸，足陽明脉氣所發，刺可入同身寸之
二寸半，若灸者可灸五壯。歸來在水道下同身寸之二寸，刺可入同身寸之八
分，若灸者可灸五壯也。氣街動脉各一，氣街，穴名也，在歸來下鼠鼷上同身寸之一寸，脉動應手，足陽明脉氣所發，刺可入同身
寸之三分，留七呼，若灸者可灸三壯。新校正云：詳此注與甲乙經同。刺熱注及熱穴注云氣街在腹臍下橫骨兩端鼠鼷上，刺熱論注在腹下俠齊兩傍相
去四寸鼠僕上，骨空注云在毛際兩傍鼠鼷上，諸注不同，今備録之。伏菟上各一，謂髀關二穴也，在膝上伏菟後交分中，刺可入同身
寸之六分，若灸者可灸三壯。三里以下至足中指各八俞，分之所在穴
空。謂三里、上廉、下廉、解谿、衝陽、陷谷、內庭、厲兌八穴也，左右言之則十六俞也。上廉足陽明與大腸合，下廉足陽明與小腸合也。其所在刺灸分壯與氣穴
同法。所謂分之所在穴空者，足陽明脉自三里穴分而下行，其直者循䯒過跗入中指出其端，則厲兌也；其支者與直俱行，至足跗上入中指次間，故云分之
所在穴空也。之，往也。言分而各行往指間穴空處也。手太陽脉氣所發者三十六穴：目內
眥各一，謂睛明二穴也，在目內眥，手足太陽、足陽明、陰蹻、陽蹻五脉之會，刺可入同身寸之一分，留六呼，若灸者可灸三壯。諸穴有云缺脉會發
而不發所會刺脉，下言之者，出從其正者也。目外各一，謂瞳子髎二穴也，在目外去眥同身寸之五分，手太陽、手足少陽三脉之會，刺

可入同身寸之三分若灸者可灸三壯。䪼骨下各一，謂顴髎二穴也。䪼，頄也。頄，面顴也。在面頄骨下陷者中，手太陽少陽二脉之會，刺可入同身寸之三分。耳郭上各一，謂角孫二穴也，在耳上郭表之中間上髮際之下，開口有空，手太陽手足少陽三脉之會，刺可入同身寸之三分，若灸者可灸三壯。新校正云：按甲乙經手太陽作手陽明。耳中各一，謂聽宮二穴也，所在刺灸分壯與氣穴同法。巨骨穴各一，巨骨穴名也，在肩端上行兩叉骨罅陷者中，手陽明蹻脉二經之會，刺可入同身寸之一寸半，若灸者可灸三壯。新校正云：按甲乙經作五壯。曲掖上骨穴各一，謂臑俞二穴也，在肩臑後大骨下胛上廉陷者中，手太陽陽維蹻脉三經之會，舉臂取之，刺可入同身寸之八分，若灸者可灸三壯。新校正云：按甲乙經作手足太陽。柱骨上陷者各一，謂肩井二穴也，在肩上陷解中缺盆上大骨前，手足少陽陽維三脉之會，刺可入同身寸之五分，若灸者可灸三壯。上天窻四寸各一，謂天窻竅陰四穴也，所在刺灸分壯與氣穴同法。肩解各一，謂秉風二穴也，在肩上小髃骨後，舉臂有空，手太陽陽明手足少陽四脉之會，舉臂取之，刺可入同身寸之五分，若灸者可灸三壯。新校正云：按甲乙經灸五壯。肩解下三寸各一，謂天宗二穴也，在秉風後大骨下陷者中，手太陽脉氣所發，刺可入同身寸之五分，留六呼，若灸者可灸三壯。肘以下至手小指本各六俞。六俞所起於指端經言足至小指本則以端爲本言足之本也下文陽明少陽同也六俞謂小海陽谷腕骨後谿前谷少澤六穴也左右言之則十二俞也其所在刺灸分壯氣穴同法　新校正云後此手太陽陽明少陽三經各言至手某指本王注以端爲本者非也詳手三陽之井穴盡出手某指之端爪甲下際此言本者是遂指爪甲之本也安得以端爲本哉手陽明脉氣所發者二十二穴鼻空外廉項上各二謂迎香扶突各二穴也迎香在鼻下孔傍手足陽明二脉之會刺可入同身寸之三分扶突在曲頰下同身寸之一寸人迎後手陽明脉氣所發仰而取之刺可入同身寸之四分若灸者可灸三壯大迎骨空各一大迎穴名也在曲頷前同身寸之一寸三分骨陷者中動脈足陽明脉氣所發刺可入同身寸之三分留七呼若灸者可灸三壯　新校正云詳大迎穴已見前足陽明經中今又見於此王氏不注所以當如顴髎穴兩出之義柱骨之會各一謂天鼎二穴也在頸缺盆上直扶突氣舍後同身寸之半手陽明脉氣所發刺可入同身寸之四分若灸者可灸三壯　新校正云按甲乙經作一寸半髃骨之會各一謂肩髃二穴也所在刺灸分壯與氣穴同法　新校正云按髃骨氣穴注中無刺數注水熱穴注骨空論注中有之肘以下至手大指次指本各六俞謂三里陽谿合谷三間二間商陽六穴也左右言之則十二俞也所在刺灸分壯與氣穴同法　新校正云按氣穴論注有曲池而無三里

鼽九

曲池手陽明之合也此誤出三里而遺曲池也手少陽脉氣所發者三十二穴鼽骨下各一謂顴髎二穴也所在刺灸分壯與手太陽脉同法此穴中手少陽太陽脉氣俱會於中等無憂劣故重說於此下有者同眉後各一謂絲竹空二穴也在眉後陷者中手少陽脉氣所發刺可入同身寸之三分留六呼不可灸灸之不幸使人目小及盲 新校正云按甲乙經手少陽作足少陽留六呼作三呼角上各一謂懸顱二穴也此與足少陽脉中同以是二脉之會也 新校正云按足少陽脉中言角下此云角上疑此誤下完骨後各一謂天牖二穴也所在刺灸分壯與氣穴同法項中足太陽之前各一謂風池二穴也在耳後陷者中按之引於耳中手足少陽脉之會刺可入同身寸之四分若灸者可灸三壯 新校正云按甲乙經在顳顬後髮際足少陽陽維之會刺可入三分俠扶突各一謂天窓二穴也在曲頰下扶突後動脉應手陷者中手太陽脉氣所發刺可入同身寸之六分若灸者可灸三壯肩貞各一肩貞穴名也在肩曲胛下兩骨解間肩髃後陷者中手太陽脉氣所發刺可入同身寸之八分若灸者可灸三壯肩貞下三寸分間各一謂肩髎臑會消濼各二穴也其穴各在肉分間也肩髎在肩端臑上斜舉臂取之手少陽脉氣所發刺可入同身寸之七分若灸者可灸三壯臑會在臂前廉去肩端同身寸之三寸手陽明少陽二絡氣之會刺可入同身寸之五分灸

者可灸五壯消濼在肩下臂外關掖斜肘分下行間手少陽脈之會刺可入同身寸之五分若灸者可灸三壯肘以下至手小指次指本各六俞謂天井支溝陽池中渚液門關衝六穴也左右言之則十二俞也所在刺灸分壯與氣穴同法督脈氣所發者二十八穴今少一穴　新校正云按會陽二穴爲二十九穴乃剩一穴非少也少當作剩項中央二是謂風府瘖門二穴也悉在項中餘一穴今亡風府在項上入髮際同身寸之一寸大筋內宛宛中督脈陽維之會刺可入同身寸之四分留三呼不可妄灸灸之不幸令人瘖瘖明在項髮際宛宛中去風府同身寸之一寸督脈陽維二經之會仰頭取之刺可入同身寸之四分禁不可灸灸之令人瘖　新校正云按王氏云風府瘖門悉在項中餘一穴今亡者非謂此二十八穴中亡其一穴也王氏蓋見氣穴論大椎上兩傍各一穴亦在項之穴也今亡故云餘一穴今亡也髮際後中八謂神庭上星顖會前頂百會後頂強閒腦戶八穴也其亡髮際之中也神庭在髮際直鼻督脈足太陽陽明脈三經之會禁不可刺若刺之令人巔疾目失睛若灸者可灸三壯上星在顱上直鼻中央入髮際同身寸之一寸陷者中容豆顖會在上星後同身寸之一寸陷者中前頂在顖會後同身寸之一寸五分骨間陷者中百會在前頂後同身寸之一寸五分頂中央旋毛中陷容指督脈足太陽之交會後頂在百會後同身寸之一寸五分強間在後頂後同身寸之一寸五分腦戶在強間後同身寸之一寸五分督脈足太陽之會不可灸此八者並督脈氣所發

也上星百會強間腦戶各刺可入同身寸之三分上星留六呼腦戶留三呼餘
並刺可入同身寸之四分若灸者可灸五壯　新校正云按甲乙經腦戶不可
灸骨空論注云不可妄灸**面中三**謂素髎水溝齗交三穴也素髎在鼻柱上端督脉氣所發刺可入同身寸之三分水溝在鼻柱下人中直脣取
之督脉手陽明之會刺可入同身寸之二分留六呼若灸者可灸三壯齗交在
脣內齒上齗縫督脉任脉二經之會可逆刺之入同身寸之三分若灸者可灸
三壯此三者正居面左右之中也**大椎以下至尻尾及傍十五穴**脊椎之間有大椎陶道身柱神
道靈臺至陽筋縮中樞脊中懸樞命門陽關腰俞長強會陽十五俞也大椎在
第一椎上陷者中三陽督脉之會陶道在項大椎節下間督脉足太陽之會俛
而取之身柱在第三椎節下間俛而取之神道在第五椎節下間俛而取之靈
臺在第六椎節下間俛而取之至陽在第七椎節下間俛而取之筋縮在第九
椎節下間俛而取之中樞在第十椎節下間俛而取之脊中在第十一椎節下
間俛而取之禁不可灸令人僂懸樞在第十三椎節下間伏而取之命門在第
十四椎節下間伏而取之陽關在第十六椎節下間坐而取之腰俞在第二十
一椎節下間長強在脊骶端督脉別絡少陰二脉所結會陽在陰尾骨兩傍
凡此十五者並督脉氣所發腰俞長強各刺可入同身寸之二分　新校正云
按甲乙經作二寸水穴論注作二分腰俞穴繆刺論注作二寸熱穴注作二寸
刺熱注作二分諸注不同雖甲乙經作二寸疑大深與其失之深不若失之淺
宜從二分之說　留七呼懸樞刺可入同身寸之三分會陽刺可入同身寸之

王迪

入分餘並刺可入同身寸之五分陶道神道各留五呼陶道身柱神道筋縮可灸五壯大椎可九壯餘並可三壯 新校正云按甲乙經無靈臺中樞陽關三
穴。至骶下凡二十一節脊椎法也。通項骨三節即二十四節任脈之氣所
發者二十八穴。今少一穴。喉中央二。謂廉泉天突二穴也廉泉在頷下結喉上舌本下陰維任脈之會刺可入同身
寸之三分留三呼若灸者可灸三壯天突在頸結喉下同身寸之四寸中央宛宛中陰維任脈之會低鍼取之刺可入同身寸之一寸留七呼若灸者可灸三
壯。膺中骨陷中各一。謂旋機華蓋紫宮玉堂膻中中庭六穴也旋機在天突下同身寸之一寸華蓋在旋機下同身寸之
一寸紫宮玉堂膻中中庭各相去同身寸之一寸六分陷者中並任脈氣所發仰而取之各刺可入同身寸之三分若灸者可灸五壯九鳩尾下
三寸胃脘五寸胃脘以下至橫骨六寸半一。新校正云詳一字疑誤
腹脈法也。鳩尾心前穴名也其正當心蔽骨之端言其骨垂下如鳩鳥尾形故以為名也鳩尾下有鳩尾巨闕上脘中脘建里下脘水分
臍中陰交脖胦丹田關元中極曲骨十四俞也鳩尾在臆前蔽骨下同身寸之五分任脈之別不可灸刺人無蔽骨者從岐骨際下行同身寸之一寸 新校
正云按甲乙經云一寸半為鳩尾處也下次巨闕上脘中脘建里下脘水分遞相去同身寸之一寸上脘則足陽明手太陽之會中脘則手太陽少陽足陽明

三脈所生也齊中禁不可刺若刺之使人齊中惡瘍潰矢出者死不治陰交在齊下同身寸之一寸任脈陰衝之會脖胦在齊下同身寸之一寸丹田三焦募也在齊下同身寸之二寸關元小腸募也在齊下同身寸之三寸足三陰任脈之會也中極在關元下一寸足三陰之會也曲骨在橫骨上中極下同身寸之一寸足厥陰之會凡此十四者並任脈氣所發建里丹田並刺可入同身寸之六分留七呼　新校正云按甲乙經作五分十呼　上脘陰交並刺可入同身寸之八分下脘水分並刺可入同身寸之一寸中脘脖胦並刺可入同身寸之一寸二分曲骨刺可入同身寸之一寸半留七呼餘並刺可入同身寸之一寸二分若灸者關元中脘各可灸七壯齊中中極曲骨各三壯餘並可五壯自鳩尾下至陰間並任脈主之腹脈法也　新校正云據此注云餘並刺入一寸一分關元在中與甲乙經及氣穴骨空注刺入二寸不同當從甲乙經之寸數

下陰別一。謂會陰一穴也自曲骨下至陰陰之下兩陰之間則此穴也是任脈別絡俠督脈者衝脈之會故曰下陰別一也刺可入同身寸之二寸留七呼若灸者可灸三壯　新校正云按甲乙經七呼作留三呼

目下各一。謂承泣二穴也在目下同身寸之七分上直瞳子陽蹻任脈足陽明三經之會刺可入同身寸之三分不可灸

下脣一。謂承漿穴也在頤前下脣之下足陽明脈任脈之會開口取之刺可入同身寸之二分留五呼若灸者可灸三壯　新校正云按甲乙經作留六呼

齗交一。齗交穴名也所在刺灸分壯與督脈同法

衝脈氣所發者二十二穴。俠鳩

內經十五　七

尾外各半寸至齊寸一。謂幽門通谷陰都石關商曲腎俞六穴左右則十二穴也幽門俠巨闕兩傍相去各同身寸之半寸陷者中下五穴各相去同身寸之一寸並衝脈足少陰二經之會各刺可入同身寸之一寸若灸者可灸五壯 新校正云按此云各刺入一寸按甲乙經云幽門通谷刺入五分

俠齊下傍各五分至橫骨寸一腹脈法也。謂中注髓府胞門陰關下極五穴左右則十穴也中注在肓俞下同身寸之五分上直幽門下四穴各相去同身寸之一寸並衝脈足少陰二經之會各刺可入同身寸之一寸若灸者可灸五壯

足少陰舌下厥陰毛中急脈各一。足少陰舌下二穴在人迎前陷中動脈前是曰月本左右二也足少陰脈氣所發刺可入同身寸之四分急脈在陰髦中陰上兩傍相去同身寸之二寸半按之隱指堅然甚按則痛引上下也其左者中寒則上引少腹下引陰丸善為痛為少腹急中寒此兩脈皆厥陰之大絡通行其中故曰厥陰急脈即睾之系也可灸而不可刺病疝少腹痛即可灸 新校正云詳舌下毛中之穴甲乙經無

手少陰各一。謂手少陰郄穴也在腕後同身寸之半寸手少陰郄也刺可入同身寸之三分若灸者可灸三壯左右二也

陰陽蹻各一。陰蹻一謂交信穴也交信在足內踝上同身寸之二寸少陰前太陰後筋骨間陰蹻之郄刺可入同身寸之四分留五呼若灸者可灸三壯陽蹻一謂附陽穴也附陽在足外踝上同身寸之三寸太陽前少陽後筋骨間謹取之陽蹻之郄刺可入同

身寸之六分，留七呼，若灸者可灸三壯，左右四也。手足諸魚際脉氣所發者，凡三百六十五穴也。（經之所存者多凡一十九穴，此所謂氣府也。然散穴俞諸經脉部分皆有之，故經或不言，而甲乙經經脉流注多少不同者以此。）

重廣補注黄帝内經素問卷第十五

皮部論　蜚（扶沸切）　䐃（渠殞切）

氣穴論　蔽（必寐切）　擿（音摘）　臑（奴到切）

氣府論　顖（音信）　譩譆（上音衣，下音喜）　顳顬（上如輒切，下汝車切）　毖（音秘）　頄（音仇）

内經十五　十九

大素全存

大素十一骨空

重廣補注黄帝内經素問卷第十六

啓玄子次注林億孫奇高保衡等奉敕校正孫兆重改誤

骨空論　水熱穴論

骨空論篇第六十

新校正云按全元起本在第二卷自灸寒熱之法已下在第六卷刺齊篇末

黄帝問曰余聞風者百病之始也以鍼治之奈何始初也

岐伯對曰風從外入令人振寒汗出頭痛身重惡寒風中身形則腠理閉密陽氣內拒寒復外勝腠拒相薄榮衛失所故如是治在風府風府穴也在項上入髮際同身寸之一寸宛宛中督脈足太陽之會刺可入同身寸之四分若灸者可灸五壯　新校正云按風府注氣穴論氣府論中各已注與甲乙經同此注云督脈足太陽之會可灸五壯者乃是風門熱府穴也當云督脈陽維之會留三呼不可灸乃是調其陰陽不足則補有餘則寫用鍼之道必法天常盛寫虛補此其常也大風頸項痛刺風府風府在上椎上椎謂大椎上

針三六

入髮際同身寸之一寸。大風汗出，灸譩譆。譩譆在背下俠脊傍三寸所，厭之，令病者呼譩譆，譩譆應手。譩譆穴也。在肩髆內廉，俠第六椎下兩傍，各同身寸之三寸。以手厭之，令病人呼譩譆之聲，則指下動矣。足太陽脉氣所發，刺可入同身寸之六分，留七呼，若灸者可灸五壯。譩譆者，因取為名爾。從風憎風，刺眉頭。謂攢竹穴也。在眉頭陷者中，脉動應手，足太陽脉氣所發，刺可入同身寸之三分，若灸者可灸三壯。失枕在肩上橫骨間。謂缺盆穴也。在肩上橫骨陷者中，手陽明脉氣所發，刺可入同身寸之二分，留七呼，若灸者可灸三壯，刺入深令人逆息。新校正云：按《氣府》注作足陽明，此云手陽明，詳二經俱發於此，故王注兩言之。折使揄臂齊肘正，灸脊中。揄讀為搖，搖謂搖動也。然失枕非獨取肩上橫骨間，乃當正形灸脊中也。欲而驗之，則使搖動其臂，屈折其肘，自項之下，橫齊肘端，當其中間，則其處也。是曰陽關，在第十六椎節下間，督脉氣所發，刺可入同身寸之五分，若灸者可灸三壯。新校正云：詳陽關穴，《甲乙經》無。䏚絡季脅引少腹而痛脹，刺譩譆。䏚謂俠脊兩傍空軟處也。少腹，齊下也。腰痛不可以轉搖，急引陰卵，刺八髎與痛上。八髎在腰尻分間。八或為九，驗《真骨》及《中誥孔穴》

經正有八髎無九髎也分謂腰尻筋肉分間陷下處鼠瘻寒熱還刺寒府寒府在附膝外解營膝外骨間也屈伸之處寒氣喜中故名寒府也解謂骨解營謂深刺而必中其營也取膝上外者使之拜取足心者使之跪拜而取者使膝穴空開也跪而取之者令足心宛宛處深定也任脈者起於中極之下以上毛際循腹裏上關元至咽喉上頤循面入目新校正云按難經甲乙經無上頤循面入目六字衝脈者起於氣街並少陰之經新校正云按難經甲乙經作陽明俠臍上行至胸中而散任脈衝脈皆奇經也任脈當臍中而上行衝脈俠臍兩傍而上行然中極者謂臍下同身寸之四寸也言中極之下者言中極從少腹之內上行而外出於毛際而上非謂本起於此也關元者謂臍下同身寸之三寸也氣街者穴名也在毛際兩傍鼠鼷上同身寸之一寸也言衝脈起於氣街者亦從少腹之內與任脈並行而至於是乃循腹也何以言之鍼經曰衝脈者十二經之海與少陰之絡起於腎下出於氣街又曰衝脈任脈者皆起於胞中上循脊裏為經絡之海其浮而外者循腹各行會於咽喉別而絡脣口血氣盛則皮膚熱血獨盛則滲灌皮膚生毫毛由此言之則任脈衝脈從少腹之內上行至中極之下氣街之內明矣　新校正云按氣街與氣府

約之案是孔字當下乙

句點訛

約之案當作下端

論刺熱篇水熱穴篇刺禁論等注重文雖不同處所無別備注氣府論中任脉爲病男子内結七疝女子帶下瘕聚衝脉爲病逆氣裏急督脉爲病脊強反折督脉亦奇經也然任脉衝脉督脉者一源而三歧也故經或謂衝脉爲督脉也何以明之今甲乙及古經脉流注圖經以任脉循背者謂之督脉自少腹直上者謂之任脉亦謂之督脉是則以背腹陰陽別爲各目爾以任脉自胞上過帶脉貫齊而上故男子爲病内結七疝女子爲病則帶下瘕聚也以衝脉俠齊而上並少陰之經上至胷中故衝脉爲病則逆氣裏急也以督脉上循脊裏故督脉爲病則脊強反折也督脉者起於少腹以下骨中央女子入繫廷孔起非初起亦猶任脉衝脉起於胞中也其實乃起於腎下至於少腹則下行於腰横骨圍之中央也繫廷孔者謂窈漏近所謂前陰穴也以其陰廷繫屬於中故名之其孔溺孔之端也孔則窈漏也窈漏之中其上有溺孔焉端謂陰廷在此溺孔之上端也而督脉自骨圍中央則至於是其絡循陰器合篡間繞篡後督脉別絡自溺孔之端分而各行下循陰器乃合篡間也所謂間者謂在前陰後陰之兩間也自兩間之後已復分而行繞篡之後別繞臀至少陰與巨陽中絡者合少陰上股内後廉

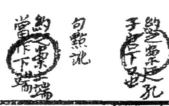

貫脊屬腎 别謂别絡分而各行之於焦也足少陰之絡者自股内後廉貫脊屬腎足太陽絡之外行者循髀樞絡股陽而下其中行者下貫臀至膕中與外行絡合故言至少陰與巨陽中絡合少陰上股内後廉貫脊屬腎也 新校正云詳各行於焦疑焦字誤

與太陽起於目内眥上額交巔上入絡腦還出别下項循肩髆内俠脊抵腰中入循膂絡腎 接繞髆而上行也

其男子循莖下至篡與女子等其少腹直上者貫齊中央上貫心入喉上頤環脣上繫兩目之下中央 自與太陽起於目内眥下至女子等並督脈之别絡也其直行者自尻上循脊裏而至於鼻人也自其少腹直上至兩目之下中央並任脈之行而云是督脈所繫由此言之則任脈衝脈督脈名異而同體也

此生病從少腹上衝心而痛不得前後爲衝疝 尋此生病正是任脈經云爲衝疝者正明督脈以别主而異目也何者若一脈一氣而無陰陽之異主則此生病者當心背俱痛豈獨衝心而爲疝乎

其女子不孕癃痔遺溺嗌乾 亦以衝脈任脈並自少腹上至於咽喉又以督脈循陰器合篡間繞篡後别繞臀故不孕癃痔

遺溺嗌乾也所以謂之任脈者女子得之以任養也故經云此病其女子不孕也所以謂之衝脈者以其氣上衝也故經云此生病從少腹上衝心而痛也所以謂之督脈者以其督領經脈之海也由此三用故一源三歧經或通呼似相謬引故下文曰**督脈生病治督脈治在骨上甚者在齊下營**此亦正任脈之分也衝任督三脈異名同體亦明矣骨上謂腰橫骨上毛際中曲骨穴也任脈足厥陰之會刺可入同身寸之一寸半若灸者可灸三壯齊下謂齊直下同身寸之一寸陰交穴任脈陰衝之會刺可入同身寸之八分若灸者可灸五壯**其上氣有音者治其喉中央在缺盆中者**中謂缺盆兩間之中天突穴在頸結喉下同身寸之四寸中央宛宛中陰維任脈之會低鍼取之刺可入同身寸之一寸留七呼若灸者可灸三壯**其病上衝喉者治其漸漸者上俠頤也**陽明之脈漸上頤而環脣故以俠頤名爲漸也是謂大迎大迎在曲頷前骨同身寸之一寸三分陷中動脈是陽明脈氣所發刺可入同身寸之三分留七呼若灸者可灸三壯**蹇膝伸不屈治其楗**蹇膝謂膝痛屈伸蹇難也楗謂髀輔骨上橫骨下股外之中側立搖動取之筋動應手**坐而膝痛治其機**髖骨兩傍相接處**立而暑解治其骸關**暑熱也若膝痛立而膝骨解中熱者治其骸關骸關謂膝解也一經云起而引解言膝痛起立痛引

四針　五針

膝骨解之中也暑引二字其義則異起立二字其意頗同膝痛痛及拇指治其膕膕謂膝解之後曲脚之中委中穴背面取之脉動應手足太陽脉之所入刺可入同身寸之五分留七呼若灸者可灸三壯坐而膝痛如物隱者治其關關在膕上當楗之後背立按之以動搖筋應手膝痛不可屈伸治其背內謂大杼穴也所在灸刺分壯與氣穴同法連䯒若折治陽明中俞髎若膝痛不可屈伸連䯒痛如折者則鍼陽明脉中俞髎也是則正取三里穴也若別治巨陽少陰滎若痛而膝如別離者則治足太陽少陰之滎也足太陽滎通谷也在足小指外側本節前陷者中刺可入同身寸之二分留五呼若灸者可灸三壯足少陰滎然谷也在足內踝前起大骨下陷者中刺可入同身寸之三分留三呼若灸者可灸三壯淫濼脛痠不能久立治少陽之維新校正云按甲乙經外踝上五寸乃足少陽之絡此云維者字之誤也在外上五寸淫濼謂似酸痛而無力也三寸一云四寸中誥圖經外踝上四寸無穴五寸是光明穴也足少陽之絡刺可入同身寸之七分留十呼若灸者可灸五壯新校正云按甲乙經云刺入六分留七呼輔骨上橫骨下爲楗俠髖爲機膝解爲骸關俠膝之骨爲連骸

下爲輔輔上爲膕膕上爲關頭横骨爲枕由是則謂膝輔骨上腰髖骨下爲楗楗上爲機膝外爲骸關楗後爲關關下爲膕膕下爲輔骨輔骨上爲連骸連骸者是骸骨相連接處也頭上之横骨爲枕骨水俞五十七穴者尻上五行行五伏菟上兩行行五左右各一行行五踝上各一行行六穴所在刺灸分壯具水熱穴論中此皆是骨空故氣穴篇内與此重言爾髓空在腦後三分在顱際鋭骨之下是謂風府通腦中也一在齗基下當頤下骨陷中有穴容豆中誥名下頤一在項後中復骨下謂瘖門穴也在項髮際宛宛中入系舌本督脉陽維之會仰頭取之刺可入同身寸之四分禁不可灸一在脊骨上空在風府上上謂腦户穴也在枕骨上大羽後同身寸之一寸五分宛宛中督脉足太陽之會此别腦之户不可妄灸灸之不幸令人瘖刺可入同身寸之三分留三呼新校正云按甲乙經大羽者强間之别名氣府注云若灸者可灸五壯脊骨下空在尻骨下空不應主療經闕其名新校正云按甲乙經長强在脊骶端正在尻骨下王氏云不應主療經闕其名得非誤乎數髓空在面俠鼻謂顴髎等穴經不一一指陳其處小小者爾

太素易字皆作亦

太素無灸寒熱法 甲乙五藏傳病

或骨空在口下當兩肩。謂大迎穴也所在刺灸分壯與前俠頤同法 兩髆骨空在髆中之陽。近肩髃穴經無名 臂骨空在臂陽去踝四寸兩骨空之間。在支溝上同身寸之一寸是謂通間 新校正云按甲乙經支溝上一寸名三陽絡通間豈其別名歟 股骨上空在股陽出上膝四寸。在陰市上伏莬穴下在承捷也 骭骨空在輔骨之上端。謂犢鼻穴也在膝髕下骭骨上俠解大筋中足陽明脈氣所發刺可入同身寸之六分若灸者可灸三壯耳 股際骨空在毛中動下。經闕其名 尻骨空在髀骨之後相去四寸。是謂尻骨八髎穴也 扁骨有滲理湊無髓孔易髓無空。扁骨謂尻間扁戾骨也其骨上有滲灌文理歸湊之無別髓孔也易亦也骨有孔則髓有孔骨若無孔髓亦無孔也 灸寒熱之法先灸項大椎以年爲壯數。如患人之年數 次灸橛骨以年爲壯數。尾窮謂之橛骨 視背俞陷者灸之。背胛骨際有陷處也 舉臂肩上陷者灸之。肩髃穴也在肩端兩骨間手陽明蹻脈之會刺可入同身寸之六分留六呼若灸者可灸三壯

內經上 五

針 四二

兩季脇之間灸之京門穴腎募也在髂骨與腰中季脇本俠脊刺可入同身寸之三分留七呼若灸者可灸三壯

外踝上絶骨之端灸之陽輔穴也在足外踝上輔骨前絶骨之端如前同身寸之三分所去丘虚七寸足少陽脉之所行也刺可入同身寸之五分留七呼若灸者可灸三壯 新校正云按甲乙經云在外踝上四寸

足小指次指間灸之俠谿穴也在足小指次指歧骨間本節前陷者中足少陽脉之所流也刺可入同身寸之三分留三呼若灸者可灸三壯 新校正去按甲乙經流當作留字

腨下陷脉灸之承筋穴也在腨中央陷者中足太陽脉氣所發也禁不可刺若灸者可灸三壯 新校正云按刺腰痛篇注云腨中央如外陷者中

外踝後灸之崑崙穴也在足外踝後跟骨上陷者中細脉動應手足太陽脉之所行也刺可入同身寸之五分留十呼若灸者可灸三壯

缺盆骨上切之堅痛如筋者灸之經闕其名當隨其所有而灸之

膺中陷骨間灸之天突穴也所在灸刺分壯與前缺盆中者同法

掌束骨下灸之陽池穴也在手表腕上陷者中手少陽脉之所過也刺可入同身寸之二分留六呼若灸者可灸三壯

齊下關元三寸灸之正在齊下同身寸之三寸也足三陰任脉之會刺可入同身寸之二寸留七呼若灸者可灸七壯 新校正云按氣府注去刺可入一寸二分者非

毛際動脉灸之

以脉動應手爲處即氣街穴也膝下三寸分間灸之三里穴也在膝下同身寸之三寸骱骨外廉兩筋肉分間足陽明脉之所入也刺可入同身寸之一寸留七呼若灸者可灸三壯足陽明跗上動脉灸之衝陽穴也在足跗上同身寸之五寸骨間動脉足陽明脉之所過也刺可入同身寸之三分留十呼若灸者可灸三壯　新校正云按甲乙經及全元起本足陽明下有灸之二字并跗上動脉是二穴今王氏去灸之二字則見二穴今於注中却存灸之二字以闕疑之巔上一灸之百會穴也在頂中央旋毛中陷容指督脉足太陽脉之交會刺可入同身寸之三分若灸者可灸五壯犬所齧之處灸之三壯即以犬傷病法灸之犬傷而發寒熱者即以犬傷法三壯灸之凡當灸二十九處傷食灸之傷食爲病亦發寒熱故灸　新校正云詳足陽明不別灸則有二十八處疑王氏去上文灸之二字者非不已者必視其經之過於陽者數刺其俞而藥之也

水熱穴論篇第六十一

新校正云按全元起本在第八卷

黄帝問曰少陰何以主腎腎何以主水岐伯對曰腎

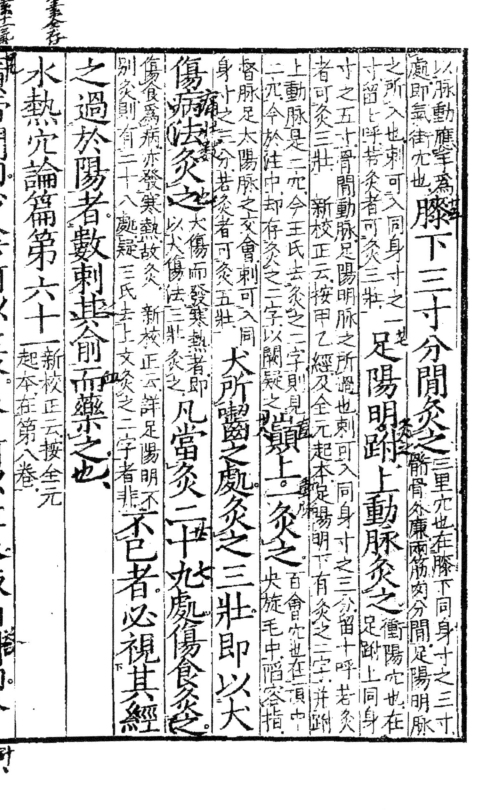

者至陰也至陰者盛水也肺者太陰也少陰者冬脉也故其本在腎其末在肺皆積水也陰者謂寒也冬月至寒腎氣合應故云腎者至陰也水王於冬故云至陰者盛水也腎少陰脉從腎上貫肝鬲入肺中故云其本在腎其末在肺也腎氣上逆則水氣客於肺中故云皆積水也帝曰腎何以能聚水而生病岐伯曰腎者胃之關也關門不利故聚水而從其類也關者所以司出入也腎主下焦膀胱為府主其分注關竅二陰故腎氣化則二陰通二陰閟則胃填滿故云腎者胃之關也關閉則水積水積則氣停氣停則水生水生則氣溢氣水同類故云關閉不利聚水而從其類也靈樞經曰下焦溢為水此之謂也上下溢於皮膚故為胕腫胕腫者聚水而生病也上謂肺下謂腎肺腎俱溢故聚水於腹中而生病也帝曰諸水皆生於腎乎岐伯曰腎者牝藏也牝陰也亦主陰位故云牝藏地氣上者屬於腎而生水液也故曰至陰勇而勞甚則腎汗出腎汗出逢於風内不

大素廿九温
暑病
大素十一氣穴
甲七[illegible]病上

得入於藏府，外不得越於皮膚，客於玄府，行於皮裏，傳爲胕腫，本之於腎，名曰風水。勇而勞甚，謂力房也。勞勇汗出，則玄府開，汗出逢風，則玄府復閉，玄府閉已，則餘汗未出，内伏皮膚，傳化爲水，從風而水，故名風水。所謂玄府者，汗空也。汗液色玄，從空而出，以汗聚於裏，故謂之玄府。府，聚也。帝曰：水俞五十七處者，是何主也？岐伯曰：腎俞五十七穴，積陰之所聚也，水所從出入也。尻上五行行五者，此腎俞。背部之俞凡有五行，當其中者，督脈氣所發，次兩傍四行，皆足太陽脈氣也。故水病下爲胕腫大腹，上爲喘呼，水下居於腎，則腹至足而胕腫，上入於肺，則喘息賁急而大呼也。不得卧者，標本俱病。標本者，肺爲標，腎爲本，如此者，是肺腎俱水爲病也。故肺爲喘呼，腎爲水腫，肺爲逆不得卧，肺爲喘呼氣逆不得卧者，以其主呼吸故也。腎爲水腫者，以其主水故也。分爲相輸俱受者，水氣之所留也。分其居處以名之，則是氣相輸應；本其俱受病氣，則皆是水所留也。伏菟上各二行行五者此腎之街也街謂道也腹部正俞凡有五行俠齊兩傍則腎藏足少陰脈及衝脈氣所發次兩傍則胃府足陽明脈氣所發此四行穴則伏菟之上也三陰之所交結於脚也踝上各一行行六者此腎脈之下行也名曰太衝腎脈與衝脈並下行循足合而盛大故曰太衝凡五十七穴者皆藏之陰絡水之所客也經所謂五十七者然凡上五行行五則背脊當中行督脈氣所發者脊中懸樞命門腰俞長強當其處也次俠督脈兩傍足太陽脈氣所發者有大腸俞小腸俞膀胱俞中膂內俞白環俞當其處也又次外俠兩傍足太陽脈氣所發者有胃倉肓門志室胞肓秩邊當其處也伏菟上各二行行五者腹部正俞俠中行任脈兩傍衝脈足少陰之會者有中注四滿氣穴大赫橫骨當其處也次俠衝脈足少陰兩傍足陽明脈氣所發者有外陵大巨水道歸來氣街當其處也踝上各一行行六者足內踝之上有足少陰陰蹻脈並循腨上行足少陰脈有太衝復溜陰谷三穴陰蹻脈有照海交信築賓三穴陰蹻既足少陰脈之別亦可通而主之兼此數之猶少一穴脊中在第十一椎節下間俛而取之刺可入同身寸之五分不可灸令人僂懸樞在第十三椎節下間伏而取之刺可入同身寸之三分若灸者可灸三壯命門在第十四椎節下間伏而取之刺可入同身寸之五分若灸者可灸三壯腰俞在第二十一椎節下間刺可入同身寸之二分新校正云按甲乙經及繆

刺論注并熱穴注俱云刺入二寸而刺熱注氣府注并此注作二分宜從二分之說 留七呼若灸者可灸三壯長強在脊骶端督脈別絡少陰所結刺可入同身寸之二分留七呼若灸者可灸三壯此五穴者並督脈氣所發也 新校正云詳王氏云少一穴按氣府論注十二椎節下有陽關一穴若通數陽關則不少矣 次俠督脈兩傍大腸俞在第十六椎下俠督脈兩傍去督脈各同身寸之一寸半刺可入同身寸之三分留六呼若灸者可灸三壯小腸俞在第十八椎下兩傍相去及刺灸分壯法如大腸俞膀胱俞在第十九椎下兩傍相去及刺灸分壯法如大腸俞中膂內俞在第二十椎下兩傍相去及刺灸分壯法如大腸俞俠脊胂起肉留十呼白環俞在第二十一椎下兩傍相去如大腸俞伏而取之刺可入同身寸之五分若灸者可灸三壯 新校正云按甲乙經云刺可入八分不可灸此五穴者並足太陽脈氣所發所謂腎俞者則此也 又次外兩傍胃倉在第十二椎下兩傍相去各同身寸之三寸刺可入同身寸之五分若灸者可灸三壯肓門在第十三椎下兩傍相去及刺灸分壯法如胃倉志室在第十四椎下兩傍相去及刺灸分壯法如胃倉正坐取之胞肓在第十九椎下兩傍相去及刺灸分壯法如胃倉伏而取之秩邊在第二十一椎下兩傍相去及刺灸分壯法如胃倉伏而取之此五穴者並足太陽脈氣所發也 次齊上兩行中注在齊下同身寸之五分兩傍相去任脈各同身寸之五分 新校正云按甲乙經同氣府注云俠中行方一寸文異而義同 四滿在中注下同身寸之一寸氣穴在四滿下同身寸之一寸大赫在氣穴下同身寸之一寸橫骨在大赫下同身寸之一寸各橫相去同身寸之一寸並衝脈足少陰之

太素十一變輸
甲五針灸禁忌上
千十一肝

會刺可入同身寸之一寸若灸者可灸五壯次外兩傍穴外陵在齊下同身寸之一寸　新校正云按氣府論注云外陵在天樞下一寸與此正同　兩傍去衝脈各同身寸之一寸半大巨在外陵下同身寸之一寸水道在大巨下同身寸之三寸歸來在水道下同身寸之三寸氣街在歸來下　新校正云按氣府注刺熱注熱穴注云在腹齊下橫骨兩端鼠鼷上一寸刺禁注云在腹下俠齊兩傍相去四寸鼠僕上一寸動脈應手骨空注云在毛際兩傍鼠鼷上諸注不同今備錄之　鼠鼷上同身寸之一寸各橫相去同身寸之二寸此五穴者並足陽明脈氣所發水道刺可入同身寸之二寸半若灸者可灸五壯氣街刺可入同身寸之三分留七呼若灸者可灸三壯餘三穴並刺可入同身寸之八分若灸者並可五壯所謂胻之衝者則此也踝上各一行行六者太鍾在足內踝後衝中　新校正云按甲乙經云跟後衝中刺瘧注刺腰痛注作跟後衝中動脈此云內踝後此注非　足少陰絡別走太陽者刺可入同身寸之二分留三呼若灸者可灸三壯復溜在內踝上同身寸之二寸陷者中足少陰脈之所行也刺可入同身寸之三分留三呼若灸者可灸五壯照海在內踝下刺可入同身寸之四分留六呼若灸者可灸三壯交信在內踝上同身寸之二寸少陰前太陰後筋骨間陰蹻之郄刺可入同身寸之四分留五呼若灸者可灸三壯築賓在內踝上腨分中陰維之郄刺可入同身寸之三分若灸者可灸五壯陰谷在膝下內輔骨之後大筋之下小筋之上按之應手屈膝而得之足少陰脈之所入也刺可入同身寸之四分若灸者可灸三壯所謂腎經之下行名曰太衝者則此也

帝曰春取絡脈分肉何

針穴

也。岐伯曰：春者木始治，肝氣始生，肝氣急，其風疾，經脈常深，其氣少，不能深入，故取絡脈分肉間。帝曰：夏取盛經分腠，何也？岐伯曰：夏者火始治，心氣始長，脈瘦氣弱，陽氣留溢，（新校正云：按別本留一作流。）熱熏分腠，內至於經，故取盛經分腠，絕膚而病去者，邪居淺也。（絕，謂絕破令病得出也。）所謂盛經者，陽脈也。帝曰：秋取經俞，何也？岐伯曰：秋者金始治，肺將收殺，（三陰已升，故漸將收殺。）金將勝火，陽氣在合，（金王火衰，故云金將勝火。）陰氣初勝，濕氣及體，（以漸於雨濕霧露，故云濕氣及體。）陰氣未盛，未能深入，故取俞以寫陰邪，取合以虛陽邪，陽氣始衰，故取於合。（新校正云：按皇甫士安云是謂始秋之治變。）帝曰：冬取井滎，何也？岐伯曰：冬

大素十一氣穴
甲乙六卷是病中

者水始治腎方閉陽氣衰少陰氣堅盛巨陽伏沈陽脉乃去（去謂下去）故取井以下陰逆取滎以實陽氣（新校正云按全元起本實作遺甲乙經千金方作逝）故曰冬取井滎春不鼽衄（新校正云按皇甫士安云是謂末冬之治變）此之謂也（新校正云按此與四時刺逆從論及診要經終論義頗不同與九卷之義相通）帝曰夫子言治熱病五十九俞余論其意未能領別其處願聞其處因聞其意岐伯曰頭上五行行五者以越諸陽之熱逆也（頭上五行者當中行謂上星顖會前頂百會後頂次兩傍謂五處承光通天絡却玉枕又次兩傍謂臨泣目窗正營承靈腦空也上星在顱上直鼻中央入髮際同身寸之一寸陷者中容豆刺可入同身寸之三分顖會在上星後同身寸之一寸陷者中刺可入同身寸之四分前頂在顖會後同身寸之一寸五分骨間陷者中刺如顖會法百會在前頂後同身寸之一寸五分頂中央旋毛中陷容指督脉足太陽脉之交會刺如上星法後頂在百會後同身寸之二寸五分枕骨上刺如顖會法然是五者皆督脉氣所發也上星留六呼若灸者並可灸五壯次兩傍穴五處在上星兩傍同身寸之一寸五分承光在

五處後同身寸之一寸，通天在承光後同身寸之一寸五分，絡卻在通天後同身寸之一寸五分，玉枕在絡卻後同身寸之七分。然是五者，並足太陽脈氣所發，刺可入同身寸之三分。五處、通天各留七呼，絡卻留五呼，玉枕留三呼。若灸者可灸三壯。新校正云：按《甲乙經》承光不灸，玉枕刺入二分。又刺兩傍臨泣，在頭直目上入髮際同身寸之五分，足太陽、少陽、陽維三脈之會。目窗、正營遞相去同身寸之一寸，承靈、腦空遞相去同身寸之一寸五分。然是五者，並足少陽、陽維二脈之會。腦空一穴刺可入同身寸之四分，餘並可刺入同身寸之三分。臨泣留七呼，若灸者可灸五壯。大杼、膺俞、缺盆、背俞，此八者以寫胸中之熱也。大杼在項第一椎下兩傍，相去各同身寸之一寸半陷者中，督脈別絡并足太陽三脈氣之會，刺可入同身寸之三分，留七呼，若灸者可灸五壯。新校正云：按《甲乙經》并《氣穴》注作七壯，《刺瘧》注、《刺熱》注作五壯。膺俞者，膺中之俞也，正名中府，在胸中行兩傍相去同身寸之六寸，雲門下一寸，乳上三肋間動脈應手陷者中，仰而取之，手足太陰脈之會，刺可入同身寸之三分，留五呼，若灸者可灸五壯。缺盆在肩上橫骨陷者中，手陽明脈氣所發，刺可入同身寸之二分，留七呼，若灸者可灸三壯。背俞即風門熱府俞也，在第二椎下兩傍各同身寸之一寸三分，督脈、足太陽之會，刺可入同身寸之五分，留七呼，若灸者可灸五壯。今《中誥孔穴圖經》雖不名之，既曰風門熱府，即治熱之背俞也。新校正云：按王氏注《刺熱論》云：背俞未詳何處。注此指名風門熱府，注《氣穴論》以大杼為背俞，三經不同者，蓋亦疑之者也。氣街、三里、巨虛上下廉此八者以寫胃中之熱也氣街在腹齊下横骨兩端鼠鼷上同身寸之一寸動脈應手足陽明脈氣所發刺可入同身寸之三分留七呼若灸者可灸三壯　新校正云按氣街諸注不同具前水穴注中　三里在膝下同身寸之三寸䯒外廉兩筋肉分間足陽明脈之所入也刺可入同身寸之一寸留七呼若灸者可灸三壯巨虛上廉足陽明與大腸合在三里下同身寸之三寸足陽明脈氣所發刺可入同身寸入八分若灸者可灸三壯巨虛下廉足陽明與小腸合在上廉下同身寸之三寸足陽明脈氣所發刺可入同身寸之三分若灸者可灸三壯也

雲門髃骨委中髓空此八者以寫四支之熱也雲門在巨骨下胷中行兩傍相去同身寸之六寸動脈應手足太陰脈氣所發　新校正云按甲乙經同氣穴注作手太陰刺熱注亦作手太陰　舉臂取之刺可入同身寸之七分若灸者可灸五壯驗今中誥孔穴圖經無髃骨穴有肩髃穴穴在肩端兩骨間手陽明蹻脈之會刺可入同身寸之六分留六呼若灸者可灸三壯委中在足膝後屈處膕中央約文中動脈足太陽脈之所入也刺可入同身寸之五分留七呼若灸者可灸三壯按今中誥孔穴圖經云腰俞穴一名髓空在脊中第二十一椎節下主汗不出足清不仁督脈氣所發也刺可入同身寸之二寸留七呼若灸者可灸三壯　新校正云詳腰俞刺入二寸當作二分以具前水穴注中

五藏俞傍五此十者以寫五藏之熱也俞傍五者謂魄戶神堂魂門意舍志室五

凝

穴俠脊兩傍各相去同身寸之三寸並足太陽脉氣所發也魄戶在第三椎下兩傍正坐取之刺可入同身寸之五分若灸者可灸五壯神堂在第五椎下兩傍刺可入同身寸之三分若灸者可灸五壯魂門在第九椎下兩傍正坐取之刺可入同身寸之五分若灸者可灸三壯意舍在第十一椎下兩傍正坐取之刺可入同身寸之五分若灸者可灸三壯志室在第十四椎下兩傍正坐取之刺可入同身寸之五分若灸者可灸五壯也　凡此五十九穴者，皆熱之左右也。帝曰：人傷於寒而傳爲熱，何也？岐伯曰：夫寒盛則生熱也。寒氣外凝，陽氣內鬱，腠理堅緻，元府閉封，緻則氣不宣通，封則濕氣內結，中外相薄，寒盛熱生，故人傷於寒，轉而爲熱，汗之而愈，則外凝內鬱之理可知，斯乃新病數日者也

重廣補注黃帝內經素問卷第十六

骨空論　膞音博　楗音健　齧若結切　水熱穴論　菟音兔　閟音秘

溜力救切　䯏音奚　緻馳二切

內經十六

二

大素全存

大素廿四虛實補寫 甲六五藏六府虛實

重廣補注黃帝內經素問卷第十七

啓玄子次注林億孫奇高保衡等奉敕校正孫兆重改誤

調經論篇第六十二 新校正云：按全元起本在第一卷。

黃帝問曰：余聞刺法言有餘寫之，不足補之，何謂有餘？何謂不足？岐伯對曰：有餘有五，不足亦有五，帝欲何聞？帝曰：願盡聞之。岐伯曰：神有餘有不足，氣有餘有不足，血有餘有不足，形有餘有不足，志有餘有不足，凡此十者，其氣不等也。神屬心，氣屬肺，血屬肝，形屬脾，志屬腎，以各有所宗，故不等也。帝曰：人有精氣津液，四支九竅，五藏十六部，三百六十五節，乃生百病，百病之生，皆有虛實。今夫子乃言有餘有五不足亦有五何以生之乎鍼經曰兩神相薄合而成形常先身生是謂精上焦開發宣五穀味熏膚充身澤毛若霧露之溉是謂氣腠理發泄汗出溱溱是謂津液之滲於空竅留而不行者爲液也十六部者謂手足二九竅九五藏五合爲十六部也三百六十五節者非謂骨節是神氣出入之處也鍼經曰所謂節之交三百六十五會皆神氣出入遊行之所非骨節也言人身所有則多所舉則少病生之數何以論之岐伯曰皆生於五藏也謂五神藏也夫心藏神肺藏氣肝藏血脾藏肉腎藏志而此成形言所以病皆生於五藏者何哉以内藏五神而成形也志意通内連骨髓而成身形五藏志意者通言五神之大凡也骨髓者通言表裏之成化也言五神通泰骨髓化成身形既立乃五藏互相爲有矣新校正云按甲乙經無五藏二字五藏之道皆出於經隧以行血氣血氣不和百病乃變化而生是故守經隧焉隧潛道也經脉伏行而不見故謂之經隧焉血氣者人之神邪侵之則血氣不正血氣不正故變化而百病乃生矣然經脉者所以決死生處百病調虛實故守經隧焉新校正云按甲乙經隧作經渠義各通帝曰神有餘不足何如岐伯曰神有

餘則笑不休神不足則悲心之藏也鍼經曰心藏脈脈舍神心氣虛則悲實則笑不休也悲一爲憂誤也新校正云詳王注云悲一爲憂誤也按甲乙經及太素并全元起注本並作憂皇甫士安云心虛則悲悲則憂心實則笑笑則喜夫心之與肺脾之與心互相成也故喜發於心而成於肺思發於脾而成於心一過其節則二藏俱傷楊上善云脾之憂在心變動也肺之憂在肺之志是則肺主秋憂爲正也心主於夏變而生憂也血氣未并五藏安定邪客於形洒淅起於毫毛并謂并合也未與邪合故曰未并也洒淅寒貌也始起於毫毛未入於經絡也故命曰神之微尚在於小絡神之微病故命曰神之微也新校正云按甲乙經洒淅作悽厥太素作洫泝楊上善云洫毛孔也水逆流曰泝謂邪氣入於腠理如水逆流於洫帝曰補寫柰何岐伯曰神有餘則寫其小絡之血出血勿之深斥無中其大經神氣乃平邪入小絡故可寫其小絡之脈出其血勿深推鍼鍼深則傷肉也以邪居小絡故不欲令鍼中大經也絡血既出神氣自平斥推也小絡孫絡也鍼經曰經脈爲裏支而橫者爲絡絡之別者爲孫絡平謂平調也新校正云詳此注引鍼經曰與三部九候論注兩引之在彼云靈樞而此曰鍼經則王氏之意指靈樞爲鍼經也按今素問注中引鍼經者多靈樞之文

但以靈樞今不全故未得盡知也

神不足者視其虚絡按而致之刺而利之無出其血無泄其氣以通其經神氣乃平但通經脉令其和利抑按虚絡令其氣致以神不足故不欲出血及泄氣也　新校正云按甲乙經按作切利作和

帝曰刺微奈何微謂邪初起於毫毛未入於經絡者

岐伯曰按摩勿釋著鍼勿斥移氣於不足神氣乃得復按摩其病處手不釋散著鍼於病處亦不推之使其人神氣內朝於鍼移其人神氣令自充足則微病自去神氣乃得復常　新校正云按甲乙經及太素云移氣於足無不字楊上善云按摩使氣至於踵也

帝曰善有餘不足奈何岐伯曰氣有餘則喘欬上氣不足則息利少氣肺之藏也肺藏氣息不利則喘鍼經曰肺氣虚則鼻息利少氣實則喘喝胷盈仰息也

血氣未并五藏安定皮膚微病命曰白氣微泄肺合皮其色白故皮膚微病命曰白氣微泄

帝曰補寫奈何岐伯曰氣有餘則寫其經隧無傷其經無出其血無泄其氣不足則

補其經隧無出其氣無謂榮氣也鍼寫若傷其經則血出而榮氣泄脫故不欲出血泄氣但寫其衛氣而已鍼補則又宜謹閉穴俞然其衛氣亦不欲泄之　新校正云按楊上善云經隧者手太陰之別從手太陰走手陽明乃是手太陰向手陽明之道欲道藏府陰陽故補寫皆從正經別走之絡寫其陰陽經別走之路不得傷其正經也帝曰刺微柰何覆前白氣微泄者岐伯曰按摩勿釋出鍼視之曰我將深之適人必革精氣自伏邪氣散亂無所休息氣泄腠理真氣乃相得亦謂按摩其病處也革皮也我將深之適人必革者謂其深而淺刺之也如是脇從則人懷懼色故精氣潛伏也以其調適於皮精氣潛伏邪無所據故亂散而無所休息發泄於腠理也邪氣既泄真氣乃與皮腠相得矣　新校正云按楊上善云革改也夫人聞樂至則身心忻悅聞痛及體情必改易忻悅則百體俱縱改革則情志必拒拒則邪氣消伏帝曰善血有餘不足柰何岐伯曰血有餘則怒不足則恐肝之藏也鍼經曰肝藏血肝氣虛則恐實則怒　新校正云按全元起本恐作悲甲乙經及太素並同血氣未并五藏安定孫絡水溢則經有留血絡有邪盛則入於經故云孫絡水溢則經有留血

帝曰補寫柰何岐伯曰血有餘則寫其盛經出其血不
足則視其虛經內鍼其脉中久留而視新校正云按甲乙經云久留之血至太素
同脉大疾出其鍼無令血泄脉盛滿則血有餘故出之經氣虛則血不足故無令血泄也久留疾出是謂補
之鍼解論曰徐而疾則實義與此同帝曰刺留血柰何岐伯曰視其血絡刺出
其血無令惡血得入於經以成其疾血絡滿者刺按出之則惡色之血不得入於經
帝曰善形有餘不足柰何岐伯曰形有餘則腹脹涇
溲不利不足則四支不用脾之藏也鍼經曰脾氣虛則四支不用五藏不安實則腹脹涇溲不利涇大便
溲小便也新校正云按楊上善云涇作經婦人月經也血氣未并五藏安定肌肉蠕動命
曰微風邪薄肉分衛氣不通陽氣內鼓故肉蠕動新校正云按全元起本及甲乙經蠕作溢太素作濡帝曰補寫柰
何岐伯曰形有餘則寫其陽經不足則補其陽絡胃之經絡

帝曰：刺微奈何？岐伯曰：取分肉間，無中其經，無傷其絡，衛氣得復，邪氣乃索。衛氣者，所以溫分肉而充皮膚，肥腠理而司關闔，故肉蠕動，即取分肉間，但開肉分以出其邪，故無中其經，無傷其絡，衛氣復舊而邪氣盡索散盡也。

帝曰：善。志有餘不足奈何？岐伯曰：志有餘則腹脹飧泄，不足則厥。腎之藏也。鍼經曰：腎藏精，精舍志，腎氣虛則厥，實則脹。脹謂腹脹，厥謂逆行上衝也。足少陰脈下行，今氣不足，故隨衝脈逆行而上衝也。血氣未并，五藏安定，骨節有動。腎合骨，故骨有邪薄則骨節鼓動，或骨節之中如有物鼓動之也。

帝曰：補寫奈何？岐伯曰：志有餘則寫然筋血者，新校正云：按甲乙經及太素云寫然筋血者出其血。楊上善云：然筋當是然谷下筋。再詳諸處引然谷者，多云然骨之前血者，疑少骨之二字，前字誤作筋字。不足則補其復溜。然，謂然谷，足少陰滎也，在內踝之前大骨之下陷者中，血絡盛則泄之，其刺可入同身寸之三分，留三呼，若灸者可灸三壯。復溜，足少陰經也，在內踝上同身寸之二寸陷者中，刺可入同身寸之三分，留三呼，若灸者可灸五壯。

帝曰：刺未并奈何？岐伯曰：即取之，無中其經，

內經十七

邪所乃能立虛不求穴俞而直取居邪之處故去卽取之新校正云按甲乙經邪所作以去其邪帝曰善余
已聞虛實之形不知其何以生岐伯曰氣血以并陰
陽相傾氣亂於衛血逆於經血氣離居一實一虛衛行脉外
故氣亂於衛血行經內故血逆於經血氣不和故一虛一實血并於陰氣并於陽故爲驚狂
氣并於陽則陽氣外盛故爲驚狂血并於陽氣并於陰乃爲炅中氣并於陰則陽氣內盛故
爲熱中炅熱也血并於上氣并於下心煩惋善怒血并於下氣
并於上亂而喜忘上謂鬲上下謂鬲下帝曰血并於陰氣并於陽如
是血氣離居何者爲實何者爲虛岐伯曰血氣者喜
温而惡寒寒則泣不能流温則消而去之泣謂如雪在水中凝住而不行
去也是故氣之所并爲血虛血之所并爲氣虛氣并於血則血少故血虛血并

於氣則氣少故氣虛帝曰：人之所有者，血與氣耳。今夫子乃言血并爲虛，氣并爲虛，是無實乎？歧伯曰：有者爲實，無者爲虛，氣并於血則血无，血并於氣則氣无。故氣并則無血，血并則無氣，今血與氣相失，故爲虛焉。氣并於血則血失其氣，血并於氣則氣失其血，故曰血與氣相失。絡之與孫脉俱輸於經，血與氣并，則爲實焉。血之與氣并走於上，則爲大厥，厥則暴死，氣復反則生，不反則死。帝曰：實者何道從來？虛者何道從去？虛實之要，願聞其故。歧伯曰：夫陰與陽皆有俞會，陽注於陰，陰滿之外，陰陽勻平，以充其形，九候若一，命曰平人。平人謂平和之人。夫邪之生也，或生於陰，或生於陽。其生於陽者，得之風雨寒暑其生於陰者得之飲食居處陰陽喜怒帝曰風雨之傷人柰何岐伯曰風雨之傷人也先客於皮膚傳入於孫脉孫脉滿則傳入於絡脉絡脉滿則輸於大經脉血氣與邪并客於分腠之閒其脉堅大故曰實實者外堅充滿不可按之按之則痛帝曰寒濕之傷人柰何岐伯曰寒濕之中人也皮膚不收（新校正云按全元起云不收不仁也甲乙經及太素云皮膚收無不字）肌肉堅緊榮血泣衛氣去故曰虛虛者聶（聶謂聶皺辟謂）辟氣不足按之則氣足以溫之故快然而不痛（辟疊也新校正云按甲乙經作攝辟太素作攝辟）帝曰善陰之生實柰何（實謂邪氣盛也）岐伯曰喜怒不節則陰氣上逆上逆則下虛下虛則陽氣

病源十二 寒熱候

走之故曰實矣。新校正云：按經云喜怒不節則陰氣上逆，疑剩喜字。帝曰：陰之生虚奈何？虚謂精氣奪也。岐伯曰：喜則氣下，悲則氣消，消則脉虚空，因寒飲食，寒氣熏滿，新校正云：按甲乙經作動藏。則血泣氣去，故曰虚矣。帝曰：經言陽虚則外寒，陰虚則内熱，陽盛則外熱，陰盛則内寒，余已聞之矣，不知其所由然也。經言，謂上古經言也。岐伯曰：陽受氣於上焦，以温皮膚分肉之間，令寒氣在外，則上焦不通，上焦不通，則寒氣獨留於外，故寒慄。慄謂振慄也。帝曰：陰虚生内熱奈何？岐伯曰：有所勞倦，形氣衰少，穀氣不盛，上焦不行，下脘不通，新校正云：按甲乙經作下焦不通。胃氣熱，熱氣熏胸中，故内熱。甚用其力，致勞倦也。貪役不食，故穀氣不盛也。帝曰：陽盛生外熱柰何岐伯曰上焦不通利則皮膚緻密腠理閉塞玄府不通新校正云按甲乙經及太素无玄府二字衛氣不得泄越故外熱外傷寒毒内薄諸陽寒外盛則皮膚收皮膚收則腠理密故衛氣稸聚无所流行矣寒氣外薄陽氣内爭積火内燔故生外熱也帝曰陰盛生内寒柰何岐伯曰厥氣上逆寒氣積於胃中而不寫不寫則温氣去寒獨留則血凝泣凝則脉不通新校正云按甲乙經作腠理不通其脉盛大以濇故中寒温氣謂陽氣也陰逆内満則陽氣去於皮外也帝曰陰與陽并血氣以并病形以成刺之柰何岐伯曰刺此者取之經隧取血於營取氣於衛用形哉因四時多少高下營主血陰氣也衛主氣陽氣也夫行鍼之道必先知形之長短骨之廣狹循三備法通計身形以施分寸故曰用形也四時多少高下具在下篇帝曰血氣以并病形以成陰陽相傾補寫柰何岐伯曰

曰寫實者氣盛乃內鍼鍼與氣俱內以開其門如利其戶鍼與氣俱出精氣不傷邪氣乃下外門不閉以出其疾搖大其道如利其路是謂大寫必切而出大氣乃屈。言欲開其穴而泄其氣也切謂急也言急出其鍼也鍼解論曰疾而徐則虛者疾出鍼而徐按之也大氣謂大邪氣也屈謂退屈也

帝曰補虛奈何岐伯曰持鍼勿置以定其意候呼內鍼氣出鍼入鍼空四塞精無從去方實而疾出鍼氣入鍼出熱不得還閉塞其門邪氣布散精氣乃得存動氣候時。新校正云按甲乙經作動無後時近氣不失遠氣乃來是謂追之。言但密閉穴俞勿令其氣散泄也近氣謂已至之氣遠氣謂未至之氣也欲動經氣而為補補者皆必候水刻氣之所在而刺之是謂得時而調之追言補也鍼經曰追而濟之安得無實則此謂也

帝曰夫子言虛實者有十生於五藏五藏

五脈耳夫十二經脈皆生其病[新校正云按甲乙經云皆生百病太素同]今夫子獨言五藏夫十二經脈者皆絡三百六十五節節有病必被經脈經脈之病皆有虛實何以合之岐伯曰五藏者故得六府與為表裏經絡支節各生虛實其病所居隨而調之[從其左右經氣支節而調之]病在脈調之血[脈者血之府脈實血實脈虛血虛由此脈病而調之血也新校正云按全元起本及甲乙經云病在血調之絡]病在血調之絡[血病則絡脈易故調之於絡也]病在氣調之衛[衛主氣故氣病而調之衛也]病在肉調之分肉[候寒熱而取之]病在筋調之筋[適緩急而刺熨之]病在骨調之骨[察輕重而調之]燔鍼劫刺其下及與急者[調筋法也筋急則燒鍼而劫刺之]病在骨焠鍼藥熨[調骨法也焠鍼火鍼也]病不知所痛兩蹻為上[兩蹻謂陰陽蹻脈陰蹻之脈出於照海陽蹻之脈出於申脈申脈在足外踝下陷者

中容爪甲。新校正云：按刺腰痛注云：在踝下五分，刺可入同身寸之三分，留六呼，若灸者可灸三壯。照海在足內踝下，刺可入同身寸之四分，留六呼，若灸者可灸三壯。身形有痛，九候莫病，則繆刺之。莫病謂無病也。繆刺者，刺絡脉，左痛刺右，右痛刺左。痛在於左而右脉病者，巨刺之。巨刺者，刺經脉，左痛刺右，右痛刺左。必謹察其九候，鍼道備矣。

重廣補注黃帝內經素問卷第十七

謂經論　隧音遂　飧音孫　燔音煩

重廣補注黃帝内經素問卷第十八

啓玄子次注林億孫奇高保衡等奉敕校正孫兆重改誤

繆刺論　四時刺逆從論

標本病傳論

繆刺論篇第六十三（新校正云按全元起本在第二卷）

黃帝問曰余聞繆刺未得其意何謂繆刺（繆刺言所刺之穴應用如紀繆綱紀也）岐伯對曰夫邪之客於形也必先舍於皮毛留而不去入舍於孫脈留而不去入舍於絡脈留而不去入舍於經脈内連五藏散於腸胃陰陽俱感五藏乃傷此邪之從皮毛而入極於五藏之次也如此則治

其經焉今邪客於皮毛入舍於孫絡留而不去閉塞不通不得入於經流溢於大絡而生奇病也病在血絡是謂奇邪新校正云按全元起云大絡十五絡也夫邪客大絡者左注右右注左上下左右與經相干而布於四末其氣無常處不入於經俞命曰繆刺四末謂四支也帝曰願聞繆刺以左取右以右取左柰何其與巨刺何以別之歧伯曰邪客於經左盛則右病右盛則左病亦有移易者新校正云按甲乙經作病易且移左痛未已而右脉先病如此者必巨刺之必中其經非絡脉也先病者謂其痛在此而此先病以刺之故絡病者其痛與經脉繆處故命曰繆刺絡謂正經之傍支非正別也亦兼公孫飛揚等之別絡也新校正云按王氏云非正別也按本論邪客足太陰絡令人腰痛上引從髀合陽明上絡嗌貫舌中乃太陰

之正也亦是兼脉之正安得謂之作正別也帝曰願聞繆刺奈何取之何如岐伯曰邪客於足少陰之絡令人卒心痛暴脹胷脇支滿以其絡支別者並正經從腎上貫肝鬲走於心包故邪客之則病如是無積者刺然骨之前出血如食頃而已然骨之前然谷穴也在足内踝前起大骨下陷者中足少陰滎也刺可入同身寸之三分留三呼若灸者可灸三壯刺此多見血令人立飢欲食不已左取右右取左言痛在左取之右痛在右取之左餘如此例病新發者取五日已素有此病而新發先刺之五日乃盡已邪客於手少陽之絡令人喉痺舌卷口乾心煩臂外廉痛手不及頭以其脉循手表出臂外上肩入缺盆布膻中散絡心包其支者從膻中上出缺盆上項又心主其舌故病如是刺手中指次指爪甲上去端如韭葉各一痏謂關衝穴少陽之井也刺可入同身寸之一分留三呼若灸者可灸三壯左右手皆刺之故言各一痏痏瘡也新校正云按甲乙經關衝穴出手小指次指之端今言中指者誤也壯者立已老者有頃已左取右右

取左此新病數日已邪客於足厥陰之絡令人卒疝
暴痛 以其絡去內踝上同身寸之五寸別走少陽其支別者循脛上睾結於莖故令人卒疝暴痛睾陰丸也 刺足大指爪
甲上與肉交者各一痏 謂大敦穴足大指之端去爪甲角如韭葉厥陰之井也刺可入同身寸之三分留十呼若灸者
可灸三壯 男子立已女子有頃已左取右右取左邪客於足太
陽之絡令人頭項肩痛 以其經之正者從腦出別下項支別者從髆內左右別下又其絡自足上行循背上頭故
項頭肩痛也 新校正云按甲乙經云其支者從巔入絡腦還出別下項王氏云經之正者從腦出誤作支 刺足小指爪甲上與
肉交者各一痏立已 謂至陰穴太陽之井也刺可入同身寸之一分留五呼若灸者可灸三壯 新校正云按甲乙經云在足
小指外側去爪甲角如韭葉 不已刺外踝下三痏左取右右取左如食
頃已 謂金門穴足太陽郄也在外踝下刺可入同身寸之三分若灸者可灸三壯 邪客於手陽明之絡
令人氣滿胸中喘息而支胠胸中熱 以其經自肩端入缺盆絡肺其支別者從缺盆中直

而上頸故病如是。刺手大指次指爪甲上去端如韭葉各一痏左取右右取左如食頃已。謂商陽穴手陽明之井也刺可入同身寸之一分留一呼若灸者可灸一壯。新校正云按甲乙經云商陽在手大指次指內側去爪甲角如韭葉。邪客於臂掌之間不可得屈刺其踝後。新校正云按全元起云人手之本節踝也。先以指按之痛乃刺之以月死生爲數月生一日一痏二日二痏十五日十五痏十六日十四痏。隨日數也月半已前謂之生月半以後謂之死虧滿而異也。邪客於足陽蹻之脈令人目痛從內眥始。以其脈起於足上行至頭而屬目內眥故病令人目痛從內眥始也何以明之八十一難經曰陽蹻脈者起於跟中循外踝上行入風池鍼經曰陰蹻脈入頄屬目內眥合於太陽陽蹻而上行尋此則至於目內眥也。刺外踝之下半寸所各二痏。謂申脈穴陽蹻之所生也在外踝下陷者中容爪甲刺可入同身寸之三分留六呼若灸者可灸三壯。新校正云詳此脈痛注云外踝下五分。左刺右右刺左如行十里頃而已。人有所

徒案血數文

隋墜惡血留内腹中滿脹不得前後先飲利藥此上傷厥陰之脉下傷少陰之絡刺足内踝之下然骨之前血脉出血【此少陰之絡也。新校正云：詳血脉出血脉字疑是絡字。】刺足跗上動脉【謂衝陽穴胃之原也刺可入同身寸之三分留十呼若灸者可灸三壯主腹大不嗜食以腹脹滿故爾取之。】不已刺三毛上各一痏見血立已左刺右右刺左【謂大敦穴厥陰之井也。】善悲驚不樂刺如右方【善悲驚不樂亦如上法刺之。】邪客於手陽明之絡令人耳聾時不聞音【以其經支者從缺盆上頸貫頰，又其絡支別者入耳會於宗脉，故病令人耳聾時不聞聲。】刺手大指次指爪甲上去端如韭葉各一痏立聞【亦同前商陽穴。】不已刺中指爪甲上與肉交者立聞【謂中衝穴手心主之井也在手中指之端去爪甲如韭葉陷者中刺可入同身寸之一分留三呼若灸者可灸三壯古經脫簡無絡可尋之恐是刺小指爪甲上與肉交者也何以言之下文云手少陰絡會於耳中出皆小指之端是謂少衝手少陰之井】

刺可入同身寸之一分留一呼若灸者可灸一壯。新校正云按王氏云恐是小指爪甲上少衝穴按甲乙經手心主之正上循喉嚨出耳後合少陽完骨之下如是則安得不刺中衝而疑爲少衝也其不時聞者不可刺也。不時聞者絡氣已絕故不可刺耳中生風者亦刺之如此數左刺右右刺左。凡痺往來行無常處者在分肉間痛而刺之以月死生爲數用鍼者隨氣盛衰以爲痏數鍼過其日數則脫氣不及日數則氣不寫左刺右右刺左病已止不已復刺之如法云所以約月死生爲數者何以隨氣之盛衰也月生一日一痏二日二痏漸多之十五日十五痏十六日十四痏漸少之。如是刺之則無過數無不及也邪客於足陽明之經令人鼽衄上齒寒。以其脉起於鼻交頞中下循鼻外入上齒中還出俠口環脣下交承漿却循頤後下廉出大迎循頰車上耳前故病令人鼽衄上齒寒也復以其脉左右交於面部故舉經脉之病以明繆處之類故下文云新校正云按全元起本與甲乙經陽明之經作陽明之絡。刺足中指次指爪甲上與肉交者各一痏。

左刺右，右刺左。中當爲大，亦傳寫中大之誤也。據靈樞經孔穴圖經，中指次指爪甲上無穴，當言刺大指次指爪甲上，乃厲兌穴，陽明之井，不當更有次指二字也。厲兌者，刺可入同身寸之一分，留一呼，若灸者可灸一壯。　新校正云：按甲乙經云刺足中指爪甲上，無次指二字，蓋以大指次指爲中指，義與王注同。下文云足陽明中指爪甲上，亦謂此穴也。厲兌在足大指次指之端，去爪甲角如韭葉。邪客於足少陽之絡，令人脇痛不得息，欬而汗出。以其脉支別者，從目銳眥下大迎，合手少陽於䪼下，加頰車，下頸，合缺盆，以下胷中，貫鬲，絡肝膽，循脇，故令人脇痛欬而汗出。刺足小指次指爪甲上與肉交者各一痏。謂竅陰穴，少陽之井也。刺可入同身寸之一分，留一呼，若灸者可灸三壯。　新校正云：按甲乙經竅陰在足小指次指之端，去爪甲如韭葉。不得息立已，汗出立止，欬者溫衣飲食，一日已。左刺右，右刺左，病立已；不已，復刺如法。邪客於足少陰之絡，令人嗌痛，不可內食，無故善怒，氣上走賁上以其經支別者從肺出絡心注胸中又其正經從腎上貫肝鬲入肺中循喉嚨俠舌本故病令人嗌乾痛不可内食無故善怒氣上走賁上也賁謂氣奔也新校正云詳王注以賁上為氣奔者非按難經胃為賁門楊玄操云賁鬲也是氣上走鬲上也經既云氣上走安得更以賁為奔上之解邪刺足下中央之脉各三痏凡六刺立已左刺右右刺左謂湧泉穴少陰之井也在足心陷者中屈足踡指宛宛中刺可入同身寸之三分留三呼若灸者可灸三壯嗌中腫不能内唾時不能出唾者繆刺然骨之前出血立已左刺右右刺左亦足少陰之絡也以其絡並大經循喉嚨故爾刺之此二十九字本錯簡在邪客手足少陰太陰足陽明之絡前今遷於此　新校正云詳王注以其絡並大經循喉嚨差互按甲乙經足少陰之絡並經上走心包少陰之經循喉嚨今王氏之注經與絡交互當以甲乙經為正也邪客於足太陰之絡令人腰痛引少腹控䏚不可以仰息足太陰之絡從髀合陽明上貫尻骨中與厥陰少陽結於下髎而循尻骨内入腹上絡嗌貫舌中故腰痛則引少腹控於䏚中也䏚謂季脅下之空軟處也受邪氣則絡拘急故不可以仰伸而喘息也刺腰痛篇中無息字　新校正云詳王注云足太陰之絡按甲乙經乃太陰之正非絡也王氏謂之絡者未詳其旨刺腰尻之

此三句王冰注

解。兩胂之上，是腰俞。以月死生爲痏數，發鍼立巳。左刺右，右刺左。要脊尻骨間曰解，當中有腰俞，刺可入同身寸之二寸。新校正云：按氣府論注作二分，刺熱論注作二分，水穴篇注作二分，熱穴篇注作二寸，甲乙經作二寸。留七呼。主與經同，中詰孔穴，經去左取右，右取左，穴當中，不應爾也。次腰下俠尻有骨空各四，皆主腰痛，下髎主與經同，是足太陰厥陰少陽所結，刺可入同身寸之二寸，留十呼。若灸者可灸三壯。髀謂兩髁胂也。腰俞髁胂皆當取之也。新校正云：按此邪客足太陰之絡，并刺法一項，已見刺腰痛篇中，彼注甚詳，此特多是腰俞三字耳。別按全元起本舊無此三字，王氏頗知腰俞無左右取之理，而注之，而不知全元起本舊無。

邪客於足太陽之絡，令人拘攣背急，引脅而痛。以其經從踝內左右別下貫胂合膕中，故病令人拘攣背急引脅而痛。新校正云：按全元起本及甲乙經，引脅而痛下更云內引心而痛。刺之從項始數脊椎俠脊，疾按之應手如痛，刺之傍三痏，立巳。從項始數脊椎者，謂從大椎數之，至第二椎兩傍，各同身寸之一寸五分，內循脊兩傍，按之有痛應手，則邪客之處也。隨痛應手深淺，即而刺之。邪客在脊骨兩傍，故言刺之傍也。

邪客於足少陽之絡，令人留於樞中痛，髀不可舉。以其經出氣街繞髦際橫入髀厭中故痛令人留於髀樞後痛解不可舉也樞謂髀樞也刺樞中。以毫鍼。寒則久留鍼以月死生爲數立已。髀樞之後則環銚穴也正在髀樞後故言刺髀樞後也環銚者足少陽脉氣所發刺可入同身寸之一寸留二十呼若灸者可灸三壯毫鍼者第七鍼也新校正云按甲乙經環銚在髀樞中氣穴論云在兩髀厭分中此經云刺樞中而王氏以謂髀樞之後者誤也治諸經刺之所過者不病則繆刺之王言也經不病則邪在絡故繆刺之若經所過有病是則經病不當繆刺矣耳聾。刺手陽明。不已。刺其通脉出耳前者。手陽明謂前手大指次指去端如韭葉者也是謂商陽據中誥孔穴圖經手陽明脉中商陽合谷陽谿徧歷四穴並主耳聾今經所指謂前商陽穴謂此合谷等穴也耳前通脉手陽明脉正當聽會之分刺入同身寸之四分若灸者可灸三壯齒齲刺手陽明。不已刺其脉入齒中立已。據甲乙經流注圖經手陽明脉中商陽二間三間合谷陽谿偏歷溫留七穴並主齒痛手陽明脉貫頰入下齒中足陽明脉循鼻外入上齒中也邪客於五藏之間其病也脉引而痛時來時止視其病繆刺之於手足爪甲上。各刺其井左取右右取左視其脉出其血間日一刺一刺不已五刺已有血脉者則刺之如此數繆傳引上齒齒脣寒痛視其手背脉血者去之若病繆傳而引上齒齒脣寒痛者刺手背陽明絡也足陽明中指爪甲上一痏手大指次指爪甲上各一痏立已左取右右取左謂第二指厲兌穴也手大指次指謂商陽穴手陽明井也鍼經曰齒痛不惡清飲取足陽明惡清飲取手陽明新校正云詳前文邪客足陽明刺中指次指爪甲上是誤剩次指二字當如此只言中指爪甲上乃是也

邪客於手足少陰太陰足陽明之絡此五絡皆會於耳中上絡左角手少陰真心脉足少陰腎脉手太陰肺脉足太陰脾脉足陽明胃脉此五絡皆會於耳中而出絡左額角也五絡俱竭令人身脉皆動而形無知也其狀若尸或曰尸厥言其卒冒悶而如死尸身脉猶如常人而動也然陰氣盛於上則下氣熏上而邪氣逆邪氣逆則陽氣亂陽氣亂則五絡閉結而不通故其狀若尸也以是從厥而生故或曰尸厥刺其足大指內側爪甲上去端如韭葉謂隱白穴

足太陰之井也刺可入同身寸之一分留三呼若灸者可灸三壯後刺足心謂涌泉穴足少陰之井也刺同前取涌泉穴法後刺足中指爪甲上各一痏謂第二指足陽明之井也刺同前取厲兌穴法後刺手大指內側去端如韭葉謂少商穴手太陰之井也刺可入同身寸之一分留三呼若灸者可灸三壯後刺手心主謂中衝穴手心主之井也刺可入同身寸之一分留三呼若灸者可灸一壯　新校正云按甲乙經不刺手心主詳此五絡之數亦不及手心主而此刺之是有六絡未會王冰相隨注之不爲明辨之旨也少陰銳骨之端各一痏立已謂神門穴在掌後銳骨之端陷者中手少陰之俞也刺可入同身寸之三分留三呼若灸者可灸三壯不已以竹管吹其兩耳言使氣入耳中內助五絡令氣復通也當內管入耳以手密擫之勿令氣泄而極吹之氣蹙然從絡脈通也　新校正云按隱居云吹其左耳極三度復吹其右耳三度也鬄其左角之髮方一寸燔治飲以美酒一杯不能飲者灌之立已左角之髮是五絡血之餘故鬄之燔治飲之以美酒也酒者所以行藥勢又炎上而內走於心心主脈故以美酒服之凡刺之數先視其經脈切而從之審其虛實而調之不

調者經刺之有痛而經不病者繆刺之因視其皮部有血絡者盡取之此繆刺之數也

四時刺逆從論篇第六十四

新校正云按厥陰有餘至筋急目痛全元起本在第六卷春氣在經脉至篇末全元起本在第一卷

厥陰有餘病陰痹痹謂痛也陰謂寒也有餘謂厥陰氣盛滿故陰發於外而爲寒痹 新校正云詳王氏以痹爲痛未通不足病生熱痹陰不足則陽有餘故爲熱痹滑則病狐疝風濇則病少腹積氣厥陰脉循股陰入髦中環陰器抵少腹又其絡支別者循脛上睾結於莖故爲狐疝少腹積氣也 新校正云按楊上善云狐夜不得日出者得人之所病與狐同故曰狐疝一曰孤疝謂三焦孤府爲疝故曰孤疝少陰有餘病皮痹隱軫不足病肺痹腎水逆連於肺母故也足少陰脉從腎上貫肝鬲入肺中故有餘病皮痹隱軫不足病肺痹也滑則病肺風疝濇則病積溲血以其正經入肺貫腎絡膀胱故爲肺疝及積溲血也太陰有餘病肉

痺寒中不足病脾痺脾主肉故如是滑則病脾風疝濇則病積心腹時滿太陰之脈入腹屬脾絡胃其支別者復從胃別上鬲注心中故爲脾疝心腹時滿也陽明有餘病脈痺身時熱不足病心痺胃有餘則上歸於心不足則心下痺故爲是滑則病心風疝濇則病積時善驚心主之脈起於胸中出屬心包下鬲歷絡三焦故爲心疝時善驚太陽有餘病骨痺身重不足病腎痺太陽與少陰爲表裏故有餘不足皆病歸於腎也滑則病腎風疝濇則病積善時巔疾太陽之脈交於巔上入絡腦下循膂絡腎故爲腎風及巔病也少陽有餘病筋痺脇滿不足病肝痺少陽與厥陰爲表裏故病歸於肝滑則病肝風疝濇則病積時筋急目痛肝主筋故時筋急厥陰之脈上出額與督脈會於巔其支別者從目系下頰裏故目痛是故春氣在經脈夏氣在孫絡長夏氣在肌肉秋氣在皮膚冬氣在骨髓中帝曰余願聞其故岐伯曰春

者天氣始開地氣始泄凍解冰釋水行經通故人氣在脉夏者經滿氣溢入孫絡受血皮膚充實長夏者經絡皆盛內溢肌中秋者天氣始收腠理閉塞皮膚引急引謂牽引以縮急也冬者蓋藏血氣在中內著骨髓通於五藏是故邪氣者常隨四時之氣血而入客也至其變化不可為度然必從其經氣辟除其邪除其邪則亂氣不生得氣而調故不亂帝曰逆四時而生亂氣柰何岐伯曰春刺絡脉血氣外溢令人少氣血氣溢於外則中不足故少氣新校正云按自春刺絡脉至令人目不明與診要經終論義同文異彼注甚詳於此彼分四時此分五時然此有長夏刺肌肉之分而逐有各闕刺秋分之事疑此肌肉之分即彼秋皮膚之分也春刺肌肉血氣環逆令人上氣血逆氣上故上氣新校正云按經闕春刺秋分春

刺筋骨血氣內著令人腹脹內著不散故脹夏刺經脈血氣乃竭令人解㑊血氣竭少故解㑊然不可名之也解㑊謂寒不寒熱不熱壯不壯弱不弱故不可名之也夏刺肌肉血氣內却令人善恐却閉也血氣內閉則陽氣不通故善恐夏刺筋骨血氣上逆令人善怒血氣上逆則怒氣相應故善怒新校正云按經闕夏刺秋分秋刺經脈血氣上逆令人善忘血氣上逆滿於肺中故善忘秋刺絡脈氣不外行新校正云按別本作血氣不行全元起本作氣不衞外太素同令人臥不欲動以虛甚故新校正云按經闕秋刺長夏分秋刺筋骨血氣內散令人寒慄血氣內散則中氣虛故寒慄冬刺經脈血氣皆脫令人目不明以血氣無所營故也冬刺絡脈內氣外泄留為大痺冬刺肌肉陽氣竭絕令人善忘陽氣不壯至春而竭故善忘新校正云按經闕冬刺秋分凡此四時刺者大逆之病新校正云按全元起本作六經之病不可不從也反之則生亂

氣相淫病焉。淫不次也。不次而行，如淩淫相染而生病也。故刺不知四時之經，病之所生，以從爲逆，正氣內亂，與精相薄。必審九候，正氣不亂，精氣不轉。不轉，謂不逆轉也。帝曰：善。刺五藏，中心一日死，其動爲噫。診要經終論曰：中心者環死。刺禁論曰：一日死，其動爲噫。中肝五日死，其動爲語。診要經終論闕而不論。刺禁論曰：中肝五日死，其動爲語。新校正云：按甲乙經語作欠。中肺三日死，其動爲欬。診要經終論曰：中肺五日死。刺禁論曰：中肺三日死，其動爲欬。中腎六日死。新校正云：按甲乙經作三日死。其動爲嚏欠。診要經終論曰：中腎七日死。刺禁論曰：中腎六日死，其動爲嚏。新校正云：按甲乙經無欠字。中脾十日死。新校正云：按甲乙經作十五日。其動爲吞。診要經終論曰：中脾五日死。刺禁論曰：中脾十日死，其動爲吞。然此三論皆岐伯之言，而死日動變不同，傳之誤也。刺傷人五藏必死，其動則依其藏之所變候知其死也。變謂氣動變也。中心下至此並爲逆從重文也。

此篇與靈樞病本篇相參又與至真要大論相參

標本病傳論篇第六十五

新校正云按全元起本在第二卷皮部論篇前

黃帝問曰病有標本刺有逆從奈何岐伯對曰凡刺之方必別陰陽前後相應逆從得施標本相移故曰有其在標而求之於標有其在本而求之於本有其在本而求之於標有其在標而求之於本故治有取標而得者有取本而得者有逆取而得者有從取而得者得病之情知治大體則逆從皆可施必中焉故知逆與從正行無問知標本者萬舉萬當道不疑惑識既深明則無問於人正行皆當不知標本是謂妄行識猶褊淺道未高深舉且見違故行多妄夫陰陽逆從標本之為道也小而大言一而知百病之害著之至也言別陰陽知逆順法明著見精微觀其所舉則小尋其所利則大以斯明著故言一而知百病之害

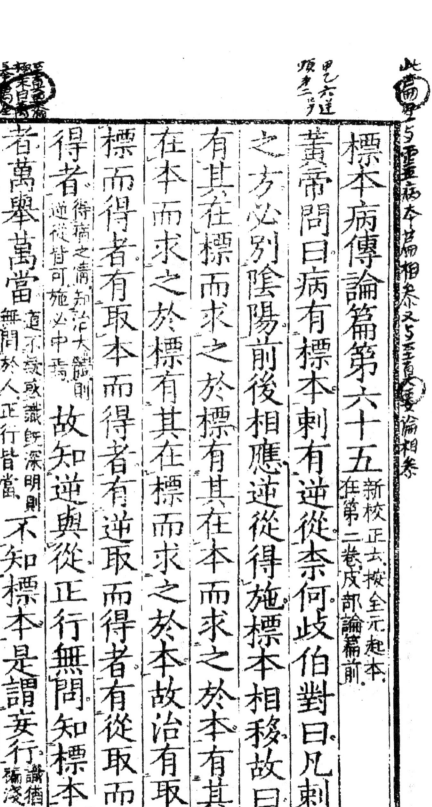

少而多淺而博可以言一而知百也言心可以貫多舉淺可以料大者何法之明故非聖人之道孰能至於是耶故舉之者備可以言一而知百病也博大也以淺而知深察近而知遠言標與本易而勿及雖事極深玄人非咫尺略以淺近而悉貫之然標本之道雖易可爲言而世人識見無能及者治反爲逆治得爲從先病而後逆者治其本先逆而後病者治其本先寒而後生病者治其本先病而後生寒者治其本先熱而後生病者治其本先熱而後生中滿者治其標先病而後泄者治其本先泄而後生他病者治其本必且調之乃治其他病先病而後生中滿者治其標先中滿而後煩心者治其本人有客氣有同氣新校正云按全元起本同作固小大不利治其標小大利治其本本先病標

甲乙卷六五藏傳病大論第十二ノ 靈樞十三病傳第四十二ヲ 脉經卷六

從病必謹察之病發而有餘本而標之先治其本後治其標病發而不足標而本之先治其標後治其本本而標之謂有先病復有後病也以其有餘故先治其本後治其標也標而本之謂先發輕微緩者後發重大急者以其不足故先治其標後治其本也謹察間甚以意調之間謂多也甚謂少也多謂多形證而輕易少謂少形證而重難也以意調之謂審量標本不足有餘非謂捨法而以意妄為也間者并行甚者獨行先小大不利而後生病者治其本并謂他脉共受邪氣而合病也獨為一經受病而不兼他氣相參也并甚則相傳傳急則亦死夫病傳者心病先心痛藏真通於心故心先痛一日而欬心火勝金傳於肺也肺在變動為欬故爾三日脇支痛肺金勝木傳於肝也以其脉循脇肋故如是五日閉塞不通身痛體重肝木勝土傳於脾也脾性安鎮木氣乘之故閉塞不通身痛體重三日不已死以勝相伐唯弱是從五藏四傷豈其能久故為即死冬夜半夏日中謂正子午之時也或言冬夏有異非也晝夜之半事甚昭然新校正云按靈樞經大氣入藏病先發於心一日而之肺三日而之肝五日而之脾三日不已死冬夜半夏日

黍的之要仲冬日短極仲夏日長極故其季孟相同也

中甲乙經曰病先發於心心痛一日之肺而欬五日之肝脇支痛五日之脾閉塞不通身痛體重三日不已死冬夜半夏日中詳素問言其病靈樞言其藏甲乙經及并素問靈樞二經之文而病與藏兼舉之肺病喘欬藏真高於肺而主息故喘欬也三日而脇支滿痛肺傳於肝一日身重體痛肝傳於脾五日而脹自傳於府十日不已死冬日入夏日出孟冬之中日入於申之八刻三分仲冬之中日入於申之七刻三分季冬之中日入於申與孟月等孟夏之中日出於寅之八刻一分仲夏之中日出於寅十刻三分季夏之中日出於寅與孟月等也肝病頭目眩脇支滿藏真散於肝脈內連目腦故如是三日體重身痛肝傳於肺五日而脹自傳於府三日腰脊少腹痛脛痠謂胃傳於腎以其脉起於足循腨內出膕內廉上股內後廉貫脊屬腎絡膀胱故如是也腰為腎之府故腰痛三日不已死冬日入新校正云按甲乙經作日中夏早食日入早晏如冬法也早食謂早於食時則卯正之時也脾病身痛體重藏真濡於脾而主肌肉故爾一日而脹自傳於府二日少腹腰脊痛脛痠胃傳於腎三日背胎筋痛小便閉自傳於府及之交胎也十日不已死冬人定夏晏

晏食。人定謂申後二十五刻。晏食謂寅後二十五刻。腎病少腹腰脊痛䯒痠。藏真下於腎，故如是。三日背䏚筋痛小便閉。自傳於府。新校正云：按靈樞經云：之䏚膀胱。是自傳於府及之䏚也。三日腹脹。膀胱傳於小腸。新校正云：按甲乙經云：三日上之心，心脹。三日兩脇支痛。府傳於藏。新校正云：按靈樞經云：三日之小腸，三日上之心，今云兩脇支痛，是小腸府傳心藏而發痛也。三日不已死，冬大晨，夏晏晡。大晨謂寅後九刻大明之時也。晏晡謂申後九刻向昏之時也。胃病脹滿。以其脉循腹，故如是。五日少腹腰脊痛䯒痠。胃傳於腎。三日背䏚筋痛小便閉。自傳於府及之䏚也。五日身體重。膀胱水府傳於脾也。新校正云：按靈樞經及甲乙經各云五日上之心，是膀胱傳心，為相勝而身體重。今王氏言傳脾者，誤也。六日不已死，冬夜半後，夏日昳。夜半後謂子後八刻丑正時也。日昳謂午後八刻未正時也。膀胱病小便閉。以其為津液之府，故爾。五日少腹脹腰脊痛䯒痠。自歸於藏。一日腹脹。腎復傳於小腸。一日身體痛。小腸傳於脾。新校正云：按靈樞經云：一日上

內經十八　十二

忩是府傳於藏也甲乙經作忩脾與王注同二日不已死冬雞鳴夏下晡雞鳴謂早雞鳴丑正之分也下晡謂日下於晡時申之後五刻也諸病以次是相傳如是者皆有死期不可刺五藏相移皆如此有緩傳者有急傳者緩者或一歲二歲三歲而死其次或三月若六月而死急者一日二日三日四日或五六日而死則此類也言此病傳之法皆五行之氣考其日數理不相應夫以五行為紀以不勝之數傳於所勝者謂火傳於金當云一日金傳於木當云二日木傳於土當云四日土傳於水當云三日水傳於火當云五日也若以已勝之數傳於不勝者則木三日傳於土土五日傳於水水一日傳於火火二日傳於金金四日傳於木經之傳日似法三陰三陽之氣玉機真藏論曰五藏相通移皆有次不治三月若六月若三日若六日傳而當死此與同也雖爾猶當臨病詳視日數方悉其非常間一藏止新校正云按甲乙經无止字及至三四藏者乃可刺也間一藏止者謂隔過前一藏而不更傳也則謂木傳土土傳水水傳火火傳金金傳木而止皆間隔一藏也及至三四藏者皆謂至前第三第四藏也諸至三藏者皆是其己不勝之氣也至四藏者皆至己所生之父母也不勝則不能為害於彼所生則父子無剋伐之期氣順以行故刺之可矣

重廣補注黃帝內經素問卷第十八

論謂六節藏象論也 十九ノ一ヲ八ヲ
五日星地躰同之件 十九ノ九ウ
天地人物諸體同理一件 十九ノ廿五ウ又三ヲ
上者右行下者左行 十九ノ九ヲ
陰陽法 十九ノ七ヲ
六元一名六化 十九ノ七ヲ
禍福倚伏 十九ノ廿四ヲ
司天司地 二十ノ三ヲ
中熱 二十ノ二ウ
併又蘇 二十ノ六ウ八ヲ
運星 五緯一名 二十ノ十一ウ
本謂天氣 十九ノ十八ヲ
本謂天六氣 十九ノ廿三ウ
繆縱 十九ノ十一ウ注
器 十九ノ廿五ウ
器象 十九ノ二ヲ

北越 二十ノ十一ヲ
其實絡 二十ノ十四ヲ
其病笑 二十ノ廿一ヲ
痓 二十ノ十二ヲ
地之小大 二十ノ廿五ヲ
寒客至 二十ノ廿七ヲ
天色地形 二十ノ廿九ヲ
孰 二十ノ六ヲ・七ウ
痹 二十ノ廿七ヲ
苛 二十ノ廿七ヲ
胃瘕 仰息 二十ノ卅三ヲ
妄冒目 二十ノ四ウ

蟲 二十ノ廿九ヲ
地躰在中一件 十九ノ九ウ
天行地行一件二見 十九ノ五ヲ九ヲ
面北左西也右東也 十九ノ八ウ
遁甲經 十九ノ八ヲ
上下升降 十九ノ廿四ヲ
釋縛 十九ノ廿六ヲ七ウ
病反 二十ノ三ヲ・四ウ五ヲ
陰厥 二十ノ四ウ七ヲ
脚下痛 二十ノ八ヲ
大要 二十ノ三十三ヲ
四世一件 二十ノ廿九ウ
稿 二十ノ廿七ヲ
地躰六入 二十ノ三十ヲ
制中 十九ノ卅四ヲ
煩冤 二十ノ三ウ

遁甲式法 十九ノ三ヲ
六元 十九ノ廿三ウ七ヲ
金火土水喪 十九ノ廿三ヲ
邪 十九ノ廿四ヲ
湊理 廿ノ廿四ヲ
洗浴一件 廿ノ廿五ヲウ
掉振 二十ノ廿六ウ
鬲 二十ノ廿九ウ
五類 十九ノ十一ヲ注
無識 十九ノ十一ヲ注

張介賓以天衝為木星天英為火星天芮為土星天柱為金星天蓬為水星 約之謂不知未是否
李九星之文又載張介賓類經圖翼三卷運氣下九宮星野說篇
曆日中九宮天蓬星太乙坎水白天芮星攝提坤土黑天衝星軒轅震木碧天輔星招搖巽
木綠天禽星天符中土黃天心星青龍乾金白天柱星咸池兌金赤天任星太陰艮土白天
英星天乙離火紫見唐會要 右出楊慎丹鉛續錄卷八 約之案右未知真星之何坐豈致

重廣補注黄帝内經素問卷第十九

啓玄子次注林億孫奇高保衡等奉敕校正孫兆重改誤

天元紀大論篇第六十六

黄帝問曰：天有五行御五位，以生寒暑燥濕風；人有五藏化五氣，以生喜怒思憂恐。御謂臨御，化謂生化也。天真之氣無所不周，器象雖殊，參應一也。新校正云：按《陰陽應象大論》云喜怒悲憂恐，二論不同者，思者脾也，四藏皆受成焉；悲者勝怒也，二論所以互相成也。論言五運相襲而皆治之，終朞之日，周而復始，余已知之矣。願聞其與三陰三陽之候奈何合之？論謂六節藏象論也。運謂五行應天之五運，各周三百六十五日而爲紀者也故曰終朞之日周而復始也以六合五數未參同故問之也鬼臾區稽首再拜對曰昭乎哉問也夫五運陰陽者天地之道也萬物之綱紀變化之父母生殺之本始神明之府也可不通乎道謂化生之道綱紀謂生長化成收藏之綱紀也父母謂萬物形之先也本始謂生殺皆因而有之也夫有形稟氣而不爲五運陰陽之所攝者未之有也所以造化不極能爲萬物生化之元始者何哉以其是神明之府故也然合散不測生化無窮非神明運爲無能爾也　新校正云詳陰陽者至神明之府也與陰陽應象大論同而兩論之注頗異故物生謂之化物極謂之變陰陽不測謂之神神用無方謂之聖所謂化變聖神之道也化施化也變散易也神無期也聖無思也氣之施化故曰生氣之散易故曰極無期稟候故曰神無思測量故曰聖由化與變故萬物無能逃五運陰陽由聖與神故衆妙無能出幽玄之理深乎妙用不可得而稱之　新校正云按六微旨大論云物之生從於化物之極由乎變變化之相薄成敗之所由也又五常政大論云氣始而生化氣散而有形氣布而蕃育氣終而象變其致一也夫變化之爲用也應萬化之用也在天爲玄玄遠也天道玄遠變化無窮傳曰天道遠人道邇在

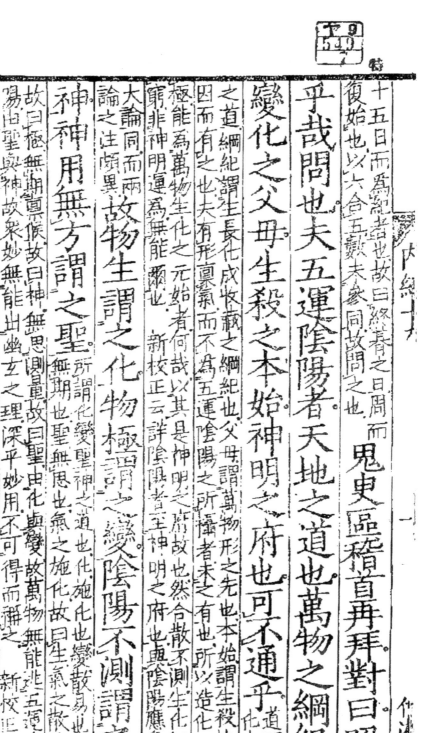

人爲道。道謂妙用之道也。經術政化，非道不成。在地爲化。化謂生化也。生萬物者地，非土氣孕育則形質不成。化生五味。金石草木，根葉華實，酸苦甘淡辛鹹，皆化氣所生，隨時而有。道生智。智通妙用，唯道所生。玄生神。玄遠幽深，故生神也。神之爲用，觸遇玄通，契物化成，無不應也。神在天爲風，風者教之始，天之使也，天之號令也。在地爲木。東方之化。在天爲熱，應火爲用。在地爲火。南方之化。在天爲濕，應土爲用。在地爲土。中央之化。在天爲燥，應金爲用。在地爲金。西方之化。在天爲寒，應水爲用。在地爲水。北方之化。神之爲用，如上五化。木爲風所生，火爲熱所熾，金爲燥所發，水爲寒所資，土爲濕所全。蓋初因而成立也。雖初因之以化成，卒因之以敗散爾。豈五行之獨有是哉！凡因所因而成立者，悉因所因而散落爾。新校正云：詳在天爲玄至此，則與陰陽應象大論及五運行大論文重，注頗異。故在天爲氣，在地成形。氣謂風熱濕燥寒，形謂木火土金水。形氣相感而化生萬物矣。此造化生成之大紀。然天地者，萬物之上下也。天覆地載，上下相臨，萬物化生，無遺略也。由是故萬物自生自長，自化自成，自盈自虛，自復自變也。夫變者何謂？生之氣極本而更始化也。孔子曰：曲成萬物而不遺。左右

內經七　二　十五

者陰陽之道路也。天有六氣御下，地有五行奉上。當歲者為上，主司天；承歲者為下，主司地。不當歲者，二氣居右，北行轉之；二氣
居左，南行轉之。金木水火運，北面正之，常左為右，右為左，則左者南行，
右者北行而反也。新校正云：詳上下左右之說，義具五運行大論中。水火者，
陰陽之徵兆也。徵，信也，驗也；兆，先也。以水火之寒熱，彰信陰陽之先兆也。金木者，生成之終
始也。木主發生，應春，春為生化之始；金主收斂，應秋，秋為成實之終。終始不息，其化常行，故萬物生長化成收藏自久。新校正云：按陰陽應象大論曰：
天地者，萬物之上下也；陰陽者，血氣之男女；左右者，陰陽之道路；水火者，陰陽之徵兆；陰陽者，萬物之能始。與此論相出入也。氣有多少，
形有盛衰，上下相召而損益彰矣。氣有多少，謂天之陰陽三等，多少不同秩也。形有盛衰，謂五運
之氣有太過不及也。由是少多衰盛，天地相召，而陰陽損益昭然彰著可見也。新校正云：詳陰陽三等之義，具下文注中。帝曰：願聞
五運之主時也何如？時，四時也。鬼臾區曰：五氣運行，各終朞
日，非獨主時也。一運之日，終三百六十五日四分度之一，乃易之。非主一時。當其王相囚死而為絕法也。氣交之內，迴然而別
有之也。帝曰：請聞其所謂也。鬼臾區曰：臣積考太始天元

神農之世黃帝傳八九世此往可信鬼臾區則黃帝臣与岐伯同時五運行論曰岐伯曰鬼臾區猶不能備明史記武帝紀黃帝帝郊雍上帝宿三月鬼臾區號大鴻死葬雍故鴻冢是也之九星玆別成書与人所傳說大異

楊慎九宮星言祀表皆不紀之象九星謂九天之星辰也九天謂八方中央也內經所內候時也猶云曆時之事也遁甲式法西洋至今猶用七曜与至陸合紛之再案九星本出洛書名其理謂之星耳

冊文曰。天元冊所以記天真元氣運行之紀也。自神農之世鬼臾區十世祖始誦而行之。此太古占候靈文。洎乎伏羲之時。已鐫諸玉版。命曰冊文。太古靈文。故命曰太始天元冊也。新校正云。詳今世有天元玉冊。或者以謂即此太始天元冊文。非是。太虛寥廓。肇基化元。太虛謂空玄之境。真氣之所充。神明之宮府也。真氣精微。無遠不至。故能為生化之本始。運氣之真元矣。肇。始也。基。本也。萬物資始。五運終天。五運謂木火土金水運也。終天謂一歲三百六十五日四分度之一也。終始更代。周而復始也。言五運更統於太虛。四時隨部而遷復。六氣分居而異主。萬物因之以化生。非曰自然。其誰能始。故曰萬物資始。易曰。大哉乾元。萬物資始。乃統天。雲行雨施。品物流形。孔子曰。天何言哉。四時行焉。百物生焉。此其義也。布氣真靈。揔統坤元。太虛真氣。無所不至也。氣齊生有。故稟氣含靈者。抱真氣以生焉。揔統坤元。言天元氣常司地氣化生之道也。易曰。至哉坤元。萬物資生。乃順承天也。九星懸朗。七曜周旋。九星上古之時也。上古世質人淳。歸真反朴。九星懸朗。五運齊宣。中古道德稍衰。標星藏匿。故計星之見者七焉。九星謂天蓬天內天衝天輔天禽天心天任天柱天英。此蓋從標而為始。遁甲式法。今猶用焉。七曜謂日月五星。今外蕃具以此曆為舉動吉凶之信也。周謂周天之度。旋謂左循天度而行。五星之行。猶各有進退高下小大矣。曰陰曰陽。曰柔曰剛。陰陽。天道也。柔剛。地道也。天以陽生陰長。地以柔化剛成也。易曰。立天之道曰

五

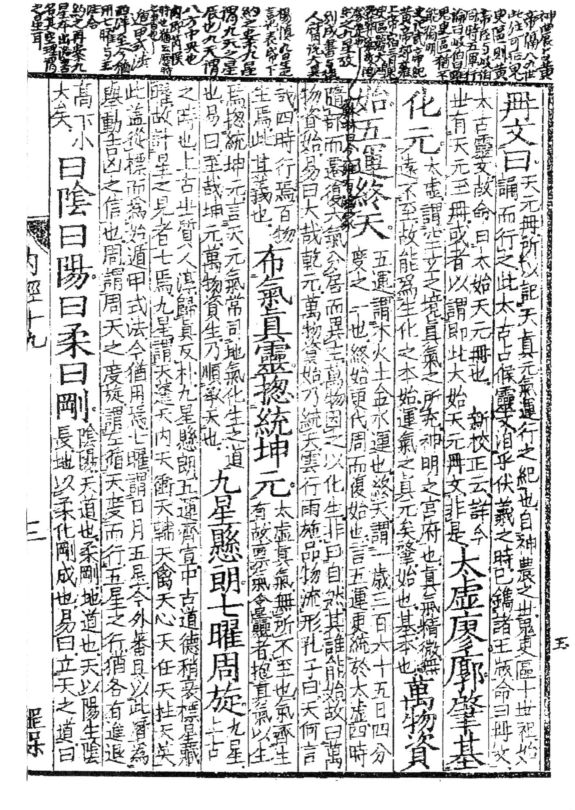

陰與陽立地之道曰柔與剛此之謂也

幽顯既位寒暑弛張

幽顯既位言人神各得其序寒暑弛張言陰陽不失其宜也人神各守所居無相干犯陰陽不失其序物得其宜天地之道且然人神之理亦猶也 新校正云按至真要大論云幽明何如岐伯曰兩陰交盡故曰幽兩陽合明故曰明幽明之配寒暑之異也

生生化化品物咸章

上生謂生之有情有識之類也下生謂生之無情無識之類也上化謂形容彰顯者也下化謂蔽匿形容者也有情有識彰顯形容天氣主之無情無識蔽匿形質地氣主之稟元靈氣之所化育爾易曰天地絪縕萬物化醇斯之謂歟

臣斯十世此之謂也

傳習斯文至鬼臾區十世于茲不敢失墜

帝曰善何謂氣有多少形有盛衰鬼臾區曰陰陽之氣各有多少故曰三陰三陽也

由氣有多少故隨其升降分為三別也 新校正云按至真要大論云陰陽之三也何謂岐伯曰氣有多少異用王冰云太陰為正陰太陽為正陽次少者為少陰次少者為少陽又次為陽明又次為厥陰

形有盛衰謂五行之治各有太過不及也

太過有餘也不及不足也氣至不足太過迎之氣至太過不足隨之天地之氣虧盈如此故云形有盛衰也

故其始也有餘而往不足隨之不足而往有餘

從之知迎，知隨，氣可與期。言虧盈無常，互有勝負，爾始謂甲子歲也。六微旨大論曰：天氣始於甲，地氣始於子，子甲相合，命曰歲立。此之謂也。則始甲子之歲，三百六十五日所稟之氣，當不足也，次而推之，終六甲也，故有餘已則不足，不足已則有餘，亦有歲運非有餘非不足者，蓋以同天地之化也。若餘已復餘，少已復少，則天地之道變常，而災害作，苛疾生矣。新校正云：按六微旨大論云：木運臨卯，火運臨午，土運臨四季，金運臨酉，水運臨子，所謂歲會，氣之平也。又按五常政大論云：委和之紀，上角與正角同，上商與正商同，上宮與正宮同；伏明之紀，上商與正商同；卑監之紀，上宮與正宮同，上角與正角同；從革之紀，上商與正商同，上角與正角同；涸流之紀，上宮與正宮同；赫曦之紀，上羽與正徵同；堅成之紀，上徵與正商同。又六元正紀大論云：不及而加同歲會已前諸歲，並為正歲，氣之平也。今王注以同天之化，為非有餘不足者，非也。

應天為天符，承歲為歲直，三合為治。應天，謂木運之歲，上見厥陰；火運之歲，上見少陽、少陰；土運之歲，上見太陰；金運之歲，上見陽明；水運之歲，上見太陽。此五者，天氣下降，如合符運，故曰應天為天符也。承歲，謂木運之歲，歲當于卯；火運之歲，歲當于午；土運之歲，歲當辰戌丑未；金運之歲，歲當于酉；水運之歲，歲當于子。此五者，歲之所直，故曰承歲為歲直也。三合，謂火運之歲，上見少陰，年辰臨午；土運之歲，上見太陰，年辰臨丑未；金運之歲，上見陽明，年辰臨酉。此三者，天氣、運氣與年辰俱會，故云三合為治也。歲直亦曰歲位，三合亦為天符。六微旨大論曰：天符歲會，曰太一天符。謂天運與歲

天誤夫

俱會也　新校正云按天符歲會之詳具六微旨大論中又詳火運上少陰年辰臨午即戊午歲也土運上太陰年辰臨丑未即己丑己未歲也金運上陽明年辰臨酉即乙酉歲也帝曰上下相召柰何鬼臾區曰寒暑燥濕風火天之陰陽也三陰三陽上奉之太陽為寒少陽為暑陽明為燥太陰為濕厥陰為風少陰為火皆其元在天故曰天之陰陽也木火土金水火地之陰陽也生長化收藏下應之木初氣也火二氣也相火三氣也土四氣也金五氣也水終氣也以其在地應天故云下應也氣在地故曰地之陰陽也　新校正云按六微旨大論曰地理之應六節氣位何如岐伯曰顯明之右君火之位退行一步相火治之復行一步土氣治之復行一步金氣治之復行一步水氣治之復行一步木氣治之此即木火土金水火地之陰陽之義也天以陽生陰長地以陽殺陰藏生長者天之道藏殺者地之道天陽主生故以陽生陰長地陰主殺故以陽殺陰藏天地雖高下不同而各有陰陽之運用也　新校正云詳此經與陰陽應象大論文重注頗異天有陰陽地亦有陰陽天有陰故能下降地有陽故能上騰是以各有陰陽也陰陽交泰故化變由之成也木火土金水火地之陰陽也生長化收藏故陽中有陰

天六地五圖詳周陰可參前二頁裏初行可參

陰中有陽。陰陽之氣，極則過亢，故各兼之。陰陽應象大論曰：寒極生熱，熱極生寒。又曰：重陰必陽，重陽必陰。言氣極則變也。故陽中兼陰，陰中兼陽。易之卦，離中虛，坎中實，此其義象也。所以欲知天地之陰陽者，應天之氣，動而不息，故五歲而右遷；應地之氣，靜而守位，故六朞而環會。天有六氣，地有五位，天以六氣臨地，地以五位承天，蓋以天氣不加君火故也。以六加五，則五歲而餘一氣，故遷一位；若以五承六，則常六歲乃備盡天元之氣，故六年而環會，所謂周而復始也。地氣左行，往而不返；天氣東轉，常自火運數五歲已，其次氣正當君火氣之上，法不加臨，則右遷君火氣上，以臨相火之上，故曰五歲而右遷也。由斯動靜，上下相臨，而天地萬物之情，變化之機，可見矣。動靜相召，上下相臨，陰陽相錯，而變由生也。天地之道，變化之微，其由是矣。孔子曰：天地設位，而易行乎其中，此之謂也。新校正云：按五運行大論云：上下相遘，寒暑相臨，氣相得則和，不相得則病。又云：上者右行，下者左行，左右周天，餘而復會。帝曰：上下周紀，其有數乎？鬼臾區曰：天以六為節，地以五為制。周天氣者，六朞為一備；終地紀者，五歲為一周。六節，謂六氣之

古本明作名

分五制謂五位之分位應一歲氣統一年故五歲爲一周六年爲一備備謂備歷天氣周謂周行地位所以地位六而言五者天氣不臨君火故也君火以明相火以位君火在相火之右但立名於君位不立歲氣故天之六氣不偶其氣以行君火之政守位而奉天之命以宣行火令爾以名奉天故曰君火以名守位禀命故云相火以位五六相合而七百二十氣爲一紀凡三十歲千四百四十氣凡六十歲而爲一周不及太過斯皆見矣歷法一氣十五日因而乘之積七百二十氣即三十年積千四百四十氣即六十年也經云有餘而往不足隨之不足而往有餘從之故六十年中不及太過斯皆見矣 新校正云按六節藏象論云五日謂之候三候謂之氣六氣謂之時四時謂之歲而各從其主治焉五運相襲而皆治之終朞之日周而復始時立氣布如環無端候亦同法故曰不知年之所加氣之盛衰虛實之所起不可爲工矣帝曰夫子之言上終天氣下畢地紀可謂悉矣余願聞而藏之上以治民下以治身使百姓昭著上下和親德澤下流子孫無憂傳之後世無有終時可得聞乎安不忘危

鼓即鼓或文从支也准同

存不忘亡大聖之至教也求民之瘼恤民之隱大聖之深仁也鬼臾區曰至數之機迫迮以微其來可見其往可追敬之者昌慢之者亡無道行私必得夭殃謂傳非其人授於情押及寄求名利者也謹奉天道請言眞要申誓戒於君王乃明言天道至眞之要旨也帝曰善言始者必會於終善言近者必知其遠數術明著應用不差故故遠近於言始終無謬是則至數極而道不惑所謂明矣願夫子推而次之令有條理簡而不匱久而不絕易用難忘爲之綱紀至數之要願盡聞之簡省要也匱乏也久遠也要樞紐也鬼臾區曰昭乎哉問明乎哉道如鼓之應桴響之應聲也桴鼓椎也響應聲也臣聞之甲己之歲土運統之乙庚之歲金運統之丙辛之歲水運統之丁壬之歲木運統之戊癸之歲

火運統之。太始天地初分之時，陰陽析位之際，天分五氣，地列五行，五行定位，布政於四方，五氣分流，散支於十干。當是黄氣横於甲己，白氣横於乙庚，黑氣横於丙辛，青氣横於丁壬，赤氣横於戊癸。故甲己應土運，乙庚應金運，丙辛應水運，丁壬應木運，戊癸應火運。大古聖人望氣以書天冊，賢者謹奉以紀天元。下論文義備矣。　新校正云：詳運有太過、不及、平氣。甲庚丙壬戊主太過，乙辛丁癸己主不及。大法如此。取平氣之法，其説不一，具如諸篇。帝曰：其於三陰三陽合之柰何？鬼臾區曰：子午之歲，上見少陰；丑未之歲，上見太陰；寅申之歲，上見少陽；卯酉之歲，上見陽明；辰戌之歲，上見太陽；巳亥之歲，上見厥陰。少陰所謂標也，厥陰所謂終也。標謂上首也，終謂當三甲六甲之終。　新校正云：詳午未寅酉戌亥之歲爲正化，正司化令之實；子丑申卯辰巳之歲爲對化，對司化令之虚。此其大法也。厥陰之上，風氣主之；少陰之上，熱氣主之；太陰之上，濕氣主之；少陽之上，相火主之；陽明之上，燥氣主之；太陽之上寒氣主之。所謂本也，是謂六元。三陰三陽爲標，寒暑燥濕風火爲本，故云所謂本也。天眞元氣分爲六化，以統坤元生成之用。徵其應用則六化不同，本其所生則正是眞元之一氣，故曰六元也。新校正云：按别本六元作天元也。帝曰：光乎哉道！明乎哉論！請著之玉版，藏之金匱，署曰天元紀。

五運行大論篇第六十七

黄帝坐明堂，始正天綱，臨觀八極，考建五常。明堂，布政宫也。八極，八方目極之所也。考，謂考校。建，謂建立也。五常，謂五氣行天地之中者也。端居正氣以候天和。請天師而問之曰：論言天地之動靜，神明爲之紀；陰陽之升降，寒暑彰其兆。新校正云：詳論謂陰陽應象大論及氣交變大論文。彼云陰陽之往復，寒暑彰其兆。余聞五運之數於夫子，夫子之所言，正五氣之各主歲爾，首甲定運，余因論之。鬼臾區曰：土主甲己，金主乙庚，水主丙辛，木主丁壬，火主戊癸子午之上少陰主之丑未之上太陰主之寅申之上少陽主之卯酉之上陽明主之辰戌之上太陽主之巳亥之上厥陰主之不合陰陽其故何也首甲謂六甲之初則甲子午也岐伯曰是明道也此天地之陰陽也上古聖人仰觀天象以正陰陽夫陰陽之道非不昭然而人昧宗源述其本始則百端疑議從是而生黃帝恐至理真宗便因誣廢慜念黎庶故啓問天師知道出從真必非謬述故對上曰是明道也此天地之陰陽也陰陽法曰甲已合乙庚合丙辛合丁壬合戊癸合蓋取聖人仰觀天象之義不然則十干之位各在一方徵其離合事亦參闊嗚呼遠哉百姓日用而不知爾故太上立言曰吾言甚易知甚易行天下莫能知莫能行此其類也　新校正云詳金主乙庚者乙者庚之柔庚者乙之剛大而言之陰與陽小而言之夫與婦是剛柔之事也餘並如此夫數之可數者人中之陰陽也然所合數之可得者也夫陰陽者數之可十推之可百數之可千推之可萬天地陰陽者不以數推以象

之謂也（言智識偏淺不見原由雖所指彌遠其知彌近得其元始桴鼓非遥）帝曰願聞其所始也岐伯曰昭乎哉問也臣覽太始天元冊文丹天之氣經于牛女戊分黅天之氣經于心尾己分蒼天之氣經于危室柳鬼素天之氣經于亢氐昴畢玄天之氣經于張翼婁胃所謂戊己分者奎壁角軫則天地之門戶也（戊土屬乾己土屬巽遁甲經曰六戊爲天門六己爲地戶晨暮占雨以西北東南義取此雨爲土用濕氣生之故此占焉）夫候之所始道之所生不可不通也帝曰善論言天地者萬物之上下左右者陰陽之道路未知其所謂也（論謂天元紀及陰陽應象論也）岐伯曰所謂上下者歲上下見陰陽之所在也左右者諸上見厥陰左少陰右太陽見少陰左太陰

右厥陰見太陰左少陽右少陰見少陽左陽明右太陰見陽明左太陽右少陽見太陽左厥陰右陽明所謂面北而命其位言其見也（面向北而言之也上南也下北也左西也右東也）帝曰何謂下岐伯曰厥陰在上則少陽在下左陽明右太陰少陰在上則陽明在下左太陽右少陽太陰在上則太陽在下左厥陰右陽明少陽在上則厥陰在下左少陰右太陽陽明在上則少陰在下左太陰右厥陰太陽在上則太陰在下左少陽右少陰所謂面南而命其位言其見也（主歲者位在南故面北而言其左右在下者位在北故面南而言其左右也上天位也下地位也面南左東也右西也上下異而左右殊也）上下相遘寒暑相臨氣相得則和不相得

言讀人言故闕

則病。木火相臨。金水相臨。水木相臨。火土相臨。土金相臨。爲相得也。土木相臨。土水相臨。水火相臨。火金相臨。金木相臨。爲不相得也。上臨下爲順。下臨上爲逆。逆亦鬱抑而病生。土臨相火君火之類者也。帝曰。氣相得而病者何也。岐伯曰。以下臨上。不當位也。六位相臨。假令土臨火。火臨木。木臨水。水臨金。金臨土。皆爲以下臨上。不當位也。父子之義。子爲下。父爲上。以子臨父。不亦逆乎。帝曰。動靜何如。言天地之行左右也。岐伯曰。上者右行。下者左行。左右周天。餘而復會也。上天也。下地也。周天謂天周地五行之位也。天垂六氣。地布五行。天順地而左迴。地承天而東轉。木運之後。天氣常餘。餘氣不加。於君火。却退一步。加臨相火之上。是以每五歲已退一位。而右遷。故曰左右周天。餘而復會。會遇也。合也。言天地之道。常五歲畢。則以餘氣遷加。復與五行座位再相會合。而爲歲法也。周天謂天周地位。非周天之六氣也。帝曰。余聞鬼臾區曰。應地者靜。今夫子乃言下者左行。不知其所謂也。願聞何以生之乎。詰異也。新校正云。按鬼臾區言應地者靜。見天元紀大論中。岐伯曰。天地動靜。五行遷復。雖鬼臾區。其上候而已。猶不

本頁下六行王注引易無疆者中氣一名中庸日令久無疆乃是也

謂死爲人下者其猶土乎種之則五穀生焉掘之則甘泉出焉草木植焉禽獸育焉生人立焉死人入焉解詩外傳荀子異同亦一義也死文宙舟輿所極西復也與者反也與復同往來也去之復還也如循環然宇宙乃地圓球丸之理也易曰上棟下宇宇謂天末棟謂地言同漢書敘傳上音義引韋昭天宇所受曰宙史記引馬相如傳音義引許慎宙舟輿所極也後漢馮衍傳注舟輿所屆曰宙廣雅釋詁三宙凥也文選魯靈光殿賦張注中所由為宙也淮南覽冥宇宙注宇屋簷也宙棟梁也太玄玄摛注闔天地書上爲之宇

能徧明。不能徧明無求備也夫變化之用。天垂象。地成形。七曜緯虛。五行麗地。地者所以載生成之形類也。虛者所以列應天之精氣也。形精之動。猶根本之與枝葉也。仰觀其象。雖遠可知也。觀五星之東轉則地體左行之理昭然可知也麗著也有形之物未有不依據物而得全者也帝曰。地之爲下否乎。言轉不居爲下乎爲否乎岐伯曰。地爲人之下。太虛之中者也。言人之所居可謂下矣徵其至理則是太虛之中一物爾易曰坤厚載物德合無疆此之謂也帝曰。馮乎。言太虛無礙地體何馮而止住岐伯曰。大氣舉之也。大氣謂造化之氣任持太虛者也所以太虛不屈地久天長者蓋由造化之氣任持之也氣化而變不任持之則太虛之器亦敗壞矣夫落葉飛空不疾而下爲其乘氣故勢不得速焉凡之有形處地之上者皆有生化之氣任持之也然器有大小不同壞有遲速之異及至氣不任持則大小之壞一也燥以乾之。暑以蒸之。風以動之。濕以潤之。寒以堅之。火以溫之。故風寒在下。燥熱在上濕氣在中火遊行其間寒暑六入故令虛而生化也地體之中凡有六入一曰燥二曰暑三曰風四曰濕五曰寒六曰火受燥故乾性生焉受暑故蒸性生焉受風故動性生焉受濕故潤性生焉受寒故堅性生焉受火故溫性生焉此謂天之六氣也故燥勝則地乾暑勝則地熱風勝則地動濕勝則地泥寒勝則地裂火勝則地固矣六氣之用帝曰天地之氣何以候之岐伯曰天地之氣勝復之作不形於診也言平氣及勝復皆以形證觀察不以診知也脉法曰天地之變無以脉診此之謂也天地以氣不以位故不當以脉知之帝曰間氣何如岐伯曰隨氣所在期於左右於左右尺寸四部分位承之以知應與不應過與不過帝曰期之柰何岐伯曰從其氣則和違其氣則病謂當沉不沉當浮不浮當濇不濇當鉤不鉤當弦不弦當大不大之類也　新校正云按至真要大論云厥陰之至其脉弦少陰之至其脉鉤太陰之至其脉沉少陽之至大而浮陽明之至短而濇太陰之

至太而長，至而和則平，至而甚則病，至而反則病，至而不至者病，未至而至者病，陰陽易者危。不當其位者病。見於他位也。迭移其位者病，謂左見右脈，右見左脈，氣差錯故爾。失守其位者危。已見於他鄉，本宮見賊殺之氣，故病危。尺寸反者死。子午卯酉四歲有之。反，謂歲當陰在寸脈，而反見於尺；歲當陽在尺，而脈反見於寸。尺寸俱乃謂反也。若尺獨然，或寸獨然，是不應氣，非反也。陰陽交者死。寅申巳亥丑未辰戌八年有之。交，謂歲當陰在右脈，反見左；歲當陽在左脈，反見右。左右交見，是謂交。若左獨然，或右獨然，是不應氣，非交也。先立其年以知其氣，左右應見，然後乃可以言死生之逆順。經言歲氣備矣。新校正云：詳此備六元正紀大論中。帝曰：寒暑燥濕風火，在人合之奈何？其於萬物何以生化？合，謂中外相應。生，謂承化而生。化，謂成立衆象也。岐伯曰：東方生風。東者日之初，風者教之始，天之使也，所以發號施令，故生自東方也。景霈山昏，蒼埃際合，崖谷若一，巖岫之風也。黃白昏埃，晚空如堵，獨見天垂，川澤之風也。加以黃黑白埃承下，山澤之猛風也。風生木。陽升風鼓，草木敷榮，故曰風生木也。此和氣之生化也。若風氣施化則飄揚敷折，其爲變極則木拔草除也。運乘丁卯、丁丑、丁亥、丁酉、丁未、丁巳之歲，則風化不足。若乘壬申壬午壬辰壬寅壬子壬戌之歲，則風化有餘於萬物也。新校正云：詳王注以丁壬分運之有餘不足，或者以丁卯丁亥丁巳壬申壬寅五歲爲天符同天符正歲會，非有餘不足，爲平木運，以王注爲非是，不知大統也。必欲細分，雖除此五歲，亦未爲盡。下文火土金水運等並同此。**木生酸**，萬物味酸者，皆始自木氣之生化也。**酸生肝**，養於肝藏。**肝生筋**，酸味入肝，自肝藏布化，生成於筋膜也。**筋生心**，酸氣榮養筋膜畢已，自筋流化，乃入於心。**其在天爲玄**，玄謂玄冥也。丑之終，東方白，寅之初，天色反黑，太虛皆闇，在天爲玄，象可見。新校正云：詳在天爲玄至化生氣七句，通言六氣五行生化之大法，非東方獨有之也，而王注玄謂丑之終寅之初天色黑，則專言在東方，不兼諸方，此注未通。**在人爲道**，正理之道，生養之政化也。**在地爲化**，化生化也。有生化而後有萬物，萬物無非化氣以生成者也。**化生五味**，金玉土石草木菜果根莖枝葉花殼實核無識之類，皆地化生也。**道生智**，智正知也，慮遠也。知正則不疑於事，慮遠則不涉於危，以道處之，理符於智。《靈樞經》曰：因慮而處物謂之智。**玄生神**，神用無方，深微莫測，迹見形隱，物鮮能期，由是則玄冥之中，神明棲據，隱而不見，玄生神明也。**化生氣**，飛走蚑行，鱗介毛倮羽五類變化，內屬神機，雖爲五味所該，然其生稟則異，故又曰化生氣也。此上七句，通言六氣五行生化之大法，非東方獨有之也。新校正云：按陰陽應象大論及天元紀大論無化生氣一句。**神在天爲**

陳山

風。鳴紊啓坼，風之化也。振拉摧拔，風之用也。歲屬厥陰在上，則風化於天；厥陰在下，則風行於地。在地為木。長短曲直，木之體也。幹舉機發，木之用也。在體為筋。維結束絡，筋之體也。繻縱卷舒，筋之用也。在氣為柔。木化宣發，風化所行，則物體柔耎。在藏為肝。肝有二布葉一小葉，如木甲拆之象也。各有支絡脉，遊中以宣發陽和之氣，魂之宫也。為將軍之官，謀慮出焉。乘丁歲則肝藏及經絡先受邪而為病也。臟腑同。其性為暄。暄，溫也。肝木之性也。其德為和。敷布和氣於萬物，木之德也。新校正云：按氣交變大論云：其德敷和。其用為動。風搖而動，無風則萬類皆靜。新校正云：按木之用為動，火太過之政亦為動，蓋火木之主暴速，故俱為動。其色為蒼。有形之類，乘木之化，則外色皆見薄青之色。今東方之地，草木之上色皆蒼。遇丁歲則蒼物兼白及黃色，不純也。其化為榮。榮，美色也。四時之中，物見華榮顏色鮮麗者，皆木化之所生也。新校正云：按氣交變大論云：其化生榮。其蟲毛。萬物發生，如毛在皮。其政為散。發散生氣於萬物。新校正云：按氣交變大論云：其政舒啓。詳木之政散，平木之政發散，木太過之政散，土不及之氣散，金之用散落，木之災散落，所以為散之異有六，而散之義惟二：一謂發散之散，是木之氣也；二謂散落之散，是金之氣所為也。其令宣發。陽和之氣舒而散也。其變摧拉。摧拔成者也。新校正云：按氣交變大論云：其變振發。其眚為隕。隕，墜也。大風暴起，草泯木墜。新校正云：按氣交變大論云：其災散落。其味為酸。夫物之化之變而有酸味者，皆木氣之所成敗也。今東方之野生味多酸。其志為怒。怒直聲也。怒所以威物。怒傷肝。凡物之用極皆自傷也。怒發於肝，而反傷肝藏。悲勝怒。悲發而怒止，勝之信也。新校正云：詳五志悲當為憂，蓋憂傷意，悲傷魂，故云悲勝怒也。風傷肝。亦猶風之折木也。風生於木，而反折之，用極而舒。新校正云：按陰陽應象大論云：風傷筋。燥勝風。風自木生，燥為金化，風餘則制之以燥，肝盛則治之以涼，涼清所行，金之氣也。酸傷筋。酸寫肝氣，寫甚則傷其氣。靈樞經曰：酸走筋，筋病無多食酸。以此爾走筋，謂宣行其氣，速疾也。氣血肉骨同。新校正云：詳注云靈樞經云，乃是素問宣明五氣篇文。按甲乙經，以此為素問，王云靈樞經者，誤也。辛勝酸。辛金味，故勝木之酸。酸餘則勝之以辛也。南方生熱。陽盛所生。相火君火之政也。太虛昏翳，其若輕塵，山川悉然，熱之氣也。大明不彰，其色丹，鬱熱之氣也。若行雲暴升，嵸然葉積，乍盈乍縮，崖谷之熱也。熱生火。熱甚之氣，火運盛明，故曰熱生火。火者盛陽之生化也。熱氣施化則炎暑鬱爍，其為變極則燔灼銷融。運乘癸酉、癸未、癸巳、癸卯、癸丑、癸亥歲則熱化不足。若乘戊辰、戊寅、戊子、戊戌、戊申、戊午歲則熱化有餘。火有君火相火，故曰熱生火。又云火也。火生苦。物之味苦者，皆始自火之生化也。甘物遇火，體焦則苦。苦從火化，其可徵也。苦生心。苦物入胃，化入於心，故諸癸歲則苦化少，諸戊歲則苦化多。心生血。苦味自心化已。

則布化生血脉。血生脾。苦味營血已，自血流化生養脾也。其在天爲熱。亦神化氣也。暄暑鬱蒸，熱之化也。炎赫沸騰，熱
之用也。歲屬少陰少陽，在上則熱化於天，在下則熱行於地。在地爲火。光顯炳明，火之體也。燔燎焦然，火之用也。在體爲
脉。流行血氣，脉之體也。壅泄虛實，脉之用也。絡脉同。在氣爲息。息長也。在藏爲心。心形如未敷蓮花，中有九空，以
導引天真之氣，神之宇也。爲君主之官，神明出焉。乘癸歲則心與經絡受邪而爲病，小腸府亦然。其性爲暑。暑，熱也。心之氣性也。其
德爲顯。明顯見象，定而可取，火之德也。新校正云：按氣交變大論云：其德彰顯。其用爲躁。火性躁動，不專定也。其
色爲赤。生化之物，乘火化者，悉表備赭丹之色。今南方之地草木之上，皆兼赤色。乘癸歲則赤色之物兼黑及白也。其化爲茂。
茂，蕃盛也。新校正云：按氣交變大論云：其化蕃茂。其蟲羽。參差長短，象火之形。其政爲明。明曜彰見，無所蔽匿，火之政也。
新校正云：按氣交變大論云：其政明曜。又按火之政明，水之氣明，水火異而明同者，火之明明于外，水之明明于内，明雖同而實異也。其令鬱
蒸。鬱，盛也。蒸，熱也。言盛熱氣如蒸也。新校正云：詳注謂鬱爲盛，其義未安。按王冰注五常政大論云：鬱，謂鬱燠不舒暢也。當如此解。其變炎
爍。熱甚炎赫，爍石流金，火之極變也。新校正云：按氣交變大論云：其變銷爍。其眚燔焫。燔焫山川，旋及屋宇，火之災也。新校正

云按氣交變大論云其災燔焫其味爲苦物之化之變而有苦味者皆火氣之所合散也今南方之野生物多苦其志爲喜
喜悅樂也悅以和志喜傷心言其過也喜發於心而反傷心亦由風之折木也過則氣竭故見傷也恐勝喜恐至則喜樂皆泯勝
喜之理目擊道存恐則水之氣也熱傷氣天熱則氣伏不見人熱則氣促喘急熱之傷氣理亦可徵此皆謂大熱也小熱之氣猶生諸氣也陰
陽應象大論曰壯火散氣少火生氣此其義也寒勝熱寒勝則熱退陰盛則陽衰制熱以寒是求勝也苦傷氣大凡如此亦苦之傷
氣以其燥也苦加以熱則傷尤甚也何以明之飲酒氣促多則喘急此其信也苦寒之物偏服歲久益火滋甚亦傷氣也暫以方治乃同少火反生氣也新
校正云詳此論所傷之旨有三東方曰風傷肝酸傷筋中央曰濕傷肉甘傷脾西方曰辛傷皮毛是自傷者也南方曰熱傷氣苦傷氣北方曰寒傷血鹹傷血
是傷己所勝也西方曰熱傷皮毛是被勝傷己也凡此五方所傷之例有三若太素則俱云自傷焉鹹勝苦酒得鹹而解物理昭然火苦之勝制
以水鹹中央生濕中央土也高山土濕泉出地中水源山隈雲生巖谷則其象也夫性內蘊動而爲用則雨降雲騰中央生濕不遠信矣故
歷候記土潤溽暑於六月謂是也濕生土濕氣內蘊土體乃全濕則土生乾則土死死則庶類凋喪生則萬物滋榮此濕氣之化爾濕氣施化
則土宅而雲騰雨降其爲變極則驟注土崩也運乘己巳己卯己丑己亥己酉己未之歲則濕化不足乘甲子甲戌甲申甲午甲辰甲寅之歲則濕化有餘也

土生甘。物之味甘者，皆始自土之生化也。甘生脾。甘物入胃，先入於脾，故諸已歲則甘少化，諸甲歲甘多化。脾生肉。甘味入脾，自脾藏布化，長生脂肉。肉生肺。甘氣營肉已，自肉流化，乃生養肺藏也。其在天爲濕。言神化也。柔潤重澤，濕之化也。埃鬱雲雨，濕之用也。歲屬太陰在上，則濕化於天；太陰在下，則濕化於地。在地爲土。敦靜安鎮，聚散復形，群品以生，土之體也。含垢匿穢，靜而下民，爲變化母，土之德也。新校正云：詳注云"靜而下民，爲土之德"，下民之義，恐字誤也。在體爲肉。覆裹筋骨，氣發其間，肉之用也。腠密不時，中外否閉，肉之動也。在氣爲充。土氣施化，則萬象盈。在藏爲脾。形象馬蹄，內包胃脘，象土形也。經絡之氣，交歸於中，以營運真靈之氣，意之舍也。爲倉廩之官，化物出焉。秉巳歲則脾及經絡受邪而爲病。新校正云：詳肝心肺腎四藏注，各言府同，獨此注不言胃府同者，闕文也。其性靜兼。兼謂兼寒熱暄涼之氣也。白虎通曰：脾之爲言并也，謂四氣并之也。其德爲濡。津濕潤澤，土之德也。新校正云：按氣交變大論云：其德溽蒸。其用爲化。化謂兼諸四化并已爲五化，所謂風化、熱化、燥化、寒化，周萬物而爲生長化成收藏也。其色爲黃。物乘土化，則表見黅黃之色。今中央之地，草木之上，皆兼黃色；秉巳歲則黃色之物兼蒼及黑。其化爲盈。盈，滿也。土化所及，則萬物盈滿。新校正云：按氣交變大論云：其化豐備。其蟲倮。倮露皮革，無毛介也。其政爲謐。謐，靜

也土性安靜新校正云按氣交變大論云其政安靜詳土之政謐水太過其政謐者蓋水太過而土下承之故其政亦謐其令雲雨
濕氣布化之所成其變動注動反靜也地之動則土失性風搖不安注雨久下也久則垣岸復爲土矣新校正云按氣交變大論云
其變驟注其眚淫潰淫久雨也潰土崩潰也新校正云按氣交變大論云其災霖潰其味爲甘物之化之變亦
有甘味者皆土化之所終始也今中原之地物味多甘淡其志爲思思以成務新校正云按靈樞經曰因志而存變謂之思思
傷脾思勞於智過則傷脾怒勝思怒則不思忿而忘禍則勝可知矣思甚不解以怒制之調性之道也濕傷肉濕甚爲水
水盈則腫水下去已形肉已消傷肉之驗近可知矣風勝濕風木氣故勝土濕濕甚則制之以風甘傷脾過節也新校正云按陰
陽應象大論云甘傷肉酸勝甘甘餘則制之以酸所以救脾氣也西方生燥陽氣已降陰氣復升氣爽風勁故生燥也夫嚴
谷青埃川源蒼翠煙浮草木遠望氤氳此金氣所生燥之化也夜起白露輕如微霧遐邇一色星月皎如此萬物陰成亦金氣所生白露之氣也太虛埃昏氣
鬱黃黑視不見遠無風自行從陰之陽如雲如霧此殺氣也亦金氣所生霜之氣也山谷川澤濁昏如霧氣鬱蓬勃慘然戚然咫尺不分此殺氣將用亦金氣
所生運之氣也天雨大霖和氣西起雲卷陽曜太虛廓清燥生西方義可徵也
若西風大起木偃雲騰是爲燥與濕爭氣不勝也故當復雨然西風雨晴天之

傳

常氣假有東風雨止必有西風復雨因雨而乃自晴觀是之爲則氣有往復動有燥濕變化之象不同其用矣由此則天地之氣以和爲勝暴發奔驟氣所不勝則多爲復也 燥生金。氣勁風切金鳴聲遠燥生之信視聽可知此則燥化能令萬物堅定也燥之施化於物如是其爲變極則天地悽慘肅殺氣行人悉畏之草木凋落運乘乙丑乙卯乙巳乙未乙酉乙亥之歲則燥化不足乘庚子庚寅庚辰庚午庚申庚戌之歲則燥化有餘歲氣不同生化異也 金生辛。物之有辛味者皆始自金化之所成也 辛生肺。辛物入胃先入於肺故諸乙歲則辛少化諸庚歲則辛多化 肺生皮毛。辛味入肺自肺藏布化生養皮毛也 皮毛生腎。辛氣自入皮毛乃流化生氣入腎藏也 其在天爲燥。神化也霧露清勁燥之化也肅殺凋零燥之用也歲屬陽明在上則燥化於天陽明在下則燥行於地者也 在地爲金。從革堅剛金之體也鋒刃銛束金之用也 新校正云按別本銛作括 在體爲皮毛。柔韌包裹皮毛之體也滲泄津液皮毛之用也 在氣爲成。物乘金化則堅成 在藏爲肺。肺之形似人肩二布葉數小葉中有二十四空行列以分布諸藏清濁之氣主藏魄也爲相傳之官治節出焉乘乙歲則肺與經絡受邪而爲病也大腸府亦然 其性爲涼。涼清也肺之性也 其德爲清。金以清涼爲德化 新校正云按氣交變大論云其德清潔 其用爲固。固堅定也 其色爲白。物乘金化則表彩縞素之色今西方之野草木之上色皆兼白秉乙歲則白色之物兼赤及蒼也。其化為斂。斂收也金化流行則物體堅斂。新校正云按氣交變大論云其化緊斂詳金之化為斂而木不及之氣亦斂者蓋木不及而金勝之故為斂也。其蟲介。介甲也外被介甲金堅之象也。其政為勁。勁前銳也。新校正云按氣交變大論云其政勁切。其令霧露。涼氣化生。其變肅殺。天地慘悽人所不喜則其氣也。其眚蒼落。青乾而凋落。其味為辛。夫物之化之變而有辛味者皆金氣之所離合也今西方之野草木多辛。其志為憂。憂慮也思也。新校正云詳王注以憂為思有害於義按本論思為脾之志憂為肺之志是憂非思明矣又靈樞經曰愁憂則閉塞而不行又去愁憂而不解則傷意若是則憂者愁也非思也。憂傷肺。愁憂則氣閉塞而不行肺藏氣故憂傷肺。喜勝憂。神悅則喜故喜勝憂。熱傷皮毛。火有二別故此再舉熱傷之形證也火氣薄爍則物焦乾故熱氣盛則皮毛傷也。寒勝熱。以陰消陽故寒勝熱。新校正云按太素作燥傷皮毛熱勝燥。辛傷皮毛。過節也辛熱又甚焉。苦勝辛。苦火味故勝金之辛。北方生寒。陽氣伏陰氣升政布而大行故寒生也太虛澄淨黑氣浮空天色黯然高空之寒氣也若氣似散麻本末皆黑微見川澤之寒氣也太虛清白空猶雪映遐邇一色山谷之寒氣也太虛白昏火明不翳如霧雨氣遐邇蒼然此望色玄凝霧夜落此水氣所生寒之化也太虛凝陰白埃昏翳天地一色遠視不分此寒濕凝結雪之將至也地裂水冰河渠乾涸枯澤浮鹹木斂土堅是土勝水水不得自清水所生寒之用也**寒**

生水寒資陰化水所由生此寒氣之生化爾寒氣施化則水冰雪霜其爲變極則水涸冰堅遇丙寅丙子丙戌丙申丙午丙辰之歲則寒化大行

乘辛未辛巳辛卯辛丑辛亥辛酉之歲則寒化少**水生鹹**物之有鹹味者皆始自水化之所成結也水澤枯涸鹵鹹乃蕃滄海味鹹鹽從水化

則鹹因水產其事炳然煎水味鹹近而可見**鹹生腎**鹹物入胃先歸於腎故諸丙歲鹹物多化諸辛歲鹹物少化**腎生骨**

髓鹹味入腎自腎藏布化生養骨髓也**髓生肝**髓氣自生骨髓乃流化生氣入肝藏也**其在天爲寒**神化也凝慘冰

雪寒之化也凜冽霜雹寒之用也歲爲太陽在上則寒化於天太陽在下則寒行於地**在地爲水**陰氣布化流於地中則爲水泉澄徹流衍

水之體也漂蕩沒溺水之用也**在體爲骨**強幹堅勁骨之體也包裹髓腦骨之用也**在氣爲堅**柔耎之物遇寒則堅寒之

化也**在藏爲腎**腎藏有二形如豇豆相並而曲附於膂筋外有脂裹裏白表黑主藏精也爲作強之官伎巧出焉乘辛歲則腎藏及經絡

受邪而爲病膀胱府同**其性爲凜**凜寒也腎之性也**其德爲寒**水以寒爲德化　新校正云按氣交變大論其德凄滄

其用爲卒闕**其色爲黑**物稟水成則表被玄黑之色今北方之野草木之上色皆兼黑乘辛歲則黑色之物兼黃及赤也**其**

化爲肅。肅靜也。新校正云按氣交變大論云其化清謐詳水之化爲肅而金之政太過者[illegible]審平金之政[illegible]殺者何也蓋水之化

肅者肅靜也金之政肅者肅殺也文雖同而事異者也。其蟲鱗。鱗謂魚蛇之族類。其政爲靜。水性澄澈而清靜。新校正云

按氣交變大論云其政凝肅詳水之政爲靜而平土之政安靜土太過之政亦爲靜土不及之政亦爲靜定水土異而靜同者非同也水之靜清淨也土之靜

安靜也。其令。本闕。其變凝冽。寒甚故致是。新校正云按氣交變大論云其變凜冽。其眚冰雹。非時而有

及暴過也。新校正云按氣交變大論云其災冰雪霜雹。其味爲鹹。夫物之化之變而有鹹味者皆水化之所凝散也今北方川澤地多

鹹鹵。其志爲恐。恐以遠禍。恐傷腎。恐甚動中則傷腎靈樞經曰恐懼而不解則傷精腎藏精故精傷而傷及於腎也。思

勝恐。思見禍機故無憂恐。思一作憂非也。寒傷血。明勝心也寒甚血凝故傷血也。燥勝寒。寒化則水積燥用則物堅燥與

寒兼故相勝也天地之化物理之常也。鹹傷血。味過於鹹則咽乾引飲傷血之義斷可知矣。甘勝鹹。渴飲甘泉咽乾自已甘爲

土味故勝水鹹。新校正云詳自上岐伯曰至此與陰陽應象大論同小有增損而注頗異。五氣更立各有所先。

當其歲時氣乃先也。非其位則邪當其位則正。先立運然後知非位與當位者也。帝曰病

古鈔本而凌上有侮慢二字正脉本同

生之變何如。岐伯曰。氣相得則微。不相得則甚。木居火位，火居土位，土居金位，金居水位，水居木位，木居君位，如是者為相得。又木居水位，水居金位，金居土位，土居火位，火居木位，如是者雖為相得，終以子僭居父母之位，下陵其上，猶為小逆也。木居金土位，火居金水位，土居水木位，金居火木位，水居火土位，如是者為不相得，故病甚也。皆先立運氣及司天之氣，則氣之所在相得與不相得可知矣。帝曰。主歲何如。岐伯曰。氣有餘。則制己所勝。而侮所不勝。其不及。則己所不勝。侮而乘之。己所勝。輕而侮之。木餘，則制土，輕忽於金，以金氣不爭，故木恃其餘而欺侮也。又木少金勝，土反侮木，以木不及，故土妄凌之也。四氣率同。舊謂而凌忽之也。侮反受邪。或以己強盛，或遇彼衰微，不度卑弱，妄行凌忽，雖侮而求勝，故終必受邪。侮而受邪。寡於畏也。受邪各謂受己不勝之邪也。然舍己宮觀適他鄉邦，外強中乾，邪盛真弱，寡於敬畏，由是納邪，故曰寡於畏也。新校正云：按六節藏象論曰：未至而至，此謂太過，則薄所不勝而乘所勝，命曰氣淫。至而不至，此謂不及，則所勝妄行而所生受病，所不勝而薄之，命曰氣迫。即此之義也。帝曰善。

六微旨大論篇第六十八

黄帝問曰：嗚呼遠哉！天之道也，如迎浮雲，若視深淵，深淵靜瑩而澄澈，故視之可測其深淺；浮雲飄泊而合散，故迎之莫詣其邊涯。言蒼天之象，如淵可視乎？鱗介運化之道，猶雲莫測其去留。六氣深微，其於運化當知是喻矣。視深淵尚可測，迎浮雲莫知其極。新校正云：詳此文與《疏五過論》文重。夫子數言謹奉天道，余聞而藏之，心私異之，不知其所謂也。願夫子溢志盡言其事，令終不滅，久而不絶。天之道可得聞乎？運化生成之道也。岐伯稽首再拜對曰：明乎哉問！天之道也，此因天之序，盛衰之時也。帝曰：願聞天道六六之節盛衰何也？六六之節，經已啓問，天師未敷其旨，故重問之。岐伯曰：上下有位，左右有紀。上下謂司天地之氣二也，餘左右四氣在歲之左右也。故少陽之右，陽明治之陽明之右太陽治之太陽之右厥陰治之厥陰之右少陰治之少陰之右太陰治之太陰之右少陽治之此所謂氣之標蓋南面而待也（標末也聖人南面而立以閱氣之至也）故曰因天之序盛衰之時移光定位正立而待之此之謂也（移光謂日移光定位謂面南觀氣正立觀歲數氣之至則氣可待之也）少陽之上火氣治之中見厥陰（少陽南方火故上見火氣治之與厥陰合故中見厥陰也）陽明之上燥氣治之中見太陰（陽明西方金故上燥氣治之與太陰合故燥氣之下中見太陰也）太陽之上寒氣治之中見少陰（太陽北方水故上寒氣治之與少陰合故寒氣之下中見少陰也新校正云按六元正紀大論云太陽所至為寒生中為溫與此義同）厥陰之上風氣治之中見少陽（厥陰東方木故上風氣治之與少陽合故風氣之下中見少陽也）少陰之上熱氣治之中見太陽（少陰東南方君火故上熱氣治之與太陽合故熱氣之下中見

太陽也。新校正云：按《六元正紀大論》云：少陰所至為熱生，中為寒，與此義同。太陰之上，濕氣治之，中見陽明。太陰西南方土，故上濕氣治之，與陽明合，故濕氣之下中見陽明也。所謂本也。本之下，中之見也。見之下，氣之標也。本謂元氣也，氣則為主，則文言著矣。新校正云：詳注云文言著矣，疑誤。本標不同，氣應異象。本者應之元，標者病之始。病生形用，求之標；方施其用，求之本。標本不同，求之中見，法萬全。新校正云：按《至真要大論》云：六氣標本不同，氣有從本者，有從標本者，有不從標本者。少陽太陰從本，少陰太陽從本從標，陽明厥陰不從標本，從乎中。故從本者化生於本，從標本者有標本之化，從中者以中氣為化。帝曰：其有至而至，有至而不至，有至而太過，何也？皆謂天之六氣也。初之氣起於立春前十五日，餘二三四五終氣次至而分治，六十日餘八十七刻半。岐伯曰：至而至者和，至而不至，來氣不及也；未至而至，來氣有餘也。時至而氣至，和平之應，此則為平歲也。假令甲子歲氣有餘，於癸亥歲未當至之期，先時而至也。乙丑歲氣不足，於甲子歲當至之期，後時而至也。故曰來氣不及，來氣有餘也。言初氣之至期如此，歲氣有餘，六氣之至皆先時；歲氣不及，六氣之至皆後時。先時後至，後時先至，各差十三日而應也。

新校正云按金匱要略云有未至而至有至而不至有至而不去有至而太過冬至之後得甲子夜半少陽起少陰之時陽始生天得溫和以未得甲子天因溫和此爲未至而至也以得甲子而天未溫和此爲至而不至以得甲子而天寒不解此爲至而不去以得甲子而天溫如盛夏時此爲至而太過此亦論氣應之一端也

帝曰至而不至未至而至如何 言大過不及歲當至晚至早之時應也

岐伯曰應則順否則逆逆則變生變則病 當期爲應愆時爲否天地之氣生化不息无止礙也不應有而有應有而不有是造化之氣失常失常則氣變變常則氣血紛撓而爲病也天地變而失常則萬物皆病

帝曰善請言其應岐伯曰物生其應也氣脉其應也 物之生榮有常時脉之至有常期有餘歲早不及歲晚皆依期至也

帝曰善願聞地理之應六節氣位何如

岐伯曰顯明之右君火之位也君火之右退行一步相火治之 日出謂之顯明則卯地氣分春也自春分後六十日有奇斗建卯正至于巳正君火位也自斗建巳正至未之中三之氣分相火治之所謂少陽也君火之位所謂少陰熱之分也天度至此暄淑大行居熱之分不行炎暑君之德也少陽居之爲僭逆大熱早行疫癘乃生陽明居之爲

温涼不時太陽居之為寒雨間熱厥陰居之為風濕雨生羽蟲少陰居之為天下疵疫以其得位君令宣行故也太陰居之為時雨火有二位故以君火為六氣之始也相火則夏至日前後各三十日也少陽之分火之位也天度至此炎熱大行少陽居之為熱暴至草萎河乾炎亢濕化晚布陽明居之為涼氣間發大陽居之為寒氣間至熱爭冰雹厥陰居之為風熱大行雨生羽蟲少陰居之為大暑炎亢太陰居之為雲雨雷電退謂南面視之在位之右也一步凡六十日又八十七刻半餘氣同法

復行一步土氣治之雨之分也即秋分前六十日而有奇斗建未正至酉之中四之氣也天度至此雲雨大行濕蒸乃作少陽居之為炎熱沸騰雲雨雷雹陽明居之為清雨霧露太陽居之為寒雨害物厥陰居之為暴風雨摧拉雨生倮蟲少陰居之為寒熱氣反用山澤浮雲暴雨溽蒸太陰居之為大雨霪霔

復行一步金氣治之燥之分也即秋分後六十日而有奇自斗建酉正至亥之中五之氣也天度至此萬物皆燥少陽居之為温清夏正萬物乃榮陽明居之為大涼燥疾太陽居之為早寒厥陰居之為涼風大行雨生介蟲少陰居之為秋燥熱布時行太陰居之為時雨沉陰

復行一步水氣治之寒之分也即冬至日前後各三十日自斗建亥至丑之中六之氣也天度至此寒氣大行少陽居之為冬温蟄蟲不藏流水不冰陽明居之為燥寒勁切太陽居之為大寒凝冽厥陰居之為寒風摽揚雨生鱗蟲少陰居之為蟄蟲出見流水不冰太陰居之為凝陰寒雪地氣濕也

復行一步木氣治之風之分也

卯春分前六十日而有奇也自斗建丑正至卯之中初之氣也天度至此風氣行天地神明號令之始也天之使也少陽居之爲温疫至陽明居之爲清風霧露朦昧太陽居之爲寒風切冽霜雪水冰厥陰居之爲大風發榮雨生毛蟲少陰居之爲熱風傷人時氣流行太陰居之爲風雨凝陰不散**復行一步君火治之**熱之分也復春分始也自斗建卯正至巳之中二之氣也凡此六位終紀一年六六三百六十日六八四百八十刻六七四十二刻其餘半刻積而爲三約日終三百六十五度也餘奇細分率之可也**相火之下水氣承之**熱盛水承條蔓柔弱湊潤衍溢水象可見　新校正云按六元正紀大論云少陽所至爲火生終爲蒸溽則水承之義可見又云少陽所至爲標風燔燎霜凝亦下承之水氣也**水位之下土氣承之**寒甚物堅水冰流涸土象斯見承下明矣　新校正云按六元正紀大論云太陽所至爲寒雪冰雹白埃則土氣承之之義也**土位之下風氣承之**疾風之後時雨乃零是則濕爲風吹化而爲雨　新校正云按六元正紀大論云太陰所至爲濕生終爲注雨則土位之下風氣承之而爲雨也又云太陰所至爲雷霆驟注列風則風承之義也**風位之下金氣承之**風動氣清萬物皆燥金承木下其象昭然　新校正云按六元正紀大論云厥陰所至爲風生終爲肅則金承之義可見又云厥陰所至飄怒大涼亦金承之義也**金位之下火氣承之**鍛金生熱則火流金乘火之上理無妄也　新校正云按六元

正紀大論云陽明所至爲散落溫則火乘之義也。君火之下，陰精承之。君火之位，大熱不行，蓋爲陰精制承其下也。諸以所勝之氣乘於下者，皆折其標盛，此天地造化之大體爾。新校正云：按六元正紀大論云：少陰所至爲熱生，中爲寒，則陰承之義可知。又太少陰所至爲大暄寒，亦其義也。又按六元正紀云：水發而雹雪，土發而飄驟，木發而毀折，金發而清明，火發而曛昧，何氣使然？曰：氣有多少，發有微甚，微者當其氣，甚者兼其下，徵其下氣而見可知也。所謂徵其下者，即此六承氣也。帝曰：何也？岐伯曰：亢則害，承廼制，制則生化，外列盛衰，害則敗亂，生化大病。亢過極也。物惡其極也。帝曰：盛衰何如？岐伯曰：非其位則邪，當其位則正，邪則變甚，正則微。帝曰：何謂當位？岐伯曰：木運臨卯，火運臨午，土運臨四季，金運臨酉，水運臨子，所謂歲會，氣之平也。非太過，非不及，是謂平運主歲也。平歲之氣，物生脈應，皆必合期，無先後也。新校正云：詳木運臨卯，丁卯歲也；火運臨午，戊午歲也；土運臨四季，甲辰、甲戌、己丑、己未歲也；金運臨酉，乙酉歲也；水運臨子，丙子歲也。丙戌午、己丑、己未、乙酉，又爲太一天符。帝曰：非位何如歧伯曰歲不與會也 不與本辰相逢會也 帝曰土運之歲上見太陰火運之歲上見少陽少陰 少陰少陽皆火氣 金運之歲上見陽明木運之歲上見厥陰水運之歲上見太陽柰何歧伯曰天之與會也 天氣與運氣相逢會也 新校正云詳土運之歲上見太陰己丑己未也火運之歲上見少陽戊寅戊申也上見少陰戊子戊午也金運之歲上見陽明乙卯乙酉也木運之歲上見厥陰丁巳丁亥也水運之歲上見太陽丙辰丙戌也內己丑己未戊午乙酉又爲太一天符按天元正紀大論云太過而同天化者三不及而同天化者亦三戊子戊午太徵上臨少陰戊寅戊申太徵上臨少陽丙辰丙戌太羽上臨太陽如是者三丁巳丁亥少角上臨厥陰乙卯乙酉少商上臨陽明己丑己未少宮上臨太陰如是者三臨者太過不及皆曰天符 故天元冊曰天符天符歲會何如歧伯曰太一天符之會也 是謂三合一者天會二者歲會三者運會也天元紀大論曰三合爲治此之謂也新校正云按太一天符之詳具天元紀大論注中 帝曰其貴賤何如歧伯曰天符爲執法歲位爲行令太一天符爲貴人 執法猶相

轉行令猶方伯，貴人猶君主。帝曰：邪之中也柰何？岐伯曰：中執法者，其病速而危，執法官人之繩準，自為邪僻，故病速而危。中行令者，其病徐而持，方伯无執法之權，故無速害，病但執持而已。中貴人者，其病暴而死。義无凌犯，故病則暴而死。帝曰：位之易也何如？岐伯曰：君位臣則順，臣位君則逆。逆則其病近，其害速；順則其病遠，其害微。所謂二火也。相火居君火，是臣位居君位，故逆也。君火居相火，是君居臣位，君臨臣位，故順也。遠謂里遠，近謂里近也。帝曰：善。願聞其步何如？岐伯曰：所謂步者，六十度而有奇，奇謂八十七刻又十分刻之五也。故二十四步積盈百刻而成日也。此言天度之餘也。夫言周天之度者，三百六十五度四分度之一也。二十四步正四歲也。四分度之一，二十五刻也。四歲氣乘積已盈百刻，故成一日，度一日也。帝曰：六氣應五行之變何如？岐伯曰：位有終始，氣有初中，上下不同，求之亦異也。

互

位地位也氣天氣也氣與位互有差移故氣之初天用事氣之中地主之地主則氣流于地天用則氣騰於天初與中皆分天步而率刻爾初中各三十日餘四十三刻四分刻之三也帝曰求之柰何岐伯曰天氣始於甲地氣始於子子甲相合命曰歲立謹候其時氣可與期子甲相合命曰歲立則甲子歲也謹候水刻早晏則六氣悉可與期爾帝曰願聞其歲六氣始終早晏何如岐伯曰明乎哉問也甲子之歲初之氣天數始於水下一刻常起於平明寅初一刻艮中之南也新校正云按戊辰壬申丙子庚辰甲申戊子壬辰丙申庚子甲辰戊申壬子丙辰庚申歲同此所謂辰申子歲氣會同陰陽法以是為三合終於八十七刻半子正之中夜之半也外十二刻半入二氣之初諸餘刻同入也二之氣始於八十七刻六分子中之左也終於七十五刻戌之後四刻也外二十五刻入次三氣之初率三之氣始於七十六刻亥初之一刻終於六十二刻半酉正之中也外三十七刻半至入後四之氣始於六十二刻六分酉中之北終於五十刻

未後之四刻也。外五十刻差入後。五之氣始於五十一刻，申初之一刻。終於三十七刻半。午正之中。晝之半也。外六十二刻半差入後。六之氣始於三十七刻六分，午中之西。終於二十五刻。辰正之後四刻。外七十五刻差入後。所謂初六天之數也。天地之數二十四氣乃大會而同，故命此曰初六天數也。乙丑歲初之氣天數始於二十六刻，巳初之一刻。新校正云：按己巳、癸酉、丁丑、辛巳、乙酉、己丑、癸巳、丁酉、辛丑、乙巳、己酉、癸丑、丁巳、辛酉歲同。所謂巳酉丑歲氣會同也。終於一十二刻半，卯正之中。二之氣始於一十二刻六分，卯中之南。終於水下百刻，丑後之四刻。三之氣始於一刻，又寅初之一刻。終於八十七刻半，子正之中。四之氣始於八十七刻六分，子中正東。終於七十五刻，戌後之四刻。五之氣始於七十六刻，亥初之一刻。終於六十二刻半，酉正之中。六之氣始於六十二刻六分，酉中之北。終於五十刻，未後之四刻。所謂六二天之數也。一六爲初六，二六爲六二，名次也。丙寅歲初之氣，天數始於五十一刻，申初之一刻。新校正云：按庚午甲戌戊寅壬午丙戌庚寅甲午戊戌壬寅丙午庚戌甲寅戊午壬戌歲同此，所謂寅午戌歲氣會同。終於二十七刻半，午正之中。二之氣始於三十七刻六分，午中之西。終於二十五刻，辰後之四刻。三之氣始於二十六刻，巳初之一刻。終於一十二刻半，卯正之中。四之氣始於一十二刻六分，卯中之南。終於水下百刻，丑後之四刻。五之氣始於一刻，寅初之一刻。終於八十七刻半，子正之中。六之氣始於八十七刻六分，子中之左。終於七十五刻，戌後之四刻。所謂六三天之數也。丁卯歲初之氣，天數始於七十六刻，亥初之一刻。新校正云：按辛未乙亥己卯癸未丁亥辛卯乙未己亥癸卯丁未辛亥乙卯己未癸亥歲同此，所謂卯未亥歲氣會同。終於六十二刻半，酉正之中。二之氣始於六十二刻六分，酉中之北。終於五十刻，未後之四刻。三之氣始於五十一刻申初之二刻終於三十七刻半午正之中四之氣始於三十七刻六分午中之丑終於二十五刻辰後之四刻五之氣始於二十六刻巳初之一刻終於一十二刻半卯正之中六之氣始於一十二刻六分卯中之南終於水下百刻丑後之四刻所謂六四天之數也次戊辰歲初之氣復始於一刻常如是無已周而復始始自甲子年終於癸亥歲常以四巳歲爲一小周二十五周爲一大周以辰命歲則氣可與期帝曰願聞其歲候何如岐伯曰悉乎哉問也日行一周天氣始於一刻甲子歲也日行再周天氣始於二十六刻乙丑歲也日行三周天氣始於五十一刻丙寅歲也日行四周天氣始於七十六刻丁卯歲也日行五周天氣復始於一刻戊辰歲也餘五十五歲循環周而復始矣所謂一紀也法以四年爲一紀循環不已餘三歲一會同故

約六氣象五行中之七行氣所出地上所生之火故名相火者天君火則天日有

有三合也是故寅午戌歲氣會同，卯未亥歲氣會同，辰申子歲氣會同，巳酉丑歲氣會同，終而復始。陰陽法以是爲三合者，緣其氣會同也。不爾則各在一方，義無由合。帝曰：願聞其用也。岐伯曰：言天者求之本，言地者求之位，言人者求之氣交。本謂天六氣寒暑燥濕風火也。三陰三陽由是生化，故云本。所謂六元者也。位謂金木火土水君火也。天地之氣上下相交，人之所處者也。帝曰：何謂氣交？岐伯曰：上下之位，氣交之中，人之居也。自天之下，地之上，則二氣交合之分也。人居地上，故氣交合之中，人之居也。是以化生變易，皆在氣交之中也。故曰：天樞之上，天氣主之；天樞之下，地氣主之；氣交之分，人氣從之，萬物由之，此之謂也。天樞當齊之兩傍也，所謂身半矣。伸臂指天，則天樞正當身之半也。三分折之，上分應天，下分應地，中分應氣交。天地之氣交合之際，所遇寒暑燥濕風火勝復之變之化，故人氣從之，萬物生化，悉由而合散也。帝曰：何謂初中？岐伯曰：初凡三十度而有奇。

中氣同法。奇謂三十日餘四十三刻又四十分刻之三十也。初中相合，則六十日餘八十七刻半也。以各餘四十分刻之三十，故云中氣同法也。帝曰：初中何也？岐伯曰：所以分天地也。以是知氣高下，生人病主之也。帝曰：願卒聞之。岐伯曰：初者地氣也，中者天氣也。氣之初，天用事，天用事則地氣上騰於太虛之內；氣之中，地氣主之，地氣主則天氣下降於有質之中。帝曰：其升降何如？岐伯曰：氣之升降，天地之更用也。升謂上升，降謂下降。升極則降，降極則升，升降不已，故彰天地之更用也。帝曰：願聞其用何如？岐伯曰：升已而降，降者謂天；降已而升，升者謂地。氣之初，地氣升；氣之中，天氣降。升已而降，以下彰天氣之下流；降已而升，以上表地氣之上應。天氣下降，地氣上騰，天地交合，泰之象也。易曰：天地交，泰。是以天地之氣升降，常以三十日半下上，下上不已，故萬物生化，無有休息，而各得其所也。天氣下降，氣流于地；地氣上升，氣騰于天。故高下相召，升降相因，而變作矣。氣有勝復，故變生也。新校正云：按《六元正紀大論》云：天地之氣，盈虛何如？曰：天氣不足，地氣隨之；地氣不足天氣從之運居其中而常先也惡所不勝歸所和同隨運歸從而生其病也故上勝則天氣降而下下勝則地氣遷而上多少而差其分微者小差甚者大差甚則位易氣交易則大變生而病作矣帝曰善寒濕相遘燥熱相臨風火相値其有聞乎歧伯曰氣有勝復勝復之作有德有化有用有變變則邪氣居之夫撫掌成聲沃火生沸物之交合象出其間萬類交合亦由是矣天地交合則八風鼓拆六氣交馳於其間故氣不能正者反成邪氣帝曰何謂邪乎邪者不正之目也天地勝復則寒暑燥濕風火六氣互爲邪也歧伯曰夫物之生從於化物之極由乎變變化之相薄成敗之所由也夫氣之有生化也不見其形不知其情莫測其所起莫究其所止而萬物自生自化近成無極是謂天和見其象彰其動震烈剛暴飄泊驟卒拉堅摧殘摺拆鼓慄是謂邪氣故物之生也靜而化成其毀也躁而變革是以生從於化極由乎變變化不息則成敗之由常在生有涯分者言有終始爾新校正云按天元紀大論云物生謂之化物極謂之變也故氣有往復用有遲四者之有而化而變風之來也天地易位寒暑移方水火當動用時氣之遲速往復

常在雖不可究識意端然微甚之用而為化為變風所由來也人氣不勝因而感之故病生焉風匪求勝於人也帝曰遲速往復風所由生而化而變故因盛衰之變耳成敗倚伏遊乎中何也夫倚伏者禍福之萌也有禍者福之所倚也有福者禍之所伏也由是故禍福互為倚伏物盛則衰樂極則哀是福之極故為禍所倚否極之泰未濟之濟是禍之極故為福所伏然吉凶成敗目擊道存不可以終自然之理故無尤也岐伯曰成敗倚伏生乎動動而不已則變作矣動靜之理氣有常運其微也為物之化其甚也為物之變化流於物故物得之以生變行於物故物得之以死由是成敗倚伏生於動之微甚遲速爾者雖氣獨有是哉人在氣中養生之道進退之用當皆然也新校正云按至真要大論云陰陽之氣清靜則化生治動則苛疾起此之謂也帝曰有期乎岐伯曰不生不化靜之期也人之期可見者二也天地之期不可見也夫二可見者一曰生之終也其二曰變易與土同體然後捨小生化歸於大化以死後猶化變未已故可見者二也天地終極人壽有分長短不相及故人見之者鮮矣帝曰不生化乎言亦有不生不化者乎岐伯曰出入廢則神機化滅升降息則氣立孤危出入謂喘息也

內經十九　二十五

升降謂化氣也夫毛羽倮鱗介及飛走蚑行皆生氣根於身中以神爲動靜之主故曰神機也然金玉土石鎔埏草木皆生氣根於外假氣以成立主持故曰氣立也五常政大論曰根于中者命曰神機神去則機息根于外者命曰氣立氣止則化絶此之謂也故無是四者則神機與氣立者生死皆絶 新校正云按易云本乎天者親上本乎地者親下周禮大宗伯有天産地産大司徒云動物植物即此神機氣立之謂也

故非出入則無以生長壯老已非升降則無以生長化收藏

夫自東自西自南自北者假出入息以爲化主因物以全質者陰陽升降之氣以作生源若非此道則無能致是十者也

是以升降出入無器不有

包藏生氣者皆謂生化之器觸物然矣夫竅横者皆有出入去來之氣竅竪者皆有陰陽升降之氣往復於中何以明之則壁窻戶牖兩面伺之皆承來氣衝擊於人是則出入氣也夫陽升則井寒陰升則水煖以物投井及葉墜空中翩翩不疾皆升氣所礙也虛管漑滿捻上懸之水固不泄爲無升氣而不能降也空瓶小口頓漑不入爲氣不出而不能入也由是觀之升無所不降降無所不升無出則不入無入則不出夫群品之中皆出入升降不失常守而云非化者未之有也有識無識有情無情去出入已升降而云存者未之有也故曰升降出入無器不有

故器者生化之宇器散則分之生化息矣

器謂天地及諸身也宇謂屋宇也以其身形包藏府藏受納神靈與天地同故皆名器也諸身

者小生化之器宇太虛者廣生化之器宇也生化之器自有小大無不散也夫小大器皆生有涯分散有遠近也。故無不出入無不升降。真生假立形器者無不有此二者。化有小大期有近遠。近者不見遠謂遠者無涯遠者無常見近而嘆有其涯矣既近遠不同期合散殊時節即有無交競異見常乖及至分散之時則近遠同歸於一變。四者之有而貴常守。四者謂出入升降也有出入升降則為常守有出無入有入無出有升無降有降無升則非生之氣也若非胎息道成居常而生則未之有屏出入息泯升降氣而能存其生化者故貴常守。反常則災害至矣。出入升降生化之元主故不可無之反常之道則神去其室生之微絕非災害而何哉。故曰無形無患此之謂也。夫喜於遂悅於色畏於難懼於禍外惡風寒暑濕內繁飢飽愛欲皆以形無所隱故常嬰患累於人間也若便想慕滋蔓嗜慾無厭外附權門內豐情偽則動以牢網坐招燔爇欲思釋縛其可得乎是以身為患階爾老子曰吾所以有大患者為吾有身及吾無身吾有何患此之謂也夫身形與太虛釋然消散復未知生化之氣為有而聚耶為無而滅乎。帝曰善。有不生不化乎。言人有逃陰陽免生化而不生不化無始無終同太虛自然者乎。岐伯曰悉乎哉。問也與道合同惟真人也。真人之身隱見莫測出入天地內外順道至真以生其為小也入於無間其為大也過虛空界不與道如一其孰能爾乎帝曰善。

重廣補注黃帝内經素問卷第十九

天元紀大論鐫子泉切五運行大論憑扶氷切礙音芰傈音晝

眚所景切蓯音揔蹔慈濫切溽音辱黅音今銛音括疢音敕六微旨大

論霪音淫霔音注涸胡各切蚑音祁埏式連切

重廣補注黃帝內經素問卷第二十

啓玄子次注林億孫奇高保衡等奉敕校正孫兆重改誤

氣交變大論　五常政大論

氣交變大論篇第六十九

新校正云詳此論專明氣交之變乃五運太過不及德化政令災變勝復爲病之事

黃帝問曰五運更治上應天朞陰陽往復寒暑迎隨真邪相薄內外分離六經波蕩五氣傾移太過不及專勝兼幷願言其始而有常名可得聞乎朞三百六十五日四分日之一也專勝謂五運主歲太過也兼幷謂主歲之不及也常名謂布化於太虛人身參應病之形診也新校正云按天元紀大論云五運相襲而皆治之終朞之日周而復始又云五氣運行各終朞日太始天元冊文曰萬物資始五運終天即五運更治上應天朞之義也岐伯稽首再拜對曰昭乎哉問也是明道也此上帝所貴先師傳之

臣雖不敏往聞其旨 言非己心之生知備聞先人往古受傳之遺旨也 帝曰余聞得其人不教是謂失道傳非其人慢泄天寶余誠菲德未足以受至道然而衆子哀其不終願夫子保於無窮流於無極余司其事則而行之柰何 至道者非傳之難非知之艱行之難聖人愍念蒼生同居永壽故屈身降志請受於天師太上貴德故後己先人苟非其人則道無虛授黃帝欲仁慈惠遠博愛流行尊道下身拯乎黎庶乃曰余司其事則而行之也 岐伯曰請遂言之也上經曰夫道者上知天文下知地理中知人事可以長久此之謂也 夫道者大無不包細無不入故天文地理人事咸通 新校正云詳夫道者一節與著至教論文重 帝曰何謂也岐伯曰本氣位也位天者天文也位地者地理也通於人氣之變化者人事也故太過者先天不及者後天所謂治化而人應

約之要案太過謂甲丙戊庚壬陽年不及謂乙丁己辛癸陰年

反脇可疑案後文曰病反可疑反者也變常用玄奏也

之也。三陰三陽司天司地以表定陰陽生化之紀是謂位天位地也五運居中司人氣之變化故曰通於人氣也先天後天謂生化氣之變化所主時也太過歲化先時至不及歲化後時至。帝曰五運之化太過何如。太過謂歲氣有餘也。新校正云詳太過五化具五常政大論中。岐伯曰歲木太過風氣流行脾土受邪。木餘故土氣卑屈。民病飧泄食減體重煩冤腸鳴腹支滿。上應歲星。飧泄謂食不化而下出也脾虛故食減體重煩冤腸鳴腹支滿也歲木氣太盛歲星光明逆守星屬分皆災也。新校正云按藏氣法時論云脾虛則腹滿腸鳴飧泄食不化。甚則忽忽善怒眩冒巔疾。凌犯太甚則遇於金故自病。新校正云按玉機真藏論云肝脉太過則令人善怒忽忽眩冒巔疾爲肝實而然則此病不獨木太過遇金自病肝實亦自病也。化氣不政生氣獨治雲物飛動草木不寧甚而搖落反脇痛而吐甚衝陽絶者死不治上應太白星。諸壬歲也木餘土抑故不能布政於萬物也生氣木氣也太過故獨治而生化也風不務德非分而動則太虛之中雲物飛動草木不寧動而不止金則勝之故甚則草木搖落也脇反痛木乘土也衝陽胃脉也木氣勝而土氣乃絶故死也金復而太白逆守屬星者危也其災之發害於東方人之内應則先害於脾後傷肝也書曰滿招損此其類也 新校正云詳此太過五化言星之例有三木與土運先言歲鎮後言勝己之星火與金運先言熒惑太白次言勝己之星後再言熒惑太白水運先言辰星次言鎮星後再言辰星兼見已勝之星也

歲火太過炎暑流行金肺受邪火不以德則邪害於金若以德行則政和平也民病瘧少氣欬喘血溢血泄注下嗌燥耳聾中熱肩背熱上應熒惑星少氣謂氣少不足以息也血泄謂血利便血也血溢謂血上出於七竅也注下謂水利也中熱謂胷心之中也背謂胷中之府肩接近之故胷心中及肩背熱也火氣太盛則熒惑光芒逆臨宿屬分皆災也 新校正云詳火盛而剋金寒熱交爭故為瘧按藏氣法時論云肺病者欬喘肺虛者少氣不能報息耳聾嗌乾甚則胷中痛脇支滿脇痛膺背肩胛間痛兩臂内痛新校正云按藏氣法時論云心病者胷中痛脇支滿脇下痛膺背肩甲間痛兩臂内痛身熱骨痛而為浸淫火無德令縱熱害金水為復讎故火自病 新校正云按玉機真藏論云心脉太過則令人身熱而膚痛為浸淫此云骨痛者誤也收氣不行長氣獨明雨水霜寒今詳水字當作冰上應辰星金氣退避火氣獨行水氣

折之故雨零氷雹及偏降霜寒而殺物也水復於火天象應之辰星逆凌乃寒災於物也占辰星者常在日之前後三十度其災發之當至南方在人之應則内先傷肺後反傷心　新校正云按五常政大論雨水霜寒作雨氷霜雹上臨少陰少陽火燔焫冰泉涸物焦槁新校正云按五常政大論云赫曦之紀上徵而收氣後又六元正紀大論云戊子戊午太徵上臨少陰戊寅戊申太徵上臨少陽臨者太過不及皆曰天符病反譫妄狂越欬喘息鳴下甚血溢泄不已太淵絶者死不治上應熒惑星諸戊歲也戊午戊子歲少陰上臨戊寅戊申歲少陽上臨是謂天符之歲也太淵肺脉也火勝而金絶故死火既太過又火熱上臨兩火相合故形斯俟熒惑逆犯宿屬皆危　新校正云詳戊辰戊戌歲上見太陽是謂天刑運故當盛而不得盛則火化減半非太過又非不及也歲土太過雨濕流行腎水受邪土無德乃爾民病腹痛清厥意不樂體重煩寃上應鎮星腹痛謂大腹小腹痛也清謂厥謂足逆冷也意不樂如有隱憂也土來刑水象應之鎮星逆犯宿屬則災　新校正云按藏氣法時論云腎病者身重腎虚者大腹小腹痛清厥意不樂甚則肌肉萎足痿不收行善瘈脚下痛飲發中

膣腹同　胃從

滿食減四支不舉。脾主肌肉外應四支。又其脉起於足中指之端循核骨內側斜出絡跗故病如是。新校正云按藏氣法時論云脾病者身重善飢肉痿足不收行善瘈脚下痛又玉機真藏論云脾太過則令人四支不舉。變生得位。新校正云詳太過五化獨此言變生得位者舉一而四氣可知也又以土王時月難知故此詳言之也。藏氣伏化氣獨治之泉涌河衍。涸澤生魚風雨大至土崩潰鱗見于陸病腹滿溏泄腸鳴反下甚。而太谿絶者死不治上應歲星。諸甲歲也得位。謂季月也藏水氣也化土氣也化太過故水藏伏匿而化氣獨治土勝木復故風雨大至水泉涌河渠溢乾澤生魚濕既甚矣風又鼓之故土崩潰土崩潰謂垣頹岸仆山落地入也河溢泉涌枯澤水滋鱗物豐盛故見于陸地也太谿腎脉也土勝而水絶故死木來折土天象逆臨加其宿屬正可憂也。新校正云按藏氣法時論云脾虛則腹滿腸鳴飧泄食不化也。歲金太過燥氣流行肝木受邪。金暴虐木爾。民病兩脇下少腹痛目赤痛眥瘍耳無所聞。兩脇謂兩乳之下脅之下也少腹謂齊下兩傍髎骨內也目赤謂白睛色赤也痛謂滲痛也眥謂四際瞼睫之本也。肅殺而甚則體重煩冤胷痛引背兩脇滿且痛引少腹上應太白星。金氣已過甚殺又甚木氣內畏感而病生金盛應天太白明大加臨宿屬心受災害 新校正云按藏氣法時論云肝病者兩脇下痛引少腹肝虛則目䀮䀮無所見耳無所聞又玉機眞藏論云肝脉不及則令人胷痛引背下則兩脇胠滿也甚則喘欬逆氣肩背痛尻陰股膝髀腨䯒足皆病上應熒惑星。火氣復之自生病也天象示應在熒惑逆加守宿屬則可憂也 新校正云按藏氣法時論云肺病者喘欬逆氣肩背痛汗出尻陰股膝髀腨䯒足皆痛收氣峻生氣下草木斂蒼乾凋隕病反暴痛胠脇不可反側 新校正云詳此云反暴痛不言何所痛者按至眞要大論云心脇暴痛不可反側則此乃心脇暴痛也欬逆甚而血溢太衝絶者死不治上應太白星。諸庚歲也金氣峻虐木氣被刑火未來復則如是也歛謂已生枝葉歛附其身也太衝肝脉也金勝而木絶故死當是之候太白應之逆守星屬病皆危也 新校正云按庚子庚午庚寅庚申歲上見少陰少陽司天是謂天刑運金化減半故當盛而不得盛非太過又非不及也歲水太過寒氣流行邪害心火。水不務德暴虐乃然民病身熱煩心躁悸陰

厥上下中寒讝妄心痛寒氣早至上應辰星。悸心跳動也讝亂語也妄妄見
聞也天氣水盛辰星瑩明加其宿屬災乃至新校正云按陰厥在後金不及復則陰厥有注甚則腹大脛腫喘欬
寢汗出憎風新校正云按藏氣法時論云腎病者腹大脛腫喘欬身重寢汗出憎風再詳太過五化不言化氣不政生氣獨治火言收
氣不行長氣獨明土言藏氣伏長氣獨治金言收氣峻生氣下水當言藏氣乃盛長氣失政今獨言者闕文也大雨至埃霧朦
鬱。上應鎮星。水盛不已為土所乘故彰斯候埃霧朦鬱土之氣腎之脈從足下上行入腹從腎上貫肝鬲入肺中循喉嚨故生是病腎
為陰故寢則汗出而憎風也卧寢汗出即其病也夫土氣勝折水之強故鎮星明盛昭其德也上臨太陽雨冰雪霜
不時降濕氣變物新校正云按五常政大論云流衍之紀上羽而長氣不化又六元正紀大論云丙辰丙戌太羽上臨太陽
臨者太過不及皆曰天符病反腹滿腸鳴溏泄食不化新校正云按藏氣法時論云脾虛則腹滿腸鳴
飧泄食不化渴而妄冒神門絶者死不治上應熒惑辰星。諸丙歲也
丙辰丙戌歲太陽上臨是謂天符之歲也寒氣太甚故雨化為冰雪雨冰則雹
也霜不時降彰其寒也上復其水則大雨霖霪濕氣內深故物皆濕變神門心

脉也水勝而火絶故死水盛大甚則熒惑減曜辰星明瑩加以逆守宿屬則危
亡也新校正云詳太過五獨記火水之上臨者火臨火水臨水爲天符故也
火臨水爲逆水臨木爲順火臨土爲順水臨土爲運勝天火臨金爲天刑運水
臨金爲逆更不詳出也又此獨言土應熒惑辰星舉此一例餘從而可知也

帝曰善其不及何如。謂政化少也新校正云詳不及五化具五常政大論中歧伯曰悉乎
哉問也歲木不及燥迺大行。清冷時至加之薄寒是謂燥氣燥金氣也生氣失應草
木晚榮。後時之謂失應也肅殺而甚則剛木辟著悉萎蒼乾上應
太白星。天地悽滄日見朦昧謂雨非雨謂晴非晴人意慘然氣象凝斂是爲肅殺甚也剛勁硬也辟著謂辟著枝莖乾而不落也柔耎也蒼青也
柔木之葉青色不變而乾卷也木氣不及金氣乘之太白之明光芒而照其空也民病中清胠脇痛少腹痛
腸鳴溏泄涼雨時至上應太白星。新校正云按不及五化民病證中上應之星皆言運星失色畏
星加臨宿屬爲災此獨言畏星不言運星者經文闕也當云上應太白星歲星其穀蒼。金氣乘木肝之病也乘此氣者腸中自鳴而溏泄者即無
胠脇少腹之痛疾也微者善之甚者止之遇夏之氣亦自止也遇秋之氣而復有之涼雨時至謂應時而至也金土齊化故涼雨俱行火氣來復則夏雨少金

氣勝木太白臨之加其宿屬分皆災也金勝畢歲火氣不復則蒼色之穀不成實也 新校正云詳中清胠脇痛少腹痛為金乘木所病之狀腸鳴溏泄乃脾病之證蓋以木少脾土無畏侮反受邪之故也上臨陽明生氣失政草木再榮化氣迺急上應太白鎮星其主蒼早諸丁歲也丁卯丁酉歲陽明上臨是謂天刑之歲也金氣承天下勝於木故生氣失政草木再榮生氣失政故木華晚啓金氣抑木故秋夏始榮結實成熟以化氣急速故晚結成就也金氣勝木天應同之故太白之見光芒明盛木氣既少土氣無制故化氣生長急速木少金勝天氣應之故鎮星太白潤而明也蒼色之物又早凋落木少金乘故也 新校正云按不及五化獨紀木上臨陽明土上臨厥陰水上臨太陰不紀木上臨厥陰土上臨太陰金上臨陽明者經之旨各記其甚者也故於太過運中只言火臨火水臨水此不及運中只言木臨金土臨木水臨土故不言厥陰臨木太陰臨土陽明臨金也復則炎暑流火濕性燥柔脆草木焦槁下體再生華實齊化病寒熱瘡瘍疿胗癰痤上應熒惑太白其穀白堅火氣復金夏生大熱故萬物濕性時變為燥流火爍物故柔脆草木及蔓延之類皆上乾死而下體再生若辛熱之草死不再生也小熱者死少大熱者死多火復已土氣間至則涼雨降其酸苦甘鹹性寒之物乃再發

生新開之與先結者齊承化而成熟火復其金太白減曜熒惑上應則益光芒加其宿屬則皆火也以火反復故曰白堅之穀秀而不實白露早降收殺氣行寒雨害物蟲食甘黃脾土受邪赤氣後化心氣晚治上勝肺金白氣迺屈其穀不成欬而鼽上應熒惑太白星。陽明上臨金自用事故白露早降寒涼大至則收殺氣行以太陽居土濕之位寒濕相合故寒雨害物少於成實金行伐木假途於土子居母內蟲之象也故甘物黃物蟲蠹食之清氣先勝熱氣後復復已乃勝故火赤之氣後生化也赤後化謂草木赤華及赤實者皆後時而再榮秀也其五藏則心氣晚王勝於肺心勝於肺則金之白氣乃屈退也金穀稻也鼽鼻中水出也金為火勝天象應同故太白芒減熒惑益明

歲火不及寒迺大行長政不用物榮而下凝慘而甚則陽氣不化迺折榮美上應辰星。火少水勝故寒迺大行長政不用則物容卑下火氣既少水氣洪盛天象出見辰星益明民病胷中痛脇支滿兩脇痛膺背肩胛間及兩臂內痛。新校正云詳此證與火太過甚則反病之狀同傍見藏氣法時論鬱冒朦昧心痛

暴瘖，胸腹大，脇下與腰背相引而痛。新校正云：按《藏氣法時論》云：心虛則胸腹大，脇下與腰背相引而痛。甚則屈不能伸，髖髀如別，上應熒惑辰星，其穀丹。諸癸歲也。患以其脉行於是也。火氣不行，寒氣禁固，髖髀如別，屈不得伸。水行乘火，故熒惑芒減，丹穀不成，辰星臨其宿屬之分，則皆災也。復則埃鬱，大雨且至，黑氣迺辱，病鶩溏腹滿，食飲不下，寒中腸鳴，泄注腹痛，暴攣痿痺，足不任身，上應鎮星辰星，玄穀不成。埃鬱，雲雨，土之用也。復寒之氣必以濕，濕氣內淫則生腹疾身重，故如是也。黑氣，水氣也。辱，屈辱也。鶩，鴨也。土復於水，故鎮星明潤，臨犯宿屬，則民受病災矣。歲土不及，風迺大行，化氣不令，草木茂榮，飄揚而甚，秀而不實，上應歲星。木專德也。木氣專行，故化氣不令；生氣獨擅，故草木茂榮，飄揚而甚。是木不以德，土氣薄少，故物實不成。不實，謂秕惡也。土不及，木乘之，故歲星之見，潤而明也。民病飧泄霍亂，體重腹痛，筋骨繇復，肌肉瞤酸，善怒，藏氣舉事，蟄

繇復，骨搖而筋復併，轉惕也。又見下文筋骨併辟下。至真要論有筋骨繇併之文。

蟲早附，咸病寒中，上應歲星、鎮星，其穀黅。諸己歲也。風客於胃，故病如是。土氣不及，水與齊化，故藏氣與事，蟄蟲早附於陽氣之所，人皆病中寒之疾也。繇，摇也。筋骨摇動，已復常則已，繇復也。土抑不伸，若歲星臨宿屬，則皆災也。新校正云：詳此文云筋骨繇復，王氏雖注，義不可解。按至真要大論云筋骨繇併，疑此復字併字之誤也。復則收政嚴峻，名木蒼凋，胷脇暴痛，下引少腹，善大息，蟲食甘黄，氣客於脾，黅穀廼減，民食少失味，蒼穀廼損，金氣復木，故名木蒼凋。金入於土，母懷子也，故甘物黄物蟲食其中。金入土中，故氣客於脾。金氣大來，與土仇復，故黅減，蒼穀不成也。上應太白、歲星。太白芒盛，歲減明也。一經少此六字，誤文耳。上臨厥陰，流水不冰，蟄蟲來見，藏氣不用，白廼不復，上應歲星，民廼康。己亥、己巳歲，厥陰上臨，其歲少陽在泉，火司于地，故蟄蟲來見，流水不冰也。金不得復，故歲星之象如常，民康不病。新校正云：詳木不及上臨陽明，水不及上臨太陰，俱後言復，此先言復而後舉上臨之候者，蓋白廼不復，嫌於此年有復也。歲金不及，炎火廼行，生氣廼用，長氣專勝，庶物以茂燥爍以行上應熒惑星。火不務德而襲金危，炎火既流則夏生大熱，生氣與用，故庶物蕃茂，燥爍氣至，物不勝之，燥爍勝之，爍石流金，涸泉焦草，山澤燔爍，雨乃不降，炎火大盛，天象應之，熒惑之見而大明也。民病肩背瞀重鼽嚏血便注下，收氣廼後，上應太白星，其穀堅芒。諸乙歲也。瞀謂悶也。受熱邪，故生是病。收，金氣也。火先勝，故收氣後。火氣勝金，金不能盛，若熒惑逆守，宿屬之分皆受病。新校正云：詳其穀堅芒，白色可見，故不云其穀白也。經云上應太白，以前後例相照，經脫熒惑二字。及詳王注言熒惑逆守之事，益知經中之闕也。復則寒雨暴至，廼零冰雹霜雪殺物，陰厥且格，陽反上行，頭腦戶痛，延及囟頂發熱，上應辰星。新校正云：詳不及之運，剋我者行勝，我者之子來復，當來復之後，勝星減曜，復星明大。此只言上應辰星而不言熒惑者，闕文也，當云上應辰星、熒惑。丹穀不成，民病口瘡，甚則心痛。寒氣折則見冰雹霜雪，冰雹先傷而霜雪後損，皆寒氣之常也。其災害廼傷於赤化也。諸不及而爲勝所犯，子氣復之者，皆歸其方也。陰厥謂寒逆也。格，至也，亦拒也。水行折火以救困金，天象應之，辰星明瑩，赤色之穀爲霜雹損之。歲水不及，濕廼大行，長氣反用。

併辟筋併而骨辟也

其化速速，暑雨數至，上應鎮星。濕大行，謂數雨也。化速，謂物早成也。火濕齊化，故暑雨數至。土乘水不及而土勝之，鎮星之象增益光明，逆凌留犯，其又甚矣。民病腹滿身重，濡泄寒瘍流水，腰股痛發，膕腨股膝不便，煩冤，足痿清厥，脚下痛，甚則跗腫，藏氣不政，腎氣不衡，上應辰星，其穀秬。藏氣不能申其政令，故腎氣不能內致和平。衡，平也。辰星之應當減其明，或遇鎮星臨屬宿者乃災。新校正云：詳經云上應辰星，注言鎮星，以前後例相校，此經闕鎮星二字。上臨太陰，則大寒數舉，蟄蟲早藏，地積堅冰，陽光不治，民病寒疾於下，甚則腹滿浮腫，上應鎮星，新校正云：詳木不及上臨陽明，上應太白鎮星，此獨言鎮星而不言熒惑者，文闕也。蓋水不及而又上臨太陰，則鎮星明盛，以應土氣專盛，水既益弱，則熒惑無畏而明大。其主黅穀。諸辛歲也。辛丑、辛未歲上臨太陰，太陽在泉，故大寒數舉也。土氣專盛，故鎮星益明，黅穀應天歲成也。復則大風暴發，草偃木零，生長不鮮，面色時變，筋骨併辟，肉瞤瘛，目視䀮䀮，物踈璺，肌肉胗發，氣并鬲中，痛於心腹。黃氣迺損，其穀不登，上應歲星。（木復其土，故黃氣反損而歉穀不登也。謂實不成，無以登祭器也。木氣暴復，歲星下臨，宿屬分者災。新校正云：詳此當云上應歲星鎮星矣。）帝曰：善。願聞其時也。岐伯曰：悉哉問也。木不及，春有鳴條律暢之化，則秋有霧露清涼之政，春有慘淒殘賊之勝，則夏有炎暑燔爍之復。其眚東。（化，和氣也。勝，金氣也。復，火氣也。火復於金，悉因其木，故災眚之作，皆在東方。餘眚同。新校正云：按木火不及先言春夏之化、秋冬之政者，先言木火之政化，次言勝復之變也。）其藏肝，其病內舍胠脅，外在關節。（東方用之主也。）火不及，夏有炳明光顯之化，則冬有嚴肅霜寒之政，夏有慘淒凝冽之勝，則不時有埃昏大雨之復。其眚南。（化，火德也。勝，水虐也。復，土變也。南方火也。）其藏心，其病內舍膺脅，外在經絡。南方心之主也。土不及四維有埃雲潤澤之化則春有鳴條鼓拆之政四維發振拉飄騰之變則秋有肅殺霖霪之復其眚四維東南東北西南西北方也維隅也謂日在四隅月也新校正云詳土不及亦先言政化次言勝復其藏脾其病內舍心腹外在肌肉四支四維中央脾之土也金不及夏有光顯鬱蒸之令則冬有嚴凝整肅之應夏有炎爍燔燎之變則秋有冰雹霜雪之復其眚西其藏肺其病內舍膺脇肩背外在皮毛西方肺之主也水不及四維有湍潤埃雲之化則不時有和風生發之應四維發埃昏驟注之變則不時有飄蕩振拉之復其眚北飄蕩振拉大風所作新校正云詳金水不及先言火土之化令與應故不當秋冬而言也次言者火土勝復之變也與木火土之例不同者互文也其藏腎其病內舍腰脊骨髓外在谿谷踹膝肉之大會爲谷肉之小會爲谿肉分之間谿谷之會以行榮衛以會大氣夫五運之政猶權衡也高者抑之下者舉之化者應之變者復之此生長化成收藏之理氣之常也失常則天地四塞矣失常之理則天地四時之氣閉塞而無所運行故動必有靜勝必有復乃天地陰陽之道故曰天地之動靜神明爲之紀陰陽之往復寒暑彰其兆此之謂也新校正云按故曰已下與五運行大論同上兩句又與陰陽應象大論文重彼去陰陽之升降寒暑彰其兆也帝曰夫子之言五氣之變四時之應可謂悉矣夫氣之動亂觸遇而作發無常會卒然災合何以期之岐伯曰夫氣之動變固不常在而德化政令災變不同其候也帝曰何謂也岐伯曰東方生風風生木其德敷和

其化生榮，其政舒啓，其令風，其變振發，其災散落。敷，布也。和，和氣也。榮，滋榮也。舒，展也。啓，開也。振，怒也。發，出也。散，謂物飄零而散落也。新校正云：按五運行大論云：其德爲和，其化爲榮，其政爲散，其令宣發，其變摧拉，其眚爲隕。義與此通。

南方生熱，熱生火，其德彰顯，其化蕃茂，其政明曜，其令熱，其變銷爍，其災燔焫。新校正云：詳五運行大論云：其德爲顯，其化爲茂，其政爲明，其令鬱蒸，其變炎爍，其眚燔焫。

中央生濕，濕生土，其德溽蒸，其化豐備，其政安靜，其令濕，其變驟注，其災霖潰。溽，濕也。蒸，熱也。驟注，急雨也。霖，久雨也。潰，爛泥也。新校正云：按五運行大論云：其德爲濡，其化爲盈，其政爲謐，其令雲雨，其變動注，其眚淫潰。

西方生燥，燥生金，其德清潔，其化緊斂，其政勁切，其令燥，其變肅殺，其災蒼隕。緊，縮也。斂，收也。勁，銳也。切，急也。燥，乾也。肅殺，謂風動草樹聲若乾也。殺氣太甚，則木青乾而落也。新校正云：按五運行大論云：其德爲清，其化爲斂，其政爲勁，其令霧露，其變肅殺，其眚蒼落。

北方生寒，寒生水，其德淒滄，其化

約之案丕文下其字猶與也

凊謐其政凝肅其令寒其變凓冽其災冰雪霜雹凄滄薄寒也謐靜也肅中列嚴整也凓冽甚寒也冰雪霜雹寒氣凝結所成水復火則非時而有也新校正云按五運行大論云其德為寒其化為肅其政為靜其變凝冽其眚冰雹是以察其動也有德有化有政有令有變有災而物由之而人應之也夫德化政令和氣也其動靜勝復施於萬物皆悉生成變與災殺氣也其出暴速其動驟急其行損傷雖皆天地自為動靜之用然物有不勝其動者且損且病且死焉帝曰夫子之言歲候不及其太過而上應五星今夫德化政令災眚變易非常而有也卒然而動其亦為之變乎岐伯曰承天而行之故無妄動無不應也卒然而動者氣之交變也其不應焉故曰應常不應卒此之謂也德化政令氣之常也災眚變易氣卒交會而有勝負者也常謂歲四時之氣不差晷刻者不常不久也帝曰其應奈何岐伯曰各從其氣化

也歲星之化以風應之熒惑之化以熱應之鎮星之化以濕應之太白之化以燥應之辰星之化以寒應之氣變則應故各從其氣化也上文言復勝皆上應之今經言應常不應卒所謂無大變易而不應然其勝復當色有枯燥潤澤之異無見小大以應之

帝曰其行之徐疾逆順何如岐伯曰以道留久逆守而小是謂省下以道謂順行留久謂過應留之日數也省下謂察天下人君之有德有過者也以道而去去而速來曲而過之是謂省遺過也順行已去已去輒逆行而速委曲而經過是謂省遺過而輒省察之也行急行緩往多往少蓋謂罪之有大有小按其遺而斷之久留而環或離或附是謂議災與其德也環謂如環之遶盤迴而不去也火議罪金議殺土木水議德也應近則小應遠則大近謂犯星常在遠謂犯星去久大小謂喜慶及罰罪事芒而大倍常之一其化甚大常之二其眚即也甚謂政令大行也發謂起也即至也金火有之小常之一其化減小常之二是謂臨視省下之過與其德也省謂省察萬國人吏侯王有德有過者也故侯王人吏安可不深思誠慎邪德者福之過者

伐之。有德則天降福以應之，有過者天降禍以淫之，則知禍福無門，惟人所召爾。是以象之見也，高而遠則小，下而近則大。見物之理也。故大則喜怒邇，小則禍福遠。象見高而小，既未即禍，亦未即福；象見下而大，福既不遠，禍亦未遙。但當修德省過以俟厥終，苟未能慎禍而務求福祐，豈有是者哉。歲運太過則運星北越，火運火星、木運木星之類也。北越謂北而行也。運氣相得則各行以道。無剋伐之嫌，故守常而各行於中道。故歲運太過，畏星失色而兼其母。木失色而兼火，火失色而兼蒼，土失色而兼赤，金失色而兼黃，水失色而兼白，是謂兼其母也。不及則色兼其所不勝。木兼白色，火兼玄色，土兼蒼色，金兼赤色，水兼黃色，是謂兼不勝也。肖者瞿瞿，莫知其妙，閔閔之當，孰者為良。新校正云：詳肖者至為良，與氣交變大論重，彼有注。妄行無徵，示畏侯王。不識天意，心私度之，妄言災咎，卒無徵驗，適足以示畏於侯王，取誡於庶民矣。帝曰：其災應何如？岐伯曰：亦各從其化也，故時至有盛衰，凌犯有逆順，留守有多少，形見有善惡，宿屬有勝負，徵應有吉凶矣。五星之至，相王爲時盛，囚死爲衰。東行凌犯爲順，災輕；西行凌犯爲逆，災重。留守日多則災深，留守日少則災淺。星喜潤則爲見善，星怒燥憂喪則爲見惡。宿屬，謂所生月之屬二十八宿及十二辰相分所屬之位也。命勝星不災不害，不勝星爲災小重，命與星相得雖災無害。災者，獄訟疾病之謂也。雖五星凌犯之事，時遇星之囚死時月，雖災不成。然火犯留守逆臨，則有誣譖獄訟之憂；金犯則有刑殺氣鬱之憂；木犯則有震驚風鼓之憂；土犯則有中滿下利跗腫之憂；水犯則有寒氣衝稸之憂。故曰徵應有吉凶也。

帝曰：其善惡何謂也？岐伯曰：有喜有怒，有憂有喪，有澤有燥，此象之常也，必謹察之。夫五星之見也，從夜深見之。人見之喜，星之喜也；見之畏，星之怒也。光色微曜，乍明乍暗，星之憂也。光色迥然，不彰不瑩，不與衆同，星之喪也。光色圓明，不盈不縮，怡然瑩然，星之喜也。光色勃然臨人，芒彩滿溢，其象懍然，星之怒也。澤，洪潤也。燥，乾枯也。

帝曰：六者高下異乎？岐伯曰：象見高下，其應一也，故人亦應之。觀象覩色，則中外之應，人天咸一矣。

帝曰：善。其德化政令之動靜損益皆何如？岐伯曰：夫德化政令災變，不能相加也天地動靜陰陽往復以德報德以化報化政令災眚及動復亦然故曰不能相加也勝復盛衰不能相多也勝盛復盛勝微復微不應以盛報微以化報變故曰不能相多也往來小大不能相過也勝復日數多少皆同故曰不能相過也用之升降不能相無也木之勝金必報火土金水皆然未有勝而無報者故氣不能相使無也各從其動而復之耳動必有復察動以言復也易曰吉凶悔吝者生乎動此之謂歟天雖高不可度地雖廣不可量以氣動復言之其猶視其掌矣帝曰其病生何如岐伯曰德化者氣之祥政令者氣之章變易者復之紀災眚者傷之始氣相勝者和不相勝者病重感於邪則甚也祥善應也章程也式也復紀謂報復之綱紀也重感謂年氣已不及天氣又見尅殺之氣是為重感重謂重累也帝曰善所謂精光之論大聖之業宣明大道通於無窮究於無極也余聞之善言天者必應於人善言古者必驗於今善言氣者必彰

於物善言應者同天地之化善言化言變者通神明之理非夫子孰能言至道歟太過不及歲化無窮氣交遷變流於無極然天垂象聖人則之以知吉凶何者歲太過而星大或明瑩歲不及而星小或失色故吉凶可指而見也吉凶者何謂物稟五常之氣以生成莫不上參應之有否有宜故曰吉凶斯至矣故曰善言天者必應於人也言古之道而今必應之故曰善言古者必驗於今也化氣生成萬物皆稟故言氣應者以物明之故曰善言應者必彰於物也彰明也氣化之應如四時行萬物備故善言應者必同天地之造化也物生謂之化物極謂之變言萬物化變終始必契於神明運為故言化變者通於神明之理聖人智周萬物無所不通故言必有發動無不應之也迺擇良兆而藏之靈室每旦讀之命曰氣交變非齋戒不敢發慎傳也靈室謂靈蘭室黃帝之書府也新校正云詳此文與六元正紀大論末同

五常政大論篇第七十新校正云詳此篇統論五運有平氣不及太過之事次言地理有四方高下陰陽之異又言歲有不病而藏氣不應不應為天氣制之而氣有所從之說仍言六氣五類相制勝而歲有胎孕不育之理而後明在泉六化五味有薄厚之異而以治法終之此篇

之大既不如此而專名五常政大論者舉其所先者言也

黃帝問曰太虛寥廓五運迴薄衰盛不同損益相從願聞平氣何如而名何如而紀也岐伯對曰昭乎哉問也木曰敷和敷布和氣物以生榮火曰升明火氣高明土曰備化廣被化氣於群品金曰審平金氣清審平而定水曰靜順水體清靜順於物也帝曰其不及奈何岐伯曰木曰委和陽和之氣委屈而少用也火曰伏明明曜之氣屈伏不申土曰卑監土雖卑少猶監萬物之生化也金曰從革從順革易堅成萬物水曰涸流水少故流注乾涸帝曰太過何謂岐伯曰木曰發生宣發生氣萬物以榮火曰赫曦盛明也土曰敦阜敦厚也阜高也土餘故高而厚金曰堅成氣爽風勁堅成庶物水曰流衍衍泮衍也溢也帝曰三氣之紀願聞其候岐伯曰悉乎哉問也新校正云按此論與五運行大論及陰陽應象

大論、金匱眞言論相通。敷和之紀，木德周行，陽舒陰布，五化宣平。自當其位，不與物爭，故五氣之化，各布政令於四方，无相干犯。新校正云：按王注大過不及，各紀年辰，此平木運注不紀年辰者，平氣之歲，不可以定紀也。或者欲補注云：謂丁巳、丁亥、壬寅、壬申歲者，是未達也。其氣端，端，直也，麗也。其性隨，順於物化。其用曲直，曲直，材幹皆應用也。其化生榮，木化宣行，則物生榮而美。其類草木，木體堅高，草形卑下，然各有堅脆剛柔，蔓結條屈者。其政發散，春氣發散，物禀以生，木之化也。其候溫和，和，春之氣也。其令風，木之令行以和風。其藏肝，五藏之氣，與肝同。肝其畏清，清，金令也。木性暄，故畏清。五運行大論曰：太其性暄。又曰：燥勝風。其主目，陽升明見，目與同也。其穀麻，色蒼也。新校正云：按金匱眞言論云：其穀麥。與此不同。其果李，味酸也。其實核，中有堅核者。其應春，四時之中，春化同。其蟲毛，木化宣行，則毛蟲生。其畜犬，如草木之生，无所避也。新校正云：按金匱眞言論云：其畜雞。其色蒼，木化宣行，則物浮蒼翠。其養筋，酸入筋。其病裏急支滿，木氣所生。新校正云：按金匱眞言論云：是以知病之在筋也。其味酸，木化敷和，則物酸味厚。其音角，調而直也。其物中堅。

象土中之有木也。其數八。成數也。外明之紀。正陽而治。德施周普。五化均衡。均，等也。衡，平也。其氣高。火炎上。其性速。火性躁疾。其用燔灼。灼，燒也。燔之與灼，皆火之用。其化蕃茂。長氣盛，故物火。其類火。五行之氣，與火類同。其政明曜。德合高明，火之政也。其候炎暑。暑，氣之至也。以是候之。其令熱。熱至乃令行。其藏心。心氣應之。心其畏寒。寒，水令也。心性暑熱，故畏寒。五運行大論曰：其性暑。又曰：寒勝熱。其主舌。火以燭幽，舌申明也。其穀麥。色赤也。新校正云：按金匱真言論云：其穀黍。又藏氣法時論云麥也。其果杏。味苦也。其實絡。中有支絡者。其應夏。四時之氣，夏氣同。其蟲羽。羽，火象也。火化宜行，則羽蟲生。其畜馬。健決躁速，火類同。新校正云：按金匱真言論云：其畜羊。其色赤。色同之明。其養血。其病瞤瘛。火之性動也。新校正云：按金匱真言論云：是以知病之在脉也。其味苦。外明氣化，則物苦味純。其音徵。和而美。其物脉。中多支脉，火之化也。其數七。成數也。備化之紀。氣協天休。德流四政。五化齊脩。土之德靜，分助四方，贊成金木水火之政。土之氣厚，應天休和之氣，以生長收藏，終而復始，故五化齊脩。其氣平。土之生也，平而正。其性順。應順群品，悉化成也。其用高下。田土高下。皆應用也。其化豐滿。豐滿萬物，非土化不可也。其類土。五行之化，土類同。其政安靜。土體厚，土德靜。故政化亦然。其候溽蒸。溽，濕也；蒸，熱也。其令濕。濕化不絕竭，則土令延長。其藏脾。脾氣同。脾其畏風。風，木令也。脾性雖四氣兼并，然其所主猶畏木也。《五運行大論》云：脾其性靜兼。又曰：風勝濕。其主口。土體包容，口主受納。其穀稷。色黃也。新校正云：按《金匱真言論》作稷，《藏氣法時論》作粳。其果棗。味甘也。其實肉。中有肌肉者。其應長夏。長夏謂長養之夏。新校正云：按王注《藏氣法時論》云：夏為土母，土長于中，以長而治，故云長夏。又注《六節藏象論》云：所謂長夏者，六月也。土生於火，長在夏中，既長而王，故云長夏。其蟲倮。無毛羽鱗甲，土形同。其畜牛。成彼稼穡，土之用也。牛之應用，其緩而和。其色黃。土同也。其養肉。所養者厚而靜。其病否。土性擁礙。新校正云：按《金匱真言論》云：病在舌本。是以知病之在肉也。其味甘。備化氣豐，則物味甘厚。其音宮。大而重。其物膚。物稟備化之氣，則多肌肉。其數五。生數也。正土不虛加，故也。審平之紀，收而不爭，殺而無犯，五化宣明。

犯謂刑犯於物也收而不爭殺而無犯匪審平之德何以能爲是哉其氣潔金氣以潔白瑩明爲事其性剛性剛故摧缺於物其用散落金用則萬物散落其化堅斂收斂堅強金之化也其類金審平之化金類同其政勁肅化急速而整肅也勁銳也其候清切清大涼也切急也風聲也其令燥燥乾也其藏肺肺氣之用同金化也肺其畏熱熱火令也肺性涼故畏火熱五運行大論曰肺其性涼其主鼻肺藏氣鼻通息也其穀稻色白也新校正云按金匱眞言論作稻藏氣法時論作黃黍其果桃味辛也其實殼外有堅殼者其應秋四時之化秋氣同其蟲介外被堅甲者其畜雞性善鬭傷象金用也新校正云按金匱眞言論云其畜馬其色白色同也其養皮毛堅同也其病欬有聲之病金之應也新校正云按金匱眞言論云病在背是以知病之在皮毛也其味辛審平化治則物辛味正其音商和利而揚其物外堅金化宣行則物體外堅其數九成數也靜順之紀藏而勿害治而善下五化咸整治化也水之性下所以德全江海所以能爲百谷王者以其善下之也其氣明清淨明照水氣所主其性下歸流於下其用沃

衍。用非淨事，故沫生而流溢，天沫也。衍，溢也。其化凝堅，藏氣布化，則水物凝堅。其類水，淨順之化，水同類。其政流演，井泉不竭，河流不息，則流演之義也。其候凝肅，凝，寒也。肅，靜也。寒來之氣候。其令寒，水令宜行，則寒司物化。其藏腎，腎藏之用，同水化也。腎其畏濕，濕，土氣也。腎性凜，故畏土濕。五運行大論曰：腎其性凜。其主二陰，流注應同。新校正云：按金匱眞言論曰：北方黑色，入通於腎，開竅於二陰。其穀豆，色黑也。新校正云：按金匱眞言論及藏氣法時論同。其果栗，味鹹也。其實濡，中有津液也。其應冬，四時之化，冬氣同。其蟲鱗，鱗，水化生。其畜彘，善下也。彘，豕也。其色黑，色同也。其養骨髓，氣入也。其病厥，厥，氣逆也。凌上也，倒行不順也。新校正云：按金匱眞言論云病在谿，是以知病之在骨也。其味鹹，味同也。其音羽，深而和也。其物濡，水化豐洽，庶物濡潤。其數六。成數也。故生而勿殺，長而勿罰，化而勿制，收而勿害，藏而勿抑，是謂平氣。生氣主歲，收氣不能縱其殺；長氣主歲，藏氣不能縱其罰；化氣主歲，生氣不能縱其制；收氣主歲，長氣不能縱其害；藏氣主歲，化氣不能縱其抑。夫如是者，皆天氣平，地氣正，五化之氣不以勝剋爲用，故謂曰平和氣也。委和之紀是謂勝生。（丁卯丁丑丁亥丁酉丁未丁巳之歲。）生氣不政，化氣迺揚，（木少故生氣不政，土寬故化氣迺揚。）長氣自平，收令迺早，（火无忤犯，故長氣自平。木氣既少，故收令迺早。）涼雨時降，風雲並興，（涼，金化也。雨，濕氣也。風，木化也。雲，濕氣也。）草木晚榮，蒼乾凋落，（金氣有餘，木不能勝故也。新校正云：詳委和之紀，木不及而金氣乘之，故蒼乾凋落，非金氣有餘，木不能勝也。蓋木不足而金勝之也。）物秀而實，膚肉內充，（歲生雖晚，成者滿實，土化氣速，故如是也。）其氣斂，（收斂，兼金氣故。）其用聚，（不布散也。）其動緛戾拘緩，（緛，縮短也。戾，了戾也。拘，拘急也。緩，不收也。）其發驚駭，（大屈卒伸，驚駭象也。）其藏肝，（內應肝。）其果棗李，（棗土李木實也。新校正云：詳李木實也，按火土金水不及之果，李當作桃，王注亦非。）其實核殼，（核木殼金主。）其穀稷稻，（金土穀也。）其味酸辛，（味酸之物，孰兼辛也。）其色白蒼，（蒼色之物，孰兼白也。）其畜犬雞，（木從金畜。）其蟲毛介，（毛從介。）其主霧露淒滄，（金之化也。）其聲角商，（角從商。）其病搖動注恐，（木受邪也。）從金化也。（木不自政，故化從金。）少角與判商同。（少角木不及，故半與商金化同。）

判半也。新校正云：按火土金水之文判作少，則此當云少角與少商同，不云少商者，蓋少角之運共有六年，而丁巳丁亥上角與正角同，丁卯丁酉上商與正商同，丁未丁丑上宮與正宮同，是六年者各有所同，與火土金水之少運不同，故不云同少商，只大約而言半從商化也。上角與正角同，上見厥陰，與敷和歲化同，謂丁亥丁巳歲上之所見者也。上商與正商同，上見陽明，則與平金歲化同，丁卯丁酉歲上見陽明。其病支廢癰腫瘡瘍，金刑木也。其甘蟲，子在母中。邪傷肝也，雖化柔與金同，然其所傷則歸於肝木也。上宮與正宮同。土蓋其木，與未出等也。木未出土，與無木同，土自用事，故與正土運歲化同也。上見太陰，是謂上宮，丁丑丁未歲上見太陰司天化之也。蕭飋肅殺，則炎赫沸騰，蕭飋肅殺，金無德也。炎赫沸騰，火之復也。眚於三，火為木復，故其眚在東。三，東方也。此言金之物勝也。新校正云：按《六元正紀大論》云：災三宮也。所謂復也。復，報也。其主飛蠹蛆雉，飛，羽蟲也。蠹，內生蟲也。蛆，蠅之生者，此則物內自化爾。雉，鳥耗也。廼為雷霆。雷謂大聲生於太虛雲暝之中也。霆謂迅雷卒如火之爆者，即霹靂也。伏明之紀，是謂勝長，藏氣勝長也。謂癸酉、癸未、癸巳、癸卯、癸丑、癸亥之歲也。長氣不宣，藏氣反布，火之長氣不能施化，故水之藏氣反布於時。收氣自政，化令迺衡。（金土之義與焉，氣素無干犯，故金自行其政，土自平其氣也。）寒清數舉，暑令迺薄。（火氣不用故。）承化物生而不長。（火令不振，故承化生之物皆不長也。）成實而稚，遇化已老。（物實成孰，苗尚稚短，及遇化氣，未長極而氣已老矣。）陽氣屈伏，蟄蟲早藏。（陽不用而陰勝也。若上臨癸卯癸酉歲則蟄反不藏。新校正云：詳癸巳癸亥之歲，蟄亦不藏。）其氣鬱。（鬱燠不舒暢。）其用暴。（速也。）其動彰伏變易。（彰明也，伏隱也，變易也，謂不常其象見也。）其發痛。（痛由心所生。）其藏心。（歲運之氣通於心。）其果栗桃。（栗水，桃金，果也。）其實絡濡。（絡支脈也，濡有汁也。）其穀豆稻。（豆水，稻金，穀也。）其味苦鹹。（苦火，鹹水也。）其色玄丹。（色丹之物，熟赤玄也。）其畜馬彘。（火從水畜。）其蟲羽鱗。（羽從鱗。）其主冰雪霜寒。（水之氣也。）其聲徵羽。（徵從羽。）其病昏惑悲忘。（火之躁動不拘常律，陰冒陽火，故昏惑不治，心氣不足，故喜悲善忘也。）從水化也。（火弱水強，故伏明之紀，半從水之政化。）少徵與少羽同。（火少故半同水化。新校正云：詳少徵運六年內，癸卯癸酉同正商，癸巳癸亥同歲會，外癸未癸丑二年少徵與少羽同，故不云判羽也。）上商與正商同。（歲上見陽明則與平金歲化同也。癸

卯及癸酉歲上見陽明新校正云詳此不言上宮上角者蓋宮角於火無大剋罰故經不備云邪傷心也受病者心凝慘凓

冽則暴雨霖霪凝慘凓冽水無德也暴雨霖霪土之復也眚於九九南方也新校正云按六元正紀大論云災

九宮其主驟注雷霆震驚天地氣爭而生是變氣交之內害及粢盛及傷鱗類沈霒淫雨沈陰

淫雨爲變所生也霒音陰卑監之紀是謂減化謂化氣減少己巳己卯己丑己亥己酉己未之歲也化氣不

令生政獨彰土少而木專其用長氣整雨迺愆收氣平不相干犯則平整化氣減故雨

愆期風寒並興草木榮美風木也寒水也土少故寒氣得行生氣獨彰故草木敷榮而端美秀而不實

成而粃也榮秀而美氣生於木化氣不滿故物實中空是以粃惡其氣散氣不安靜水且乘之從木之風故施散也其

用靜定雖不能專政於時物然或舉用則終歸土德而靜定其動瘍涌分潰癰腫瘍瘡也涌嘔吐也分裂也其

潰爛也癰腫膿瘡也其發濡滯土性也濡濕也其藏脾土藏病其果李栗李木栗水果也其

實濡核濡中有汁者核中堅者新校正云詳前後濡實主水此濡字當作肉王注亦非其穀豆麻豆水麻木穀也其

味酸甘。甘味之物熟兼酸也其色蒼黄。色黄之物外兼蒼也其畜牛犬。土從木畜其蟲倮毛。
倮從毛。其主飄怒振發。木之氣用也。其聲宫角。宫從角用。其病留滿否塞。
土氣擁礙故從木化也。不勝故從化少宫與少角同。土少故半從木化也新校
正云詳少宫之運六年內除己丑己未與正宫同己巳己亥與正角同外有己卯己酉二年少宫與少角同故不云判角也上宫與正宫同。上見太陰則與
平土運生化同也己丑己未其歲見也上角與正角同。上見厥陰則悉是敷和之紀也己亥己巳其歲見也其病飧
泄。風之勝也邪傷脾也。縱諸氣金病即自傷脾新校正云詳此不言上商者上與金無相刑剋故縱不紀之也又注云縱諸氣金病
即自傷脾也金字疑誤振拉飄揚則蒼乾散落。振拉飄揚木無德也蒼乾散落金之復也其眚四維。
東南西南東北西北土之位也新校正云按六元正紀大論云災五宫其主敗折虎狼。虎狼猴狖豺狐馬獐麋鹿諸四足之獸害於
粢盛及生命也清氣迺用生政迺辱。金氣行則木氣屈從革之紀是謂折收。
火折金收之氣也謂乙丑乙亥乙酉乙未乙巳乙卯之歲也收氣迺後生氣迺揚。後不及時也收氣不能以時而

行則生氣自應布揚而用之也。長化合德。火政迺宣。庶類以蕃。火土之氣同生化也。宣，行也。其氣揚。順火也。其用躁切。少雖後用，用則切急，隨火躁也。其動鏗禁瞀厥。鏗，欬聲也。禁，謂二陰禁止也。瞀，悶也。厥，謂氣上逆也。其發欬喘。欬，金之有聲；喘，肺藏氣也。其藏肺。主藏病。其果李杏。李木杏火果也。其實殼絡。外有殼內有支絡之實也。其穀麻麥。麻木麥火穀也，麥色赤也。其味苦辛。苦味勝辛，辛兼苦也。其色白丹。赤加白也。其畜雞羊。金從火土之兼化。新校正云：詳火畜馬，土畜牛，今言羊，故王注云從火土之兼化為羊也，或者當去注中之土字，甚非。其蟲介羽。介從羽。其主明曜炎爍。火之勝也。其聲商徵。商從徵。其病嚏欬鼽衄。金之病也。從火化也。火氣來勝，故屈已以從之。少商與少徵同。金少，故半同火化也。新校正云：詳少商運六年內除乙卯、乙酉同正商，乙巳、乙亥同正角，外乙未、乙丑二年為少商同少徵，故不去判徵也。上商與正商同。上見陽明，則與平金運生化同。乙卯、乙酉其歲上見也。上角與正角同。上見厥陰，則與平木運生化同。乙巳、乙亥其歲上見也。新校正云：詳金土無相勝剋，故經不言上宮與正宮同也。邪傷肺也。有邪之勝。

內經二　九　王春

立言謂半珠恐半乎辨謂半即辨古字

則歸肺。炎光赫烈則冰雪霜雹。炎光赫烈，火無德也。冰雪霜雹，水之復也。水復之作，雹形如半珠。新校正云：

詳注云雹形如半珠，半字疑誤。眚於七。七，西方也。新校正云：按《六元正紀大論》云：災七宮。其主鱗伏彘鼠。突戾潛伏。

歲主縱之，以傷赤實及羽類也。歲氣早至，迺生大寒。水之化也。涸流之紀，是謂反陽。

陰氣不及，反爲陽氣代之，謂辛未、辛巳、辛卯、辛酉、辛亥、辛丑之歲也。藏令不舉，化氣迺昌。少水而土盛。長氣宣

布，蟄蟲不藏。太陽在泉，經文背也。厥陰、陽明司天，乃如經謂也。土潤，水泉減，草木條茂，

榮秀滿盛。長化之氣豐而厚也。其氣滯。從土也。其用滲泄。不能流也。其動堅止。

謂便寫也。水少不濡則乾而堅，止藏氣不能固則注下而奔速。其發燥槁。陰少而陽盛故爾。其藏腎。主藏病也。其

果棗杏。棗土杏火果也。其實濡肉。濡水肉土化也。其穀黍稷。黍火稷土穀也。新校正云：按本論上文麥爲

火之穀，今言黍者，疑麥字誤爲黍也。雖《金匱真言論》作黍，然本論作麥，當從本篇之文也。其味甘鹹。甘入於鹹，味甘美也。其色黅

玄。黄加黑也。其畜彘牛。水從土畜。其蟲鱗倮。鱗從倮。其主埃鬱昏翳。土之勝也。其

下云濇亦屎下利也

并

聲羽宮。羽從宮。其病癃厥堅下。水土參并，故如是。從土化也。不勝於土，故從他化。少羽與少宮同。水土各半化也。新校正云：詳少羽之運六年，內除辛丑辛未與正宮同，外辛卯辛酉辛巳辛亥四歲爲同少宮，故不言判宮也。上宮與正宮同。上見太陰，則與平土運生化同，辛丑辛未歲上見之。新校正云：詳此不言上角上商者，蓋水於金木無相剋罰故也。其病癃閟。癃，小便不通。閟，大便乾澀不利也。邪傷腎也。邪勝則歸腎。埃昏驟雨則振拉摧拔。埃昏驟雨，土之虐也。振拉摧拔，木之復也。眚於一。一，北方也。諸謂方者，國郡州縣境之方也。新校正云：按六元正紀大論云災一宮。其主毛顯狐狢，變化不藏。毛顯謂毛蟲麇鹿麞麂貒兔虎狼，顯見傷於黄實兼害倮蟲之長也。變化，謂爲魅，狐狸當之。不藏，謂害粢盛，鼠猯兔狸狢當之。所謂毛顯不藏也。故乘危而行，不速而至，暴虐無德，災反及之，微者復微，甚者復甚，氣之常也。通言五行氣少而有勝復之大凡也。乘彼孤危，恃乎強盛，不召而往，專肆威刑，怨禍自招，又誰咎也。假令木弱，金氣來乘，暴虐苍卒，是無德也。木被金害，火必讎之，金受火燔，則災及也。夫如是者，刑甚則復甚，刑微則復微，氣動之常，固其宜也。五行之理，咸迭然乎。新校正云：按五運不及之詳，具氣交變大論中。發生之紀是謂啓敷。物乘木氣以發生而啓陳其容質也是謂壬申壬午壬辰壬寅壬子壬戌之六歲化也敷古陳字　土疎泄蒼氣達。生氣上發故土體疎泄木之專政故蒼氣上達達通也出也行也　陽和布化陰氣迺隨。少陽先生發於萬物之表厥陰次隨營運於萬象之中也　生氣淳化萬物以榮。歲木有餘金不來勝生令布化故物以舒榮　其化生其氣美。木化宣行則物容端美　其政散。布散生榮無所不至　其令條舒。條直也理也舒啓也端直舒啓萬物隨之發生之化無非順理者也　其動掉眩巔疾。掉搖動也眩旋轉也巔上首也疾病氣也　新校正云詳王不解其動之義按後敦阜之紀其動濡積并稸王注云動謂變動又堅成之紀其動暴折瘍疰王注云動以生病蓋謂氣既變因動以生病也則木火土金水之動義皆同也又按王注脉要精微論云巔疾上巔疾也又注奇病論云巔謂上巔則頭首也此注云巔上首也疾病氣也氣字爲衍　其德鳴靡啓坼。風氣所生　新校正云按六元正紀大論云其化鳴紊啓拆　其變振拉摧拔。振謂振怒拉謂中折摧謂仆落拔謂出本　新校正云按六元正紀大論同　其穀麻稻。木化齊金　其畜雞犬。齊雞孕也　其果李桃。李齊桃實也　其色青黃白。青加於黃白自正也　其味酸甘辛。酸入於甘辛齊化也　其象春。如春之氣布散陽和其經足厥陰少陽（厥陰肝脉，少陽膽脉。）其藏肝脾（肝勝脾。）其蟲毛介（木餘故毛齊介育。）其物中堅外堅（中堅有核之物，齊等於皮殼之類也。）其病怒（木餘故。）太角與上商同（太過之木氣與金化齊等。新校正云：按太過五運，獨太角言與上商同，餘四運並不言者，疑此文爲衍。）上徵則其氣逆，其病吐利（上見少陰少陽則其氣逆行，壬子壬午歲上見少陰，壬寅壬申歲上見少陽，木餘遇火故氣不順。新校正云：按五運行大論云：氣相得而病者，以下臨上不當位也。不云上羽者，水臨木爲相得故也。）不務其德，則收氣復，秋氣勁切，甚則肅殺，清氣大至，草木凋零，邪迺傷肝。（恃已太過，凌犯於土，土氣屯極，金爲復讎，金行殺令，故邪傷肝木也。）赫曦之紀，是謂蕃茂。（物遇太陽則蕃而茂，是謂戊辰、戊寅、戊子、戊戌、戊申、戊午之歲也。新校正云：按或者云此中太陽當作太徵，詳木土金水之太過注俱不言角宮商羽等運，而水太過注云陰氣大行，此火太過是物遇太陽也，安得謂之太徵乎。）陰氣內化，陽氣外榮，（陰陽之氣得其序也。）炎暑施化，物得以昌，（長氣多故爾。）其化長，其氣高，（長化行則物容大，高氣達則物色明。）其政動，（革易其象，不常也。）其令鳴顯，（火之用而有聲火之燔而有焰象無所隱則其信也顯露也其動炎灼妄擾妄謬也擾撓也其德暄暑鬱蒸熱化所生長茂物也新校正云按六元正紀大論云其化暄囂鬱燠又作暄曜其變炎烈沸騰勝復之有極於是也其穀麥豆火齊水化也其畜羊彘齊孕育也新校正云按本論上文麥爲火之畜今言羊者疑馬字誤爲羊金匱眞言論及藏氣法時論俱作羊然本論作馬當從本論之文也其果杏栗等實也其色赤白玄赤色加白黑自正也其味苦辛鹹辛物兼苦與鹹化齊成也其象夏如夏氣之熱也其經手少陰太陽少陰心脉太陽小腸脉手厥陰少陽厥陰心包脉少陽三焦脉其藏心肺心勝肺其蟲羽鱗火餘故鱗羽齊化其物脉濡脉火物濡水物水火齊也新校正云詳脉即絡也文雖殊而義同其病笑瘧瘡瘍血流狂妄目赤火盛故上羽與正徵同其收齊其病痓上見太陽則天氣且制故太過之火反與平火運生化同也戊辰戊戌歲上見之若平火運同則五常之氣無相凌犯故金收之氣生化同等上徵而收氣後也上見少陰少陽則其生化自政金氣不能與之齊化戊子戊午歲上見少陰戊寅戊申歲上見少陽火盛故收氣後化新校正云按氣交變大論云歲火太

過上臨少陰少陽火燔焫水泉涸物焦槁暴烈其政藏氣廼復時見凝慘甚則雨水霜雹切寒邪傷心也不務其德輕侮致之也新校正云按氣交變大論云雨冰霜寒與此互文也敦阜之紀是謂廣化土餘故化氣廣被於物也是謂甲子甲戌甲申甲午甲辰甲寅之歲也厚德清靜順長以盈土性順用無與物爭故德厚而不躁順火之長育使萬物化氣盈滿也至陰內實物化充成至陰土精氣也夫萬物所以化成者皆以至陰之靈氣生化於中也煙埃朦鬱見於厚土厚土山也煙埃土氣也大雨時行濕氣廼用燥政廼辟濕氣用則燥政辟自然之理爾其化圓其氣豐化氣豐圓以其清靜故也其政靜靜而能久故政常存其令周備氣緩故周備其動濡積并稸動謂變動其德柔潤重淖靜而柔潤故厚德常存新校正云按六元正紀大論云其化柔潤重澤其變震驚飄驟崩潰震驚雷霆之作也飄驟暴風雨至也大雨暴注則山崩土潰隨水流注其穀稷麻土木齊化其畜牛犬齊孕育也其果棗李土齊木化其色黅玄蒼黃色加黑蒼色正也其味甘鹹

酸（甘入於鹹酸齊化也）其象長夏（六月之氣生化同）其經足太陰陽明（太陰脾脈陽明胃脈）其藏脾腎（脾勝腎）其蟲倮毛（土餘故毛倮齊化）其物肌核（肌土核木化也）其病腹滿四支不舉（土性靜故病如是 新校正云詳此不云上羽上徵者徵羽不能虧盈於土故無他候也）大風迅至邪傷脾也（木盛怒故土脾傷）堅成之紀是謂收引（引斂也陽氣收陰氣用故萬物收斂謂庚午庚辰庚寅庚子庚戌庚申之歲也）天氣潔地氣明（秋氣高潔金氣同）陽氣隨陰治化（陽順陰而生化）燥行其政物以司成（燥氣行化萬物專司其成熟無遺略也）收氣繁布化洽不終（收殺氣早土之化不得終其用也 新校正云詳繁字疑誤）其化成其氣削（減削也）其政肅（肅清也靜也）其令銳切（氣用不屈勁而急）其動暴折瘍疰（動以病生）其德霧露蕭飋（燥之化也蕭飋風聲也靜為霧露用則風生 新校正云按六元正紀大論德作化）其變肅殺凋零（隕墜於物）其穀稻黍（金火齊化也 新校正云按本論上文麥為火之穀當言其穀稻麥）其畜雞馬（齊孕育也）其果桃杏（金火齊實）其色白青丹（白加於青丹自

正也。其味辛酸苦。辛入酸苦齊化。其象秋。氣爽清潔如秋之化。其經手太陰陽明。太陰肺脈陽明大腸脈。其藏肺肝。肺勝肝。其蟲介羽。金餘故介羽齊育。其物殼絡。殼金絡火化也。其病喘喝胷憑仰息。金氣餘故。上徵與正商同。其生齊。其病欬。上見少陰少陽則天氣見抑故其生化與平金歲同庚子庚午歲上見少陰庚寅庚申歲上見少陽上火制金故生氣與之齊化火乘金肺故病欬。新校正云詳此不言上羽者水與金非相勝剋故也。政暴變則名木不榮。柔脆焦首。長氣斯救。大火流。炎爍且至。蔓將槁。邪傷肺也。變謂太甚也政太甚則生氣抑故木不榮草首焦死政暴不已則火氣發怒故火流炎爍至柔條蔓草脆之類皆乾死也火乘金氣故肺傷也。

流衍之紀。是謂封藏。陰氣大行則天地封藏之化也謂丙寅丙子丙戌丙申丙午丙辰之歲。寒司物化。天地嚴凝。陰之氣也。藏政以布。長令不揚。藏氣用則長化止故令不發揚。其化凜。其氣堅。寒氣及物則堅定。其政謐。謐靜也。其令流注。水之象也。其動漂泄沃涌。沃沫也涌溢也。其德凝慘寒雰。寒之化也 新校正云按六元正紀大論作其化凝慘慄冽。其變冰雪霜雹。非時而有。其穀豆稷。水齊土化。其畜彘牛。齊孕育也。其果栗棗。水土齊實。其色黑丹䵚。黑加於丹黃自正也。其味鹹苦甘。鹹入於苦甘化齊焉。其象冬。氣序凝肅似冬之化。其經足少陰太陽。少陰腎脉太陽膀胱脉也。其藏腎心。腎勝心。其蟲鱗倮。水餘故鱗倮齊育。其物濡滿。濡水滿土化也 新校正云按土不及作肉土太過作肌此作濡互相成也。其病脹。水餘也。上羽而長氣不化也。上見太陽則火不能布化以長養也丙辰丙戌之歲上見天符水運也 新校正云按氣交變大論云上臨太陽則雨冰雪霜不時降濕氣變物不云上羽者運所勝也。政過則化氣大舉而埃昏氣交大雨時降邪傷腎也。暴寒數舉是謂政過火被水凌土來仇復故天地昏翳土水氣交大雨斯降而邪傷腎也。故曰不恒其德則所勝來復政恒其理則所勝同化此之謂也。不恒謂恃己有餘凌犯不勝恒謂守常之化不肆威刑如是則剋己之氣歲同治化也 新校正云詳五運太過之說具氣交變大論中。帝曰天不足西北左寒而右涼，地不滿東南，右熱而左溫，其故何也？面巽言也岐伯曰：陰陽之氣，高下之理，太少之異也。高下謂地形，太少謂陰陽之氣盛衰之異。今中原地形，西北方高，東南方下，西方涼，北方寒，東方溫，南方熱，氣化猶然矣。東南方，陽也，陽者其精降於下，故右熱而左溫。陽精下降，故地以溫而知之於下矣。陽氣生於東而盛於南，故東方溫而南方熱，氣之多少明矣。西北方，陰也，陰者其精奉於上，故左寒而右涼。陰精奉上，故地以寒而知之於上矣。陰氣生於西而盛於北，故西方涼，北方寒。君面巽而言，臣面乾而對也。新校正云：詳天地不足陰陽之說，亦具陰陽氣象大論中。是以地有高下，氣有溫涼，高者氣寒，下者氣熱。新校正云：按《五元正紀大論》云：至高之地，冬氣常在；至下之地，春氣常在。故適寒涼者脹，之溫熱者瘡，下之則脹已，汗之則瘡已，此湊理開閉之常，太少之異耳。西北東南，言其大也。夫以氣候驗之，中原地形所居者，悉以居高則寒，處下則熱。嘗試觀之，高山多雪，平川多雨；高山多寒，平川多熱，則高下寒熱可徵見矣。中華之地，凡有高下之大者，東

西南北各三分也其一者自漢蜀江南至海也二者自漢江北至平遥縣也三
者自平遥北山北至蕃界北海也故南分大熱中分寒熱兼半北分大寒南北
分外寒熱尤極大熱之分其寒微大寒之分其熱微然其登陟極高山頂則南
面北面寒熱懸殊榮枯倍異也又東西高下之别亦三矣其一者自汧源縣西
至沙州二者自開封縣西至汧源縣三者自開封縣東至滄海也故東分大溫
中分溫涼兼半西分大涼大溫之分其寒五分之二大涼之分其熱五分之二
溫涼分外溫涼尤極變爲大暄大寒也約其大凡如此然九分之地寒極於東
北熱極於西南九分之地其中有高下不同地高處則濕下處則燥此一方之中
小異也若大而言之是則高下之有一也何者中原地形西高北高東下南下
今百川滿湊東之滄海則東南西北高下可知一爲地形高下故寒熱不同一
則陰陽之氣有少有多故表溫涼之異爾今以氣候驗之乃春氣西行秋氣東
行冬氣南行夏氣北行以中分校之自開封至汧源氣候正與曆候同以東行
校之自開封至滄海每一百里秋氣至晚一日春氣發早一日西行校之自汧
源縣西至蕃界磧石其以南向及西北東南者每四十里春氣發晚一日秋氣
至早一日北向及東北西南者每一十五里春氣發晚一日秋氣至早一日南
行校之川形有北向及東北西南者每五百里　新校正云按别本作十五里
陽氣行晚一日陰氣行早一日南向及東南西北川每二十五里熱氣至早一
日寒氣至晚一日廣平之地則每五十里陽氣發早一日寒氣至晚一日北行
校之川形有南向及東南西北者每二十五里陽氣行晚一日陰氣行早一日
北向及東北西南川每一十五里寒氣至早一日熱氣至晚一日廣平之地則

每二十里熱氣行晚一日寒氣至早一日大率如此然高處峻處冬氣常在平處下處夏氣常在觀其雪零草茂則可知矣然地土固有弓形川蛇行川月形川地勢不同生殺榮枯地同而天異凡此之類有離向丙向巽向乙向震向處則春氣早至秋氣晚至早晚校十五日有丁向坤向庚向兌向辛向乾向坎向艮向處則秋氣早至春氣晚至早晚亦校二十日是所謂帶山之地也審觀向背氣候可知寒涼之地湊理開少而閉多閉多則陽氣不散故適寒涼腹必脹也濕熱之地湊理開多而閉少開多則陽發散故往溫熱皮必瘡也下之則中氣不餘故脹已汗之則陽氣外泄故瘡愈**帝曰其於壽夭何如**言土地居人之壽夭**岐伯曰陰精所奉其人壽陽精所降其人夭**陰精所奉高之地也陽精所降下之地也陰方之地陽不妄泄寒氣外持邪不數中而正氣堅守故壽延陽方之地陽氣耗散發泄無度風濕數中真氣傾竭故夭折即事驗之今中原之境西北方眾人壽東南方眾人夭其中猶各有微甚爾此壽夭之大異也方者審之乎**帝曰善其病也治之奈何岐伯曰西北之氣散而寒之東南之氣收而溫之所謂同病異治也**西方北方人皮膚腠理密人皆食熱故宜散宜寒東方南方人皮膚疏腠理開人皆食冷故宜收宜溫散謂溫浴使中外條達收謂溫中不解表也今土俗皆反之依而療之則反甚矣　新校正云詳分方為治亦具異法方宜論中**故**

漫

曰氣寒氣凉治以寒凉行水漬之氣温氣熱治以温熱強其内守必同其氣可使平也假者反之寒方以寒熱方以熱温方以温凉方以凉是正法也是同氣也行水漬之是湯漫漬也平謂平調也若西方北方有冷病假熱方温方以除之東方南方有熱疾須凉方寒方以療者則反上正法以取之帝曰善一州之氣生化壽夭不同其故何也岐伯曰高下之理地勢使然也崇高則陰氣治之汚下則陽氣治之陽勝者先天陰勝者後天先天謂先天時也後天謂後天時也悉言土地生榮枯落之先後也物既有之人亦如然此地理之常生化之道也帝曰其有壽夭乎岐伯曰高者其氣壽下者其氣夭地之小大異也小者小異大者大異大謂東南西北相遠萬里許也小謂居所高下相近二十三十里或百里許也地形高下懸倍不相計者以近為小則十里二十里高下平慢氣相接者以遠為小則三百里二百里地氣不同乃異也故治病者必

明天道地理陰陽更勝氣之先後人之壽夭生化之期乃可以知人之形氣矣。不明天地之氣又昧陰陽之候則以壽為夭以夭為壽雖盡上聖救生之道畢經脉藥石之妙猶未免世中之誣斥也。帝曰：善。其歲有不病而藏氣不應不用者何也？岐伯曰：天氣制之，氣有所從也。從謂從事於彼不及營於私應用之。帝曰：願卒聞之。岐伯曰：少陽司天，火氣下臨，肺氣上從，白起金用，草木眚，火見燔焫，革金且耗，大暑以行，欬嚏鼽衄鼻窒，曰瘍，寒熱胕腫。寅申之歲候也。臨謂御於下，從謂從事於上，起謂價高於市，用謂用行刑罰也。臨從起用同之。革謂皮革，亦謂革易也。金謂器屬也。耗謂費用也。火氣燔灼，故曰生瘡。瘡，身瘡也。瘍，頭瘡也。寒熱謂先寒而後熱，則瘧疾也。肺為熱害，水且救之，水守肺中，故為胕腫。胕腫謂腫滿，按之不起。此天氣之所生也。新校正云：詳注云故曰生瘡，瘡，身瘡也；瘍，頭瘡也。今經只言曰瘍，疑經脫一瘡字。別本曰字作口。風行于地，塵沙飛揚，心痛胃脘痛，厥逆鬲不通，其主暴速厥陰在泉故風行于地風淫所勝故是病生焉少陽厥陰其化急速故病氣起發疾速而爲故云其主暴速此也氣不順而生是也新校正云詳厥陰與少陽在泉言其主暴速其發機速故不言甚則某病也陽明司天燥氣下臨肝氣上從蒼起木用而立土迺眚淒滄數至木伐草萎脅痛目赤掉振鼓慄筋痿不能久立卯酉之歲候也木用亦謂木功也淒滄大凉也此病之起天氣生焉暴熱至土迺暑陽氣鬱發小便變寒熱如瘧甚則心痛火行于槁流水不冰蟄蟲迺見少陰在泉熱監于地而爲是也病之所有地氣生焉太陽司天寒氣下臨心氣上從而火且明新校正云詳火且明三字當作火用二字丹起金迺眚寒清時舉勝則水冰火氣高明心熱煩嗌乾善渴鼽嚏喜悲數欠熱氣妄行寒迺復霜不時降善忘甚則心痛辰戌之歲候也寒清時舉太陽之令也火氣高明謂燔焫於物也不時謂太早及偏害不循時

令不普及於物也病之所起天氣生焉土廼潤水豐衍寒客至沈陰化濕氣變物水飲内稸中滿不食皮𤸷肉苛筋脈不利甚則胕腫身後癰太陰在泉濕監于地而爲是也病之源始地氣生焉　新校正云詳身後癰當作身後難厥陰司天風氣下臨脾氣上從而土且隆黃起水廼眚土用革體重肌肉萎食減口爽風行太虛雲物搖動目轉耳鳴巳亥之歲候也土隆土用革謂土氣有用而革易其體亦謂土功土也云物搖動是謂風高此病所生天之氣也火縱其暴地廼暑大熱消爍赤沃下蟄蟲數見流水不冰少陽在泉火監于地而爲是也病之宗兆地氣生焉其發機速少陽厥陰之氣變化卒急其爲疾病速若發機故曰其發機速少陰司天熱氣下臨肺氣上從白起金用草木眚喘嘔寒熱嚏鼽衄鼻窒大暑流行子午之歲候也熱司天氣故是病生天氣之作也甚則瘡瘍燔灼金爍石流

容

天之交也。地迺燥清凄滄數至，脇痛善太息，肅殺行，草木變。變謂變易容質也。脇痛太息，地氣生也。太陰司天，濕氣下臨，腎氣上從，黑起水變。新校正云：詳前後文，此少此迺眚三字。埃冒雲雨，胷中不利，陰痿氣大衰而不起不用。新校正云：詳不用二字當作水用。當其時反腰脽痛，動轉不便也，厥逆。丑未之歲候也。水變謂甘泉變鹹也。埃，土霧也。冒，不分遠也。雲雨，土化也。脽，謂臀肉也。病之有者，天氣生焉。新校正云：詳厥逆二字疑當連上文。地迺藏陰，大寒且至，蟄蟲早附，心下否痛，地裂冰堅，少腹痛，時害於食，乘金則止水增，味迺鹹，行水減也。止水，井泉也。行水，河渠流注者也。止水雖長，延變常甘美而為鹹味也。病之有者，地氣生焉。　新校正云：詳太陰司天之化，不言甚則病某，而云當其時，又云乘金則云云者，與前條互相發明也。帝曰：歲有胎孕不育，治之不全，何氣使然？岐伯曰：六氣五類，有相勝制也。同者盛之，異者衰之。

此天地之道生化之常也。故厥陰司天，毛蟲靜，羽蟲育，介蟲不成。謂乙巳、丁巳、己巳、辛巳、癸巳、乙亥、丁亥、己亥、辛亥、癸亥之歲也。靜，無聲也，亦謂靜退不先用事也。羽為火蟲，氣同地也。火制金化，故介蟲不成，謂白色有甲之蟲少孕育也。在泉，毛蟲育，倮蟲耗，羽蟲不育。地氣制土，黃倮耗損。歲乘木運，其又甚也。羽蟲不育，少陽自抑之。是則五寅五申歲也。凡稱不育不成，皆謂少，非悉無也。少陰司天，羽蟲靜，介蟲育，毛蟲不成。謂甲子、丙子、戊子、庚子、壬子、甲午、丙午、戊午、庚午、壬午之歲也。靜謂胡越鷰、百舌鳥之類也。是歲黑色毛蟲孕育少成。在泉，羽蟲育，介蟲耗不育。地氣制金，白介蟲不育。歲乘火運，斯復甚焉。是則五卯五酉歲也。新校正云：詳介蟲耗，以少陰在泉，火剋金也。介蟲不育，以陽明在天，自抑之也。太陰司天，倮蟲靜，鱗蟲育，羽蟲不成。謂乙丑、丁丑、己丑、辛丑、癸丑、乙未、丁未、己未、辛未、癸未之歲也。倮蟲謂人及蝦蟇之類也。羽蟲謂青綠色者，則鸚鵡、翠碧鳥之類，諸青綠色之有羽者也。歲乘金運，其復甚焉。在泉，倮蟲育，鱗蟲新校正云：詳此少一耗字。不成。地氣制水，黑鱗不育。歲乘土運，其又甚乎。是則五辰五戌歲也。少陽司天，羽蟲靜，毛蟲育，倮蟲不成。謂甲寅、丙寅、戊寅庚寅壬寅甲申丙申戊申庚申壬申之歲也倮蟲謂青綠色者也羽蟲謂黑色諸有羽翼者則越鸛百舌鳥之類是也在泉羽蟲育。介蟲耗。毛蟲不育。地氣制金白介耗損歲乘火運其又甚也毛蟲不育天氣制之是則五巳五亥歲也陽明司天介蟲靜。羽蟲育。介蟲不成。謂乙卯丁卯己卯辛卯癸卯乙酉丁酉己酉辛酉癸酉歲也羽爲火蟲故蕃育也介蟲諸有赤色甲殼者也赤介不育天氣制之也在泉介蟲育。毛蟲耗。羽蟲不成。地氣制木黑毛蟲耗歲乘金運損復甚焉是則五子五午歲也羽蟲不就以上見少陰也太陽司天鱗蟲靜。倮蟲育。謂甲辰丙辰戊辰庚辰壬辰甲戌丙戌戊戌庚戌壬戌之歲也倮蟲育地氣同也鱗蟲靜謂黃鱗不用也是歲雷霆少舉以天氣抑之也　新校正云詳此當云鱗蟲不成。在泉鱗蟲耗。倮蟲不育。天氣制勝黃黑鱗耗是則五丑五未歲也　新校正云詳此當爲鱗蟲育羽蟲耗倮蟲不育注中鱗字亦當作羽。諸乘所不成之運則甚也。乘水之運倮蟲不成乘火之運介蟲不成乘土之運鱗蟲不成乘金之運毛蟲不成乘水之運羽蟲不成當是歲者與上文同悉少能孕育也斯並運與氣同者運乘其勝復遇天符及歲會者十孕不全一二也故氣主有所制。歲立有所生。地氣制己勝。天氣制

勝色天制色地制形
天氣隨色不勝者制之謂制其色也地氣隨色所勝者制之謂制其形也故又曰天制色地制形焉是以天地之間五類生化互有所勝互有所化互有所生互有所制矣

五類衰盛各隨其氣之所宜也
宜則蕃息

故有胎孕不育治之不全此氣之常也
天地之間有生之物凡此五類也五謂毛羽倮鱗介也故曰毛蟲三百六十麟為之長羽蟲三百六十鳳為之長倮蟲三百六十人為之長鱗蟲三百六十龍為之長介蟲三百六十龜為之長凡諸有形跂行飛走喘息胎息大小高下青黃赤白黑身被毛羽鱗介者通而言之皆謂之蟲矣不具是四者皆為倮蟲凡此五物皆有胎生卵生濕生化生也因人致問言及五類也

所謂中根也
生氣之根本發自身形之中中根也非是五類則生氣根系悉因外物以成立去之則生氣絕矣

根于外者亦五
謂五味五色類也然木火土金水之形類悉假外物色藏乃能生化外物既去則生氣離絕故皆是根于外也　新校正云詳注中色藏二字當作已成

故生化之別有五氣五味五色五類五宜也
然是二十五者根中根外悉有之五氣謂臊焦香腥腐也五味謂酸苦辛鹹甘也五色謂青黃赤白黑也五類有二矣其一者謂毛羽倮鱗介其二者謂燥濕液堅耎也夫如是等於萬物之中互有所宜

帝曰何謂也岐伯曰根于

中者命曰神機神去則機息根于外者命曰氣立氣止則化絶諸有形之類根於中者生源繫天其所動靜皆神氣爲機發之主故其所爲也物莫之知是以神捨去則機發動用之道息矣根于外者生源繫地故其所生長化成收藏皆爲造化之氣所成立故其所出也亦物莫之知是以氣止息則生化結成之道絶滅矣其木火土金水燥濕堅柔雖常性不易及乎外物去生氣離根化絶止則其常體性顔色皆必小變移其舊也　新校正云按六元微旨大論云出入廢則神機化滅升降息則氣立孤危故非出入則無以生長壯老已非升降則無以生長化收藏故各有制各有勝各有生各有成根中根外悉如是故曰不知年之所加氣之同異不足以言生化此之謂也新校正云按六節藏象論云不知年之所加氣之盛衰虚實之所起不可以爲工矣帝曰氣始而生化氣散而有形氣布而蕃育氣終而象變其致一也始謂始發動散謂流散於物中布謂布化於結成之形終謂極於收藏之用也故始動而生化流散而有形布化而成結終極而萬象皆變也即事驗之天地之間有形之類其生也柔弱其死也堅強凡如此類皆謂變易生死之時形質是謂氣之終極　新校正云按天元紀大論云物生謂之化物極謂之變

又六微旨大論云物之生從於化物之極由乎變變化相薄成敗之所由也然而五味所資生化有薄厚成熟有少多終始不同其故何也岐伯曰地氣制之也非天不生地不長也天地雖無情於生化而生化之氣自有異同爾何者以地體之中有六入故也氣有同異故有生有化有不生有不化有少生少化有廣生廣化矣故天地之間無必生必化必不生必不化必少生少化必廣生廣化各隨其氣分所好所惡所異所同也帝曰願聞其道岐伯曰寒熱燥濕不同其化也舉寒熱燥濕四氣不同則温清異化可知之矣故少陽在泉寒毒不生其味辛其治苦酸其穀蒼丹巳亥歲氣化也夫毒者皆五行標盛暴烈之氣所爲也今火在地中其氣正熱寒毒之物氣與地殊生死不同故生少也火制金氣故味辛者不化也少陽之氣上奉厥陰故其歲化苦與酸也六氣主歲唯此歲通和木火相承故無間氣也苦丹地氣所化酸蒼天氣所生矣餘所生化悉有上下勝剋故皆有間氣矣陽明在泉濕毒不生其味酸其氣濕新校正云詳在泉云唯陽明與太陰在泉之歲云其氣濕其氣熱蓋以濕燥未見寒温之氣故再云其氣也其治辛苦甘其穀丹

素。子午歲氣化也燥在地中其氣凉清故濕温毒藥少生化也金木相制故味酸者少化也陽明之氣上奉少陰故其歲化辛與苦也辛素地氣也苦丹天氣也甘間氣也所以間金火之勝剋故兼治甘。太陽在泉熱毒不生其味苦其治淡鹹其穀黅秬。丑未歲氣化也寒在地中與熱殊化故其歲物熱毒不生木勝火味故當苦也太陽之氣上奉太陰故其歲化生淡鹹也。太陰土氣上生於天氣遠而高故甘之化薄而爲淡也味以淡亦屬甘甘之類也淡黅天化也鹹秬地化也黅黃也。新校正云詳注云味故當苦當作故味苦者不化傳寫誤也。厥陰在泉清毒不生其味甘其治酸苦其穀蒼赤。寅申歲氣化也温在地中與清殊性故其歲物清毒不生木勝其土故味甘少化也厥陰之氣上合少陽所合之氣既無乖忤故其治化酸與苦也酸蒼地化也苦赤天化也氣無勝剋故不間氣以甘化也其氣專其味正。厥陰少陽在泉之歲甘氣化專一其味純正然餘歲悉上下有勝剋之氣故皆有間氣間味矣少陰在泉寒毒不生其味辛其治辛苦甘其穀白丹。卯酉歲氣化也熱在地中與寒殊化故其歲藥寒毒甚微火氣爍金故味辛少化也故少陰陽明主天主地故其所治苦與辛焉苦丹爲地氣所育辛白爲天氣所生甘間氣也所以間止剋伐也。太陰在泉燥毒不生其味鹹其其氣熱，其治甘鹹，其穀黅秬。辰戌歲氣化也。地中有濕，與燥不同，故乾毒之物不生化也。土制於木，故味鹹少化也。太陰之氣上承太陽，故其歲化甘與鹹也。甘黅地化也。鹹秬天化也。寒濕不為大忤，故間氣同而氣熱者應之。化淳則鹹守。氣專則辛化而俱治。淳和也。化淳謂少陽在泉之歲也。火來居水而反能化育，是水鹹自守不與火爭化也。氣專謂厥陰在泉之氣也。木居于水而復下化，金不受害，故辛復生化，與鹹俱王也。唯此兩歲上下之氣無剋伐之嫌，故辛得與鹹同應王而生化也。餘歲皆上下有勝剋之變，故其中間甘味兼化，以緩其制抑。餘苦鹹酸三味不同其生化也。故天地之間藥物辛甘者多也。

故曰：補上下者從之，治上下者逆之，以所在寒熱盛衰而調之。上謂司天，下謂在泉也。司天地氣太過則逆其味以治之，司天地氣不及則順其味以和之，從順也。

故曰：上取下取，內取外取，以求其過。能毒者以厚藥，不勝毒者以薄藥。此之謂也。上取謂以藥制有過之氣也，制而不順則吐之。下取謂以迅疾之藥除下病，攻之不去則下之。內取謂食及以藥內之，審其寒熱而調之。外取謂藥熨，令所病氣調適也。當寒反熱，以冷調之；當熱反寒，以溫和之。上盛不已，吐而脫之；下盛不已，下而奪之。謂求得氣過之道也。藥厚薄謂氣味厚薄者也。

新校正云：按甲乙經云：胃厚色黑大骨肉肥者，皆勝毒；其瘦而薄胃者，皆不勝毒。又按異法方宜論云：西方之民，陵居而多風，水土剛強，不衣而褐薦，華食而脂肥，故邪不能傷其形體，其病生於內，其治宜毒藥。

氣反者，病在上，取之下；病在下，取之上；病在中，傍取之。下取，謂寒逆於下而熱攻於上，不利於下，氣盈於上，則溫下以調之。上取，謂寒積於下，溫之不去，陽藏不足，則補其陽也。傍取，謂氣并於左，則藥熨其右；氣并於右，則熨其左以和之，必隨寒熱爲適。凡是七者，皆病無所逃，動而必中，斯爲妙用矣。

治熱以寒，溫而行之；治寒以熱，涼而行之；治溫以清，冷而行之；治清以溫，熱而行之。氣性有剛柔，形證有輕重，方用有大小，調制有寒溫。盛大則順氣性以取之，小耎則逆氣性以伐之。氣殊則主必不容，力倍則攻之必勝，是則謂湯飲調氣之制也。新校正云：按至眞要大論云：熱因寒用，寒因熱用，必代其所主，而先其所因，其始則同，其終則異，可使破積，可使潰堅，可使氣和，可使必已者也。

故消之削之，吐之下之，補之寫之，久新同法。量氣盛虛而行其法，病之新久無異道也。

帝曰：病在中而不實不堅，且聚且散，柰何？岐伯曰：悉乎哉問也！無積者求其藏虛則補之。隨病所在，命其藏以補之。藥以祛之，食以隨之。食以無毒之藥，隨湯丸以迫逐之，使其盡也。行水漬之，和其中外，可使畢已。中外通和，氣無流礙，則釋然消散，真氣自平。帝曰：有毒無毒，服有約乎？岐伯曰：病有久新，方有大小，有毒無毒，固宜常制矣。大毒治病，十去其六；下品藥毒，毒之大也。常毒治病，十去其七；中品藥毒，次於下也。小毒治病，十去其八；上品藥毒，毒之小也。無毒治病，十去其九；上品中品下品無毒藥，悉謂之平。穀肉果菜，食養盡之，無使過之，傷其正也。大毒之性烈，其為傷也多；少毒之性和，其為傷也少；常毒之性，減大毒之性一等，加小毒之性一等，所傷可知也。故至約必止之，以待來證爾。然無毒之藥，性雖平和，久而多之，則氣有偏勝，則有偏絕，久攻之則藏氣偏弱，既弱且困，不可長也，故十去其九而止。服至約已，則以五穀五肉五果五菜隨五藏宜者食之，已盡其餘病，藥食兼行亦通也。新校正云：按藏氣法時論云：毒藥攻邪，五穀為養，五果為助，五畜為益，五菜為充。不盡，行復如法。法，謂前四約也。餘病不盡，然再行之，毒之大小，至約而止，必無過也。必先

伐

代違押韻

歲氣無伐天和歲有六氣分主有南面北面之政先知此六氣所在人脉至尺寸應之太陰所在其脉沈少陰所在其脉鉤厥陰所在其脉弦太陽所在其脉大而長陽明所在其脉短而濇少陽所在其脉大而浮如是六脉則謂天和不識不知呼爲寒熱攻寒令熱脉不變而熱疾已生制熱令寒脉如故而寒病又起欲求其適安可得乎夭枉之來率由於此無盛盛無虛虛而遺人夭殃不察虛實但思攻擊而盛者轉盛虛者轉虛萬端之病從茲而甚真氣日消病勢日侵殃咎之來苦夭之興難可逃也悲夫無致邪無失正絕人長命所謂伐天和也攻虛謂實是則致邪不識藏之虛斯爲失正氣既失則爲死之由矣帝曰其久病者有氣從不康病去而瘠柰何從謂順也岐伯曰昭乎哉聖人之問也化不可代時不可違化謂造化也代大匠斲猶傷其手況造化之氣人能以力代之乎夫生長收藏各應四時之化雖巧智者亦無能先時而致之明非人力所及由是觀之則物之生長收藏化必待其時也物之成敗理亂亦待其時也物既有之人亦宜然或言力必可致而能代造化違四時者妄也夫經絡以通血氣以從復其不足與衆齊同養之和之靜以待時謹守其氣無使傾

黔

苦　今　冒

移其形迺彰生氣以長命曰聖王故大要曰無代化無違時必養必和待其來復此之謂也帝曰善大要上古經法也曰古之要言以明時化之不可違不可以力代也

重廣補注黃帝內經素問卷第二十

氣交變大論　槁苦老切　瞼音撿　睫音接　蠹音妒　鶩音木　璺音問　謐音蜜

五常政大論　瞤如勻切　凊妻逕切　飋音瑟　黔音令　麂音几　鏗音坑　瞀音冒　拉音蠟　猯他端切　磧妻力切　鴷音列

背脊 廿ノ二ウ
引飲 廿ノ六ウ
歲穀 廿ノ四ヲ
飲發 廿ノ十三ウ/廿七ウ
氣月 廿ノ九ウ
鬲咽 廿ノ廿八ウ
毛羽倮羽介鱗 廿ノ廿二ヲ
礜石 廿ノ廿一ヲ
蟣 廿ノ三十三ヲ
薄明羽翼蜂蟬之類非翎羽之羽也 廿ノ三ヲ
羽毛鱗介倮翮六化 廿ノ廿二ヲ
以麻黄候為 廿ノ廿八ウ注
知其要者一言而終不知其要流散無窮 廿ノ廿六ウ

瘖飲 二十ノ七ウ
赤班 廿ノ三ウ
間穀 廿ノ六ウ十ウ
華雪 廿ノ十五ウ
知其要者一言而終不知其要流散無窮 廿ノ二十六ウ
瞢若 廿ノ廿ウ
積飲 廿ノ廿二ウ
雨涼熱寒 廿ノ三十ヲ
肘 廿ノ三十三ヲ

逆從 廿ノ十七ウ
振凓 廿ノ廿ヲ
差夏 廿ノ十ウ
數後 廿ノ廿七ウ
午澤 廿ノ廿九ウ
光顯 廿ノ丗二ウ
雾 廿ノ廿八ウ
涌 廿ノ丗三ヲ
皋 廿ノ廿七ウ
凊 廿ノ十三ウ十三ヲ
纓戾 廿ノ丗三ヲ

凡言王者必石同也 廿ノ廿七ヲ
癃閟 廿ノ六ヲ/廿五ヲ
之其通 廿ノ十六ヲ慓桿
霜鹵 廿ノ廿八ヲ/廿五ヲ
庚 廿ノ丗一ヲ
散落 廿ノ丗二ウ
玄府 廿ノ廿九ヲ
見及地分无差 廿ノ三十四ヲ注
膚腠 廿ノ八ウ
皮膚 廿ノ十一ヲ
瞤瘛 廿ノ丗三ヲ/丗五ヲ
淋 廿ノ十三ウ/丗五ヲ

重廣補注黃帝内經素問卷第二十一

啓玄子次注林億孫奇高保衡等奉敕校正孫兆重改誤

六元正紀大論篇第七十一　刺法論篇第七十二亡

本病論篇第七十三亡 新校正云詳此二篇亡在王注之前按病能論篇末王冰注云世本既闕第七二篇謂此二篇也而今世有素問亡篇及昭明隱旨論以謂此三篇仍託名王冰爲注辭理鄙陋无足取者舊本此篇名在六元正紀篇後列之爲後人移於此若以尚書亡篇之名皆在前篇之末則舊本爲得

六元正紀大論篇第七十一

黃帝問曰六化六變勝復淫治甘苦辛鹹酸淡先後余知之矣夫五運之化或從五氣 新校正云詳五氣疑作天氣則與下文相協 或逆天氣或從天氣而逆地氣或從地氣而逆天氣或相

得或不相得余未能明其事欲通天之紀從地之理和其運調其化使上下合德無相奪倫天地升降不失其宜五運宣行勿乖其政調之正味從逆奈何氣同謂之從氣異謂之逆勝制爲不相得相生爲相得司天地之氣更淫勝復各有主治法則欲令平調氣性不違忤天地之氣以致清靜和平也岐伯稽首再拜對曰昭乎哉問也此天地之綱紀變化之淵源非聖帝孰能窮其至理歟臣雖不敏請陳其道令終不滅久而不易氣主循環同於天地太過不及氣序常然不言永定之制則久而更易去聖遼遠何以明之帝曰願夫子推而次之從其類序分其部主別其宗司昭其氣數明其正化可得聞乎部主謂分六氣所部主者也宗司謂配五氣運行之位也氣數謂天地五運氣更用之正數也正化謂歲直氣味所宜酸苦甘辛鹹寒溫冷熱也岐伯曰先立其年以明其

氣金木水火土運行之數，寒暑燥濕風火臨御之化，則天道可見，民氣可調，陰陽卷舒，近而無惑，數之可數者，請遂言之。遂，盡也。帝曰：太陽之政奈何？岐伯曰：辰戌之紀也。

太陽　太角　太陰　壬辰　壬戌　其運風，其化鳴紊啓拆，新校正云：按《五常政大論》云：其德鳴靡啓拆。其變振拉摧拔，新校正云：詳此其運、其化、其變，從太角等運起。其病眩掉目瞑。新校正云：詳此病證以運加同天地爲言。

太角初正　少徵　太宫　少商　太羽終

太陽　太徵　太陰　戊辰　戊戌同正徵。新校正云：按《五常政大論》云：赫曦之紀，上羽與正徵同。其運熱，其化暄暑鬱燠，新校正云：按《五常政大論》燠作蒸。

其變炎烈沸騰。其病熱鬱。

太徵 少宮 太商 少羽終 少角初

太陽 太宮 太陰 甲辰歲會同天符 甲戌歲會同天符。新校正云：按天元紀大論云承歲爲歲直，又六微旨大論云木運臨卯，火運臨午，土運臨四季，金運臨酉，水運臨子，所謂歲會，氣之平也。王冰云歲直亦曰歲會。此甲爲太宮，辰戌爲四季，故曰歲會。又云同天符者，按本論下文云太過而加同天符，是此歲一爲歲會，又爲同天符也。

其運陰埃。新校正云：詳太宮三運，兩曰陰雨，獨此曰陰埃，埃疑作雨。其化柔潤重澤。新校正云：按五常政大論澤作淖。其變震驚飄驟。其病濕下重。

太宮 少商 太羽終 太角初 少徵

太陽 太商 太陰 庚辰 庚戌 其運涼。

其化霧露蕭飋。其變肅殺凋零。其病燥背瞀胷滿。

太商 少羽終 少角初 太徵 少宮

太陽 太羽新校正云按五常政大論云上羽而長氣不化 太陰 丙辰天符 丙戌天符新校正云按天元紀大論云應天爲天符又六微旨大論云土運之歲上見太陰火運之歲上見少陽少陰金運之歲上見陽明木運之歲上見厥陰水運之歲上見太陽曰天與之會故曰天符又本論下文云五運同行天化者命曰天符又云臨者太過不及皆曰天符 其運寒新校正云詳太羽三運此爲上羽少陽少陰司天爲太徵而少陽司天運言寒肅此與少陰司天運言其運寒者疑此太陽司天運合太羽當言其運寒肅少陽少陰司天運當云其運寒也 其化凝慘凓冽新校正云按五常政大論作凝慘寒雰 其變冰雪霜雹 其病大寒留於谿谷

太羽終 太角初 少徵 太宮 少商

凡此太陽司天之政氣化運行先天六步之氣生長化成收藏皆先天時而應至也餘歲先天同之也 天氣肅地氣靜寒臨太虛陽氣不令水土合

德上應辰星鎮星明而大也其穀玄黅天地正氣之所生長化成也黅黃也其政肅其令徐寒政大舉澤無陽燄則火發待時寒甚則火鬱待四氣乃發暴為炎熱也少陽中治時雨迺涯止極雨散還於太陰雲朝北極濕化迺布北極雨府也澤流萬物寒敷于上雷動于下寒濕之氣持於氣交歲氣之大體也民病寒濕發肌肉萎足痿不收濡寫血溢新校正云詳血溢者火發待時所為之病也初之氣地氣遷氣迺大溫畏火致之草迺早榮民迺厲溫病迺作身熱頭痛嘔吐肌腠瘡瘍赤班也是為膚腠中瘡在皮內也二之氣大涼反至民迺慘草迺遇寒火氣遂抑民病氣鬱中滿寒迺始因涼而又之於寒氣故寒氣始來近人也三之氣天政布寒氣行雨迺降民病寒反熱中癰疽注下

心熱瞀悶不治者死（當寒反熱是反天常熱起於心則神之危亟不急扶救神必消亡故治者則生不治則死）四之氣風濕交爭風化爲雨迺長迺化迺成民病大熱少氣肌肉萎足痿注下赤白五之氣陽復化草迺長迺化迺成民迺舒（大火臨御故萬物舒榮）終之氣地氣正濕令行陰凝太虛埃昏郊野民迺慘淒寒風以至反者孕迺死故歲宜苦以燥之溫之（新校正云詳故歲宜若以燥之溫之九字當在避虛邪以安其正下錯簡在此）必折其鬱氣先資其化源（化源謂九月迎而取之以補心火　新校正云詳水將勝也先於九月迎取其化源先寫腎之源也蓋以水王十月故先於九月迎而取之瀉水所以補火也）抑其運氣扶其不勝（太角歲脾不勝太徵歲肺不勝太宮歲腎不勝太商歲肝不勝太羽歲心不勝歲之宜也如此然太陽司天五歲之氣通宜先助心後扶腎氣）無使暴過而生其疾食歲穀以全其眞避虛邪以安其正（木過則脾病生）

火過則肺病生土過則腎病生金過則肝病生水過則心病生天地之氣過亦然也歲穀謂黃色黑色虛邪謂從衝後來之風也適氣同異多少制之同寒濕者燥熱化異寒濕者燥濕化太宮太商太羽歲同寒濕宜治以燥熱化太角太徵歲異寒濕宜治以燥濕化也故同者多之異者少之多謂燥熱少謂燥濕氣用少多隨其歲也用寒遠寒用涼遠涼用溫遠溫用熱遠熱食宜同法有假者反常反是者病所謂時也時謂春夏秋冬及間氣所在同則遠之即雖其時若六氣臨御假寒熱溫涼以除疾病者則勿遠之如太陽司天寒為病者假熱以療則熱用不遠夏餘氣例同故曰有假反常也食同藥法爾若無假反法則為病之媒非方制養生之道 新校正云按用寒遠寒及有假者反常等事下文備矣帝曰善陽明之政奈何

歧伯曰卯酉之紀也

陽明 少角 少陰 清熱勝復同同正商清勝少角熱復清氣故曰清熱勝復同也餘少運皆同也同正商者上見陽明上商與正商同言歲木不及也餘準此 新校正云按五常政大論云委和之紀上商與正商同 丁卯歲會 丁酉

其運風清熱。不及之運，常兼勝復之氣言之。風，運氣也。清，勝氣也。熱，復氣也。餘少運悉同。

少角初正 太徵 少宮 太商 少羽終

陽明 少徵 少陰 寒雨勝復同。同正商。新校正云：按伏明之紀，上商與正商同。癸卯同歲會。癸酉同歲會。新校正云：按本論下文云：不及而加同歲會。此運少徵為不及，下加少陰，故云同歲會。其運熱寒雨。

少徵 太宮 少商 太羽終 太角初

陽明 少宮 少陰 風涼勝復同。己卯 己酉 其運雨風涼。

少宮 太商 少羽終 少角初 太徵

陽明 少商 少陰 熱寒勝復同。同正商。新校正云：按五常政大論云：從革之紀，上商與正商同。乙卯天符 乙酉歲會太一天符。新校正云：按天元紀大論云：三合為治。又六微旨大論云：天符歲會曰太一天符。王冰云：是謂三合，一者天會，二者歲會，三者運會。或云：此歲三合曰太一天符，不當更曰歲會者，甚不然也。乙酉本為歲會，又為太一天符歲會之名不可去也或云巳丑巳未戊午何以不連言歲會而單言太一天符曰舉一隅不以三隅反舉一則三者可知去之則亦太一天符不爲歲會故曰不可去也

其運涼熱寒。

少商　太羽終　太角初　少徵　太宮

陽明　少羽　少陰　雨風勝復同。辛卯少宮同。新校正云按五常政大論云五運不及除同正角正商正宮外癸丑癸未當云少徵與少羽同己卯乙酉少宮與少角同乙丑乙未少商與少徵同辛卯辛酉辛巳辛亥少羽與少宮同合有十年今此論獨於此言少宮同者蓋以癸丑癸未丑未爲土故不更同少羽己卯己酉爲金故不更同少角辛巳辛亥爲太徵不更同少宮乙丑乙未下見太陽爲水故不更同少徵又除此八年外只有辛卯辛酉二年爲少羽同少宮也

辛酉　辛卯　其運寒雨風

少羽終　少角初　太徵　太宮　太商

凡此陽明司天之政氣化運行後天。六步之氣生長化成庶務動靜皆後天時而應餘少歲同

天氣急，地氣明，陽專其令，炎暑大緩，霧燥以堅，淳風廼治，風燥橫運，流於氣交，多陽少陰，雲趨雨府，濕化廼敷。雨府，太陰之所在也。燥極而澤。燥氣欲終，則化為雨澤，是謂三氣之分也。其穀白丹。天地正氣所化生也。間穀命太者。命太者，謂前文太角商等氣之化者，間氣化生，故云間穀也。新校正云：按玄珠云：歲穀與間穀者何？即在泉為歲穀，及在泉之左右間者，皆為歲穀，其司天及運間而化者，名間穀，又別有一名間穀者，是也化不及，即反有所勝而生者，故名間穀，即邪氣之化，又名並化之穀也，亦名間穀，與王注頗異。其耗白甲品羽。白色甲蟲多品，羽類有羽翼者，耗散粢盛，蟲鳥甲兵，歲為災以耗竭物類。金火合德，上應太白熒惑。見大而明。其政切，其令暴，蟄蟲廼見，流水不冰，民病欬嗌塞，寒熱發暴，振凓癃閟，清先而勁，毛蟲廼死，熱後而暴，介蟲廼殃，其發躁，勝復之作，擾而大亂。金先勝木，已承害，故毛蟲死；火後勝，金不勝，故介蟲復殃。勝而行殺，羽者已亡，復者後來，強者又死，非大亂氣，其何謂也。清熱之氣持於氣交。初之氣，地氣遷，陰始凝，氣始肅，水廼冰，寒雨化。其病中熱脹，面目浮腫，善眠，鼽衄，嚏欠，嘔，小便黃赤，甚則淋。（太陰之化。新校正云：詳氣肅水冰凝非太陰之化。）二之氣，陽廼布，民廼舒，物廼生榮。厲大至，民善暴死。（臣位君故爾。）三之氣，天政布，涼廼行，燥熱交合，燥極而澤，民病寒熱。（寒熱瘧也。）四之氣，寒雨降，病暴仆，振慄譫妄，少氣，嗌乾引飲，及爲心痛，癰腫瘡瘍，瘧寒之疾，骨痿血便。（骨痿無力。）五之氣，春令反行，草廼生榮，民氣和。終之氣，陽氣布，候反温，蟄蟲來見，流水不冰，民廼康平，其病温。（君之化也。）故食歲穀以安其氣，食間穀以去其邪。歲宜以鹹以苦以辛，汗之清之散之，安其運氣無使受邪折其鬱氣資其化源化源謂六月迎而取之也新校正云按金王七月故逆於六月寫金氣以寒熱輕重少多其制同熱者多天化同清者多地化少角少徵歲同熱用方多以天清之化治之少宮少商少羽歲同清用方多以地熱之化治之火在地故同清者多地化金在天故同熱者多天化用涼遠涼用熱遠熱用寒遠寒用溫遠溫食宜同法有假者反之此其道也反是者亂天地之經擾陰陽之紀也帝曰善少陽之政奈何岐伯曰寅申之紀也

少陽　太角新校正云按五常政大論云上徵則其氣逆　厥陰　壬寅同天符　壬申同天符　其運風鼓新校正云詳風火合勢故其運風鼓少陰司天太角運亦同　其化鳴紊啓坼新校正云按五常政大論云其德鳴靡啓坼　其變振拉摧拔　其病掉眩支脇驚駭

太角初正　少徵　太宮　少商　太羽終

少陽　太徵新校正云按五常政大論云上徵而收氣後　厥陰　戊寅天符　戊申天符

其運暑　其化暄囂鬱燠新校正云按五常政大論作暄暑鬱燠此變暑爲囂者以上臨少陽故也

其變炎烈沸騰　其病上熱鬱血溢血泄心痛

太徵　少宮　太商　少羽終　少角初

少陽　太宮　厥陰　甲寅　甲申　其運陰雨

其化柔潤重澤　其變震驚飄驟　其病體重胕腫痞飲

太宮　少商　太羽終　太角初　少徵

少陽　太商　厥陰　庚寅　庚申　同正商新校正云按五常政大論云堅成之紀上徵與正商同

其運涼　其化霧露清切新校正云按五常政大論云霧露蕭飋又太商三運兩言霧露蕭飋獨此言清切詳

此下如厥陰當此蕭飋其變肅殺凋零。其病肩背胸中。

太商　少羽終　少角初　太徵　少宮

少陽　太羽　厥陰　丙寅　丙申　其運寒肅新校正云詳此運不當言寒肅以注

太陽司天太羽運中　其化凝慘凓冽新校正云按五常政大論云作凝慘寒雰

其變冰雪霜雹　其病寒浮腫

太羽終　太角初　少徵　太宮　少商

凡此少陽司天之政，氣化運行先天，天氣正，新校正云詳少陽司天太陰司地，正得天地之正，又厥陰少陽司地，各云得其正者，以地主生榮爲言也。本或作天氣止者，少陽火之性用動躁，云止義不通也。地氣擾，風迺暴舉，木偃沙飛，炎火迺流，陰行陽化，雨迺時應，火木同德，上應熒惑歲星。見明而大。新校正云詳六氣惟少陽厥陰司天司地，爲上下通和，無相勝剋

瞑當作瞑字之訛也

故言火木同德餘氣皆有勝剋故言合德。其穀丹蒼。其政嚴。其令擾。故風熱參布。雲物沸騰。太陰橫流。寒迺時至。涼雨並起。民病寒中。外發瘡瘍。內爲泄滿。故聖人遇之。和而不爭。往復之作。民病寒熱瘧泄。聾瞑嘔吐。上怫腫色變。初之氣。地氣遷。風勝迺搖。寒迺去。候迺大溫。草木早榮。寒來不殺。溫病迺起。其病氣怫於上。血溢目赤。欬逆頭痛。血崩今詳此明字當作朋。脇滿。膚腠中瘡。少陰之化。二之氣。火反鬱。太陰分故爾。白埃四起。雲趨雨府。風不勝濕。雨迺零。民迺康。其病熱鬱於上。欬逆嘔吐。瘡發於中。胷嗌不利。頭痛身熱。昏憒膿瘡。三之氣。天政布。炎暑至。少陽臨上。雨迺涯。民病

嚏

熱中聾瞑血溢膿瘡欬嘔鼽衄渴嚏欠喉痺目赤善暴死四之氣涼迺至炎暑間化白露降民氣和平其病滿身重五之氣陽迺去寒迺來雨迺降氣門迺閉新校正云按王注生氣通天論氣門玄府也所以發泄經脈榮衛之氣故謂之氣門剛木早凋民避寒邪君子周密終之氣地氣正風迺至萬物反生霿霧以行其病關閉不禁心痛陽氣不藏而欬抑其運氣贊所不勝必折其鬱氣先取化源化源年之前十二月迎而取之新校正云詳王注資取化源俱注云取其意有四等太陽司天取九月陽明司天取六月是二者先取在天之氣也少陽司天取年前十二月太陰司天取九月是二者乃先時取在地之氣也少陰司天取年前十二月厥陰司天取四月義不可解按玄珠之說則不然太陽陽明之月與王注合少陽少陰俱取三月太陰取五月厥陰取年前十二月玄珠之義可解王注之月疑有誤也暴過不生苛疾不起苛重也新校正云詳此不言食歲穀間穀者蓋此歲天地氣正上下通和故

不言也。故歲宜鹹辛宜酸，滲之泄之，漬之發之，觀氣寒溫以調其過。同風熱者多寒化，異風熱者少寒化。太角、太徵歲同風熱，以寒化多之；太宮、太商、太羽歲異風熱，以涼調其過也。用熱遠熱，用溫遠溫，用寒遠寒，用涼遠涼，食宜同法。此其道也。有假者反之，反是者病之階也。帝曰：善。太陰之政奈何？岐伯曰：丑未之紀也。

太陰 少角 太陽 清熱勝復同 同正宮。新校正云：按五常政大論云：委和之紀，太宮與正宮同。 丁丑 丁未 其運風清熱

少角初正 太徵 少宮 太商 少羽終

太陰 少徵 太陽 寒雨勝復同 癸丑 癸未 其運熱寒雨

少徵 太宮 少商 太羽終 太角

清

太陰　少宮　太陽　風清勝復同　同正宮　新校正云按五常政大論云卑監之紀上宮與正宮同　己丑太一天符　己未太一天符　其運雨風清

少宮　太商　少羽終　少角初　太徵

太陰　少商　太陽　熱寒勝復同　乙丑　乙未　其運涼熱寒

少商　太羽終　太角初　少徵　太宮

太陰　少羽　太陽　雨風勝復同　同正宮　新校正云按五常政大論云涸流之紀上宮與正宮同或以此二歲為同歲會為平水運欲去同正宮三字者非也蓋此歲有二義而輒去其一甚不可也

辛丑同歲會　辛未同歲會　其運寒雨風

少羽終　少角初　太徵　少宮　太商

凡此太陰司天之政氣化運行後天萬物生長化成皆後天時而生成也陰

專其政陽氣退辟大風時起。新校正云詳此太陰之政但以言大風時起蓋厥陰為初氣居木位春氣正風迺來故言大風時起 天氣下降地氣上騰原野昏霿白埃四起雲奔南極寒雨數至物成於差夏南極雨府也差夏謂立秋之後一十日也 民病寒濕腹滿身䐜憤胕腫痞逆寒厥拘急濕寒合德黃黑埃昏流行氣交上應鎮星辰星見而大明 其政肅其令寂其穀黅玄正氣所生成也 故陰凝於上寒積於下寒水勝火則為冰雹陽光不治殺氣迺行黃黑昏埃是謂殺氣自北及西流行於東及南也 故有餘宜高不及宜下有餘宜晚不及宜早土之利氣之化也民氣亦從之間穀命其太也以間氣之大者言其穀也 初之氣地氣遷寒迺去春氣正風迺來生布萬物以榮民氣條舒風濕相薄雨迺後民病血溢筋絡拘強關節不利身重筋痿二之氣大火正物承化民迺和其病温厲大行遠近咸若濕蒸相薄雨迺時降應順天常不愆時候謂之時雨新校正云詳此以少陰爲君火之位故言大火正也三之氣天政布濕氣降地氣騰雨迺時降寒迺隨之感於寒濕則民病身重胕腫胷腹滿四之氣畏火臨溽蒸化地氣騰天氣否隔寒風曉暮蒸熱相薄草木凝煙濕化不流則白露陰布以成秋令萬物得之以成民病腠理熱血暴溢瘧心腹滿熱臚脹甚則胕腫五之氣慘令已行寒露下霜迺早降草木黃落寒氣及體君子周密民病皮腠終之氣寒大舉濕大化霜迺積

陰迺凝，水堅冰，陽光不治。感於寒，則病人關節禁固，腰脽痛。寒濕推於氣交而爲疾也。必折其鬱氣，而取化源，（九月化源，迎而取之，以補益也。）益其歲氣，無使邪勝。食歲穀以全其真，食間穀以保其精。故歲宜以苦燥之、溫之，甚者發之、泄之。不發不泄，則濕氣外溢，肉潰皮拆而水血交流。必贊其陽火，令御甚寒。（冬之分，其用五步，量氣用之也。）從氣異同，少多其判也。（通言歲運之同異也。）同寒者以熱化，同濕者以燥化。（少宮、少商、少羽歲同寒，少宮歲又同濕。濕過故宜燥，寒過故宜熱。少角、少徵歲平和處之也。）異者少之，同者多之。用涼遠涼，用寒遠寒，用溫遠溫，用熱遠熱，食宜同法。假者反之，此其道也。反是者，病也。帝曰：善。少陰之政奈何？岐伯曰子午之紀也。

少陰　太角　新校正云：按五常政大論云：上徵則其氣逆。　陽明　壬子　壬午

其運風鼓。其化鳴紊啓坼。新校正云：按五常政大論云：其德鳴靡啓坼。

其變振拉摧拔。其病支滿。

太角初正　少徵　太宮　少商　太羽終

少陰　太徵　新校正云：按五常政大論云：上徵而收氣後。　陽明　戊子天符　戊午

太一天符　其運炎暑。新校正云：詳太徵運，太陽司天曰熱，少陽司天曰暑，少陰司天曰炎暑，兼司天之氣而言運也。　其化暄曜鬱燠。新校正云：按五常政大論作暄暑鬱燠，此變暑為曜者，以上臨少陰故也。

其變炎烈沸騰。其病上熱血溢。

太徵　少宮　太商　少羽終　少角初

少陰　太宮　陽明　甲子　甲午　其運陰雨。

其化柔潤時雨。新校正云按五常政大論云柔潤重淖又太宮三運雨作柔潤重澤此時雨二字疑誤

其變震驚飄驟。其病中滿身重。

太宮　少商　太羽終　太角初　少徵

少陰　太商　陽明　庚子同天符　庚午同天符　同正商。新校正云按五常政大論云堅成之紀上徵與正商同　其運涼勁。新校正云詳此以運合在泉故云涼勁

其化霧露蕭飋。其變肅殺凋零。其病下清。

太商　少羽終　少角初　太徵　少宮

少陰　太羽　陽明　丙子歲會　丙午　其運寒。

其化凝慘凓冽。新校正云按五常政大論作凝慘寒雰。

其變氷雪霜雹其病寒下
太羽終　太角初　少徵　太宮　少商
凡此少陰司天之政氣化運行先天地氣肅天氣明
寒交暑熱加燥新校正云詳此云寒交暑者謂前歲終之氣少陽今歲初之氣太陽太陽寒交前歲少陽之暑也熱加燥者少陰在上而陽明在下也雲馳雨府濕化廼行時雨廼降金火合德上
應熒惑太白見而明大其政明其令切其穀丹白水火寒熱
持於氣交而爲病始也熱病生於上清病生於下寒
熱凌犯而爭於中民病欬喘血溢血泄鼽嚏目赤眥
瘍寒厥入胃心痛腰痛腹大嗌乾腫上初之氣地氣
遷燥將去新校正云按陽明在泉之前歲爲少陽少陽者暑暑往而陽明在地太陽初之氣故上文寒交暑是暑去而寒始也此燥字乃

是暑字之誤也寒廼始蟄復藏水廼冰霜復降風廼至新校正云按王注六微旨大論云太陽居木位為寒風切列此風廼至當作風廼列陽氣鬱民反周密闗節禁固腰脽痛炎暑將起中外瘡瘍二之氣陽氣布風廼行春氣以正萬物應榮寒氣時至民廼和其病淋目瞑目赤氣鬱於上而熱三之氣天政布大火行庶類蕃鮮寒氣時至民病氣厥心痛寒熱更作欬喘目赤四之氣溽暑至大雨時行寒熱互至民病寒熱嗌乾黃癉鼽衄飲發五之氣畏火臨暑反至陽廼化萬物廼生廼長榮民廼康其病温終之氣燥令行餘火內格腫於上欬喘甚則血溢寒氣數舉則霿霧翳病生皮腠內

舍於脇下，連少腹而作寒中，地將易也。氣終則遷，何可長也。必抑其運氣，資其歲勝，折其鬱發，先取化源，先於年前十二月迎而取之。無使暴過而生其病也。食歲穀以全真氣，食間穀以辟虛邪。歲宜鹹以耎之，而調其上，甚則以苦發之，以酸收之，而安其下，甚則以苦泄之。適氣同異而多少之，同天氣者以寒清化，同地氣者以溫熱化，太角、太徵歲同天氣，宜以寒清治之。太宮、太商、太羽歲同地氣，宜以溫熱治之。化，治也。用熱遠熱，用涼遠涼，用溫遠溫，用寒遠寒，食宜同法。有假則反。此其道也。反是者病作矣。帝曰：善。厥陰之政柰何？岐伯曰：巳亥之紀也。

厥陰　少角　少陽　清熱勝復同　同正角。新校正云：按《五常政大論》云：委和之紀，上

角與正角同 丁巳天符 丁亥天符 其運風清熱。

少角初正 太徵 少宮 太商 少羽終

厥陰 少徵 少陽 寒雨勝復同。 癸巳同歲會 癸亥同歲會

其運熱寒雨。

少徵 太宮 少商 太羽終 太角初

厥陰 少宮 少陽 風清勝復同。 同正角。新校正云按五常政大論云卑監之紀上

角與正角同 己巳 己亥 其運雨風清。

少宮 太商 少羽終 少角初 太徵

厥陰 少商 少陽 熱寒勝復同。 同正角。新校正云按五常政大論云從革之紀上

角與正角同 乙巳 乙亥 其運涼熱寒。

少商　太羽終　太角初　少徵　太宮

厥陰　少羽　少陽　雨風勝復同辛巳辛亥其運寒雨風

少羽終　少角初　太徵　少宮　太商

凡此厥陰司天之政氣化運行後天諸同正歲氣化運行同天太過歲運化氣行先天時不及歲化生成後天時同正歲化生成與天二十四氣遲速同無先後也新校正云詳此注云同王歲與二十四氣同疑非恐是與大寒日交同氣候同天氣擾地氣正風生高遠炎熱從之雲趨雨府濕化乃行風火同德上應歲星熒惑其政撓其令速其穀蒼丹間穀言太者其耗文角品羽風燥火熱勝復更作蟄蟲來見流水不冰熱病行於下風病行於上風燥勝復形於中初之氣寒始肅殺氣

方至民病寒於右之下二之氣寒不去華雪水冰殺氣施化霜迺降名草上焦寒雨數至陽復化民病熱於中三之氣天政布風迺時舉民病泣出耳鳴掉眩四之氣溽暑濕熱相薄爭於左之上民病黃癉而爲胕腫五之氣燥濕更勝沈陰迺布寒氣及體風雨迺行終之氣畏火司令陽迺大化蟄蟲出見流水不冰地氣大發草迺生人迺舒其病溫厲必折其鬱氣資其化源化源四月也迎而取之賛其運氣無使邪勝歲宜以辛調上以鹹調下畏火之氣無妄犯之新校正云詳此運何以不言適氣同異少多之制者蓋厥陰之政與少陽之政同六氣分政惟厥陰與少陽之政上下無剋罰之異治化惟一故不再言同風熱者多寒化異風熱者少寒化也用溫遠溫

約之要。宗前文時作此。其階也可知之。其角用同義

用熱遠熱，用涼遠涼，用寒遠寒，食宜同法。有假反常，此之道也。反是者病。帝曰：善。夫子言可謂悉矣，然何以明其應乎？岐伯曰：昭乎哉問也！夫六氣者，行有次，止有位，故常以正月朔日平旦視之，覩其位而知其所在矣。陰之所在，天應以雲；陽之所在，天應以清淨。自然分布，象見不差。運有餘，其至先；運不及，其至後。先後皆寅時之先後也。先則丑後，後則卯初。此天之道，氣之常也。天道昭然，當期必應，見無差失。是氣之常。運非有餘非不足，是謂正歲，其至當其時也。當時謂當寅之正也。帝曰：勝復之氣，其常在也，災眚時至，候也奈何？岐伯曰：非氣化者，是謂災也。十二變備矣。帝曰：天地之數，終始奈何？岐伯曰：悉乎哉問也！是明道也。數之始，起於上而

約之曰 氣 太陽午 月 太陰午

終於下。歲半之前天氣主之。歲半之後地氣主之歲半謂立秋之日也。新校正云：詳初氣交司在前歲大寒日，歲半當在立秋前一氣十五日，不得云立秋日也。上下交互氣交主之歲紀畢矣。交互互體也，上體下體之中有二互體也。故曰位明氣月可知乎所謂氣也。大九一氣主六十日而有奇，以立位數之位，同一氣則月之節氣中氣可知也。故言天地氣者以上下體，言勝復者以氣交，言橫運者以上下互，皆以節氣准之，候之災眚變復可期矣。帝曰：余司其事，則而行之，不合其數，何也？岐伯曰：氣用有多少，化治有盛衰，衰盛多少，同其化也。帝曰：願聞同化何如？岐伯曰：風溫春化同，熱曛昏火夏化同，勝與復同，燥清煙露秋化同，雲雨昏暝埃長夏化同，寒氣霜雪冰冬化同，此天地五運六氣之化，更用盛衰之常也。帝曰：五運行同天化者，命曰天符余知之矣願聞同地化者何謂也歧伯曰太過而同天化者三不及而同天化者亦三太過而同地化者三不及而同地化者亦三此凡二十四歲也六十年中同天地之化者凡二十四歲餘悉隨已多少帝曰願聞其所謂也歧伯曰甲辰甲戌太宮下加太陰壬寅壬申太角下加厥陰庚子庚午太商下加陽明如是者三癸巳癸亥少徵下加少陽辛丑辛未少羽下加太陽癸卯癸酉少徵下加少陰如是者三戊子戊午太徵上臨少陰戊寅戊申太徵上臨少陽丙辰丙戌太羽上臨太陽如是者三丁巳丁亥少角上臨厥陰乙卯乙酉少商上臨陽明巳

丑巳未少宫上臨太陰如是者三除此二十四歲則不加不臨也帝曰加者何謂歧伯曰太過而加同天符不及而加同歲會也帝曰臨者何謂歧伯曰太過不及皆曰天符而變行有多少病形有微甚生死有早晏耳帝曰夫子言用寒遠寒用熱遠熱余未知其然也願聞何謂遠歧伯曰熱無犯熱寒無犯寒從者和逆者病不可不敬畏而遠之所謂時與六位也四時氣王之月藥及食衣寒熱温涼同者皆宜避之差四時同犯則以水濟水以火助火病必生也帝曰温涼何如温涼減於寒熱可輕犯之平歧伯曰司氣以熱用熱無犯司氣以寒用寒無犯司氣以涼用涼無犯司氣以温用温無犯閒氣同其主

無犯異其主則小犯之是謂四畏必謹察之帝曰善其犯者何如（須犯者）岐伯曰天氣反時則可依則（反甚爲病則可依時）及勝其主則可犯（夏熱甚則可以熱犯熱寒氣不甚則不可犯之）以平爲期而不可過（氣平則止過則病生過而病生與犯同也）是謂邪氣反勝者（氣動有勝是謂邪客勝於主不可不禦也六步之氣於六位中應寒反熱應熱反寒應溫反涼應涼反溫是謂六步之邪勝也差冬反溫差夏反冷差秋反熱差春反涼是謂四時之邪勝也勝則反其氣以平之）故曰無失天信無逆氣宜無翼其勝無贊其復是謂至治（天信謂至時必定翼贊皆佐之謹守天信是謂至眞妙理也）帝曰善五運氣行主歲之紀其有常數乎岐伯曰臣請次之

甲子　甲午歲

上少陰火　中太宮土運　下陽明金　熱化二（新校正云詳對化從標成）

數正化從本生數甲子之年熱化七燥化九甲午之年熱化二燥化四雨化五新校正云按本論正文云太過不及其數何始太過者其數成不及者其數生土常以生也甲年太宮土運太過故言雨化五五土數也燥化四所謂正化日也正氣化也其化上鹹寒中苦熱下酸熱所謂藥食宜也新校正云按玄珠云下苦熱又按至真要大論云熱淫所勝平以鹹寒燥淫于內治以苦溫此云下酸熱疑誤也

乙丑　乙未歲

上太陰土　中少商金運　下太陽水　熱化寒化勝復同所謂邪氣化日也　災七宮新校正云詳七宮西室兌位天柱司也災之方以運之當方言濕化五新校正云詳太陰正司於未對司於丑其化皆五以生數也不以成數者土王四季不得正方又天有九宮不可至十清化四新校正云按本論下文云不及者其數生乙年少商金運不及故言清化四四金生數也寒化六新校正云詳乙丑寒化六乙未寒化二所謂正化日也其化上苦熱中酸和下甘熱

所謂藥食宜也。新校正云：按玄珠云上酸平，下甘温。又按至眞要大論云：濕淫所勝，平以苦熱；寒淫于内，治以甘熱。

丙寅　丙申歲新校正云：詳丙申之歲，申金生水，水化之令轉盛，司天相火爲病減半。

上少陽相火　中太羽水運　下厥陰木　火化二新校正云：詳丙寅火化二，丙申火化七。寒化六　風化三新校正云：詳丙寅風化八，丙申風化三。所謂正化日也。其化上鹹寒，中鹹温，下辛温，所謂藥食宜也。新校正云：按玄珠云下辛涼。又按至眞要大論云：火淫所勝，平以鹹冷；風淫于内，治以辛涼。

丁卯歲會　丁酉歲新校正云：詳丁年正月壬寅爲干德符，便爲正氣，勝復不至。運同正角，金不勝木，木亦不災土。又丁卯年得卯木佐之，即上陽明不能災之。

上陽明金　中少角木運　下少陰火　清化熱化勝復同，所謂邪氣化日也。災三宮新校正云：詳三宮東室震位天衝司。燥化九新校正云：詳丁卯燥化九丁酉燥化四。風化三　熱化七。新校正云詳丁卯熱化二丁酉熱化七。　所謂正化日也。新校正云按至眞要大論云燥淫所勝平以苦溫熱淫于內治以鹹寒又玄珠云上苦熱也。

其化上苦小溫中辛和下鹹寒所謂藥食宜也。

戊辰　戊戌歲

上太陽水中太徵火運。新校正云詳此上見太陽火化減半。　下太陰土。　寒化六。新校正云詳戊辰寒化六戊戌寒化一。　熱化七　濕化五　所謂正化日也

其化上苦溫中甘和下甘溫所謂藥食宜也。新校正云按至眞要大論云寒淫所勝平以辛熱濕淫于內治以苦熱又玄珠云上甘溫不酸平。

己巳　己亥歲

上厥陰木中少宮土運。新校正云詳至九月甲戌月已得甲戌方還正宮。　下少陽相火

風化清化勝復同，所謂邪氣化日也。災五宮。新校正云：按五常政大論云：其眚四維。又按天元玉冊云：中室天禽司，非維宮，同正宮，寄位二宮坤位。風化三，新校正云：詳巳巳風化八，巳亥風化三。濕化五，火化七，新校正云：詳巳巳熱化七，巳亥熱化二。所謂正化日也。其化上辛涼，中甘和，下鹹寒，所謂藥食宜也。新校正云：按至眞要大論云：風淫所勝，平以辛涼；火淫于內，治以鹹冷。

庚午同天符　庚子歲同天符

上少陰火，中太商金運，新校正云：詳庚午年金令減半，以上見少陰君火，年年亦爲火故也。庚子年子是水，金氣相得，與庚午年又異。下陽明金，熱化七，新校正云：詳庚午年熱化二，燥化四；庚子年熱化七，燥化九。清化九，燥化九，所謂正化日也。其化上鹹寒，中辛溫，下酸溫，所謂藥食宜也。新校正云：按玄珠云：

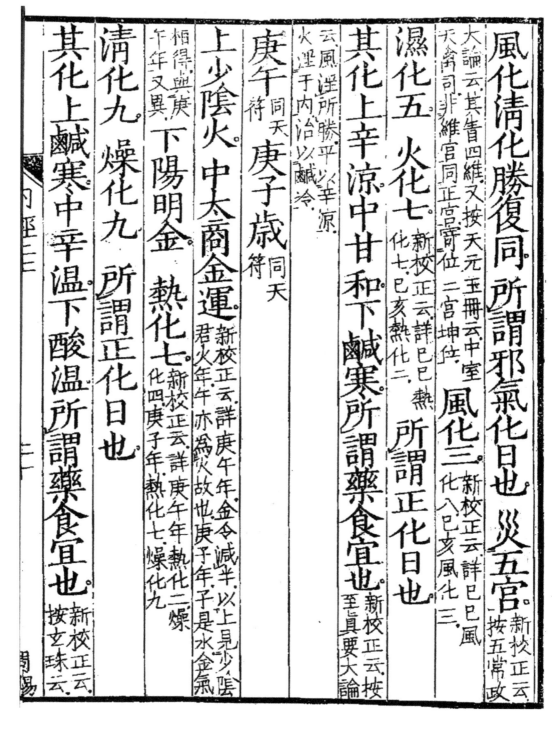

下苦熱。又按至眞要大論云：燥淫于内，治以苦熱。

辛未同歲會 辛丑歲同歲會

上太陰土 中少羽水運新校正云：詳此至七月丙申月水還正羽。 下太陽水

雨化風化勝復同，所謂邪氣化日也。災一宮新校正云：詳一宮北室坎位天玄司。 雨化五，寒化一，新校正云：詳此以運與在泉俱水，故只言寒化一。寒化一者，少羽之化氣也。若太陽在泉之化，則辛未寒化一，辛丑寒化六。 所謂正化日也。

其化上苦熱，中苦和，下苦熱，所謂藥食宜也。新校正云：按玄珠云：上酸和，下甘溫。又按至眞要大論云：濕淫所勝，平以苦熱；寒淫于内，治以甘熱。

壬申同天符 壬寅歲同天符

上少陽相火 中太角木運 下厥陰木 火化二新校正云：詳壬申熱化七，壬寅熱化二。

風化八。新校正云：詳此以運與在泉俱木，故只言風化八。風化八乃太角之運化也。若厥陰在泉之化，則壬申風化三，壬寅風化八。所謂正化日也。其化上鹹寒，中酸和，下辛涼，所謂藥食宜也。

癸酉同歲會　癸卯歲同歲會

上陽明金，中少徵火運，新校正云：詳此五月遇戊午月，火還正徵。下少陰火。寒化雨化勝復同，所謂邪氣化日也。災九宮。新校正云：詳九宮離位南室天英司也。燥化九，新校正云：詳癸酉燥化四，癸卯燥化九。熱化二，新校正云：詳此以運與在泉俱火，故只言熱化二。熱化二者，少徵之運化也。若少陰在泉之化，癸酉熱化七，癸卯熱化二。所謂正化日也。其化上苦小溫，中鹹溫，下鹹寒，所謂藥食宜也。新校正云：按玄珠云上苦熱。

甲戌歲會同天符　甲辰歲歲會同天符

上太陽水，中太宮土運，下太陰土。寒化六，新校正云：詳甲戌寒化一，甲辰寒化

六濕化五（新校正云詳此以運與在泉俱土故只言濕化五）正化日也

其化上苦熱中苦溫下苦溫藥食宜也（新校正云按玄珠云上甘溫下酸平又按至真要大論云寒淫所勝平以辛熱濕淫于内治以苦熱）

乙亥　乙巳歲

上厥陰木中少商金運（新校正云詳乙亥年三月得庚辰月早見干德符即氣還正商火未得王而先平火不勝則水不復又亥是水得方年故火不勝也乙巳歲火來小勝巳爲火位於勝也即於二月中氣君火時化日火來行勝不待水復過三月庚辰月乙見庚而氣自全金還正商）下少陽相火　熱化寒化勝復同邪氣化日也

災七宮　風化八（新校正云詳乙亥風化三乙巳風化八）清化四　火化二（新校正云詳乙亥熱化二乙巳熱化七）正化度也（度謂日也）其化上辛涼中酸和下鹹寒藥食宜也

丙子（歲會）丙午歲

上少陰火中太羽水運下陽明金熱化二新校正云詳丙子歲熱化七金之災得其半以運水太過勝於天令天令減半丙午熱化二午爲火少陰君火司天運雖水一水不能勝二火故異於丙子歲寒化六清化四新校正云詳丙子燥化九丙午燥化四正化度也其化上鹹寒中鹹熱下酸溫藥食宜也新校正云按玄珠云下苦熱又按至眞要大論云燥淫于内治以酸溫

丁丑　丁未歲

上太陰土新校正云詳此木運平氣上刑天令減半中少角木運新校正云詳丁年正月壬寅爲干德符爲正角下太陽水清化熱化勝復同邪氣化度也災三宮雨化五風化三寒化一新校正云詳丁丑寒化六丁未寒化一正化度也其化上苦溫中辛溫下甘熱藥食宜也新校正云按玄珠云上酸平下甘溫又按至眞要大論云濕淫所勝平以苦熱寒淫于内治以甘熱

戊寅　戊申歲　天符　新校正云詳戊申年與戊寅年小異申為金佐於肺肺受火刑其氣稍實民病得半

上少陽相火　中太徵火運　下厥陰木

火化七　新校正云詳天符司天與運合故只言火化七火化七者太徵之運氣也若少陽司天之氣則戊寅火化二戊申火化七

風化三　新校正云詳戊寅風化八戊申風化三　正化度也

其化上鹹寒中甘和下辛涼藥食宜也

己卯　新校正云詳己卯金與運土相得子臨父位為逆　己酉歲

上陽明金　中少宮土運　新校正云詳復罷土氣未正後九月甲戌月土還正宮己酉之年木勝火微　下少陰火　風化清化勝復同　邪氣化度也　災五宮　清化九　新校正云詳己卯燥化九己酉燥化四　雨化五　熱化七　新校正云詳己卯熱化二己酉熱化七　正化度也

其化上苦小溫中甘和下鹹寒藥食宜也

庚辰　庚戌歲

上太陽水中太商金運　下太陰土

寒化一（新校正云詳庚辰寒化六庚戌寒化一）清化九　雨化五　正化度也

其化上苦熱中辛溫下甘熱藥食宜也（新校正云按玄珠云上甘溫下酸平又按至真要大論云寒淫所勝平以辛熱濕淫于內治以苦熱）

辛巳　辛亥歲

上厥陰木中少羽水運（新校正云詳辛巳年木復土罷至七月丙申月水還正羽辛亥年爲水平氣以亥爲水相佐爲正羽與辛巳年小異）下少陽相火　雨化風化勝復同

邪氣化度也　災一宮　風化三（新校正云詳辛巳風化八辛亥風化三）

寒化一　火化七（新校正云詳辛巳熱化七辛亥熱化二）正化度也

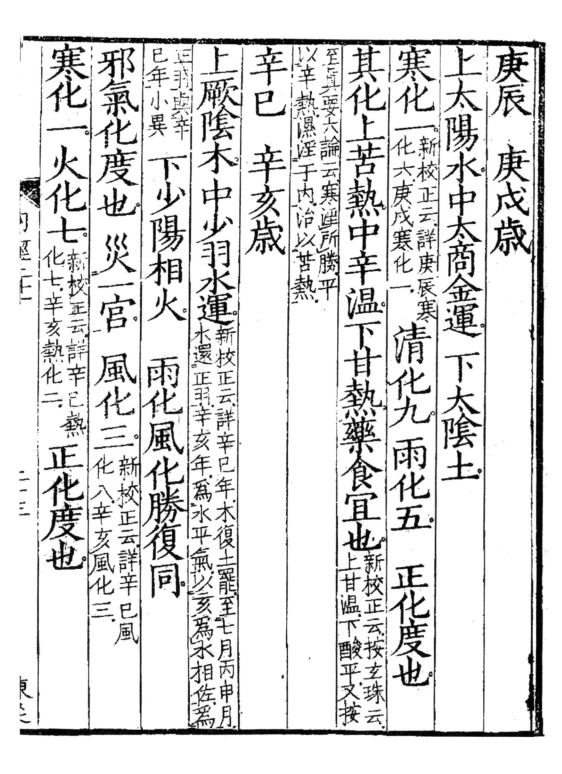

其化上辛涼中苦和下鹹寒藥食宜也

壬午　壬子歲

上少陰火中太角木運　下陽明金　熱化二新校正云詳壬午熱化二壬子熱化七　風化八　清化四新校正云詳壬午燥化四壬子燥化九　正化度也

其化上鹹寒中酸涼下酸温藥食宜也新校正云按玄珠云下苦熱又按至真要大論云燥淫于内治以苦熱

癸未　癸丑歲

上太陰土中少徵火運新校正云詳癸未癸丑左右二火爲間相佐又五月戊午干德符癸見戊而氣全水未行勝爲正徵　下太陽水寒化雨化勝復同邪氣化度也　災九宫

雨化五　火化二　寒化一新校正云詳癸未寒化一癸丑寒化六　正化度也

其化上苦温中鹹温下甘熱藥食宜也新校正云按玄珠云上酸和下甘温又按

至真要大論云濕淫所勝平以苦熱寒淫于內治以甘熱

甲申　甲寅歲

上少陽相火中太宫土運新校正云詳甲寅之歲小異於甲申以寅木可刑土氣之平也下厥陰木火化二新校正云詳甲申火化七甲寅火化二雨化五風化八新校正云詳甲申風化三甲寅風化八正化度也其化上鹹寒中鹹和下辛涼藥食宜也

乙酉太一天符　乙卯歲天符

上陽明金中少商金運新校正云按乙酉為正商以酉金相佐故得平氣乙卯之年二之氣君火分中火來行勝水來行復其氣以平以三月庚辰乙得庚合金運正商其氣乃平下少陰火熱化寒化勝復同　邪氣化度也災七宫燥化四新校正云詳乙酉燥化四乙卯燥化九清化四熱化二新校正云詳乙酉熱化七乙卯熱化二正化度也

其化上苦小溫中苦和下鹹寒藥食宜也

丙戌天符 丙辰歲天符

上太陽水中太羽水運下太陰土

寒化六新校正云詳此以運與司天俱水運故只言寒化六寒化六者太羽之運化也若太陽司天之化則丙戌寒化一丙辰寒化六雨化五正化度也其化上苦熱中鹹溫下甘熱藥食宜也新校正云按玄珠云上甘溫下酸平又按至真要大論云寒淫所勝平以辛熱濕淫于內治以苦熱

丁亥天符 丁巳歲天符

上厥陰木中少角木運新校正云詳丁年正月壬寅丁得壬合爲干德符爲正角平氣下少陽相火清化熱化勝復同邪氣化度也災三宮風化三新校正云詳此運與司天俱木故只言風化三風化三者少角之運化也若厥陰司天之化則丁亥風化三丁巳風化八火化七新校正云詳丁亥熱化二丁巳熱化七正化度也

其化上辛涼，中辛和，下鹹寒，藥食宜也。

戊子天符　戊午歲太一天符

上少陰火，中太徵火運，下陽明金。熱化七，新校正云：詳此運與司天俱火，故只言熱化七。熱化七者，太徵之運化也。若少陰司天之化，則戊子熱化七，戊午熱化二。清化九，新校正云：詳戊子清化九，戊午清化四。正化度也。其化上鹹寒，中甘寒，下酸溫，藥食宜也。新校正云：按玄珠云下苦熱。又按至真要大論云：燥淫于内，治以苦溫。

己丑太一天符　己未歲太一天符

上太陰土，中少宮土運，新校正云：詳是歲木得初氣而來勝，脾乃病，久土至危，金乃來復，至九月甲戌月，已得甲合土，還正宮。下太陽水。風化清化勝復同，邪氣化度也。災五宮。雨化五，新校正云：詳此運與司天俱土，故只言雨化五。寒化一，新校正云詳巳丑寒化六巳未寒化二正化度也　其化上苦熱中甘和下甘熱藥食宜也新校正云按玄珠云上酸平又按至眞要大論云濕淫所勝平以苦熱

庚寅　庚申歲

上少陽相火　中太商金運新校正云詳庚寅歲爲正商得平氣以上見少陽相火下剋於金運不能太過庚申之歲申金佐之乃爲太商　下厥陰木　火化七新校正云詳庚寅熱化二庚申熱化七清化九　風化三新校正云詳庚寅風化八庚申風化三正化度也　其化上鹹寒中辛溫下辛涼藥食宜也

辛卯　辛酉歲

上陽明金　中少羽水運新校正云詳此歲七月丙申水還正羽　下少陰火　雨化風化勝復同　邪氣化度也　災一宮　清化九新校正云詳辛

卯燥化九辛酉燥化四寒化一熱化七新校正云詳辛卯熱化二辛酉熱化七正化度也

其化上苦小温中苦和下鹹寒藥食宜也

壬辰　壬戌歲

上太陽水中太角木運下太陰土　寒化六新校正云詳壬辰寒化六壬戌寒化一風化八雨化五　正化度也　其化上苦温中酸和下甘温藥食宜也新校正云按玄珠云上甘温下酸平又按至真要大論云寒淫所勝平以辛熱濕淫于內治以苦熱

癸巳同歲會　癸亥同歲會

上厥陰木　中少徵火運新校正云詳癸巳正徵火氣平一謂巳為火亦名歲會二謂水未得化三謂五月戊午月癸得戊合故得平氣癸亥之歲亥為水水得年力便來行勝至五月戊午火還正徵其氣始平下少陽相火　寒化雨化勝復同　邪氣化度也　災九宫

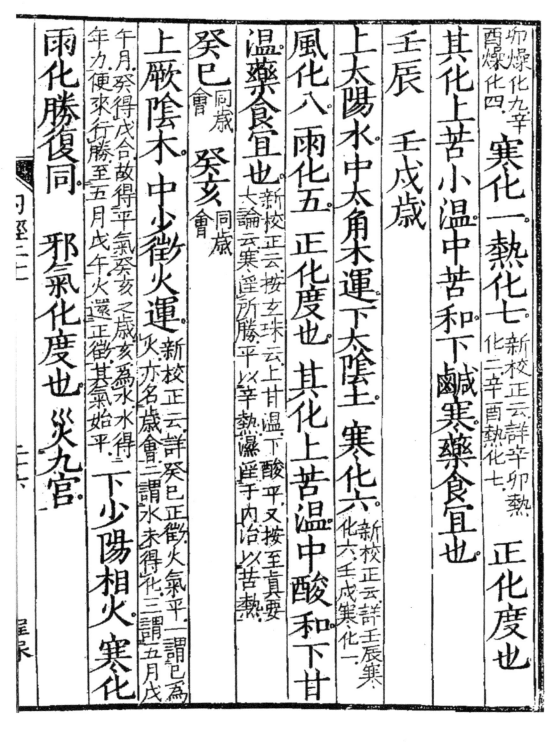

風化八。新校正云詳癸巳風化八癸亥風化三火化二。新校正云詳此運與在泉俱火故只言火化二火化二者少徵火運之化也若少陽在泉之化則癸巳熱化七癸亥熱化二正化度也其化上辛涼中鹹和下鹹寒藥食宜也

凡此定期之紀勝復正化皆有常數不可不察故知其要者一言而終不知其要流散無窮此之謂也帝曰善五運之氣亦復歲乎復報也先有勝制則後必復也岐伯曰鬱極迺發待時而作也待謂五及差分位也大溫發於辰巳大熱發於申未大涼發於戌亥大寒發於丑寅上件所勝臨之亦待間氣而發故曰待時也新校正云詳注及字疑作氣帝曰請問其所謂也岐伯曰五常之氣太過不及其發異也歲太過其發早歲不及其發晚帝曰願卒聞之岐伯曰太過者暴不及者徐暴者為病甚徐者為病持持謂相執持也

水數一上疑脫生數二字

帝曰：太過不及，其數何如？岐伯曰：太過者其數成，不及者其數生，土常以生也。數謂五常化行之數也。水數一，火數二，木數三，金數四，土數五。成數謂水數六，火數七，木數八，金數九，土數五也。故曰土常以生也。數生者，各取其生數多少以占，故政令德化勝復之休作日及尺寸分毫，並以準之。此蓋都明諸用者也。

帝曰：其發也何如？岐伯曰：土鬱之發，巖谷震驚，雷殷氣交，埃昏黃黑，化爲白氣，飄驟高深，鬱謂鬱抑天氣之甚也。故雖天氣亦有涯也，分終則衰，故雖鬱者怒發也。土化不行，炎亢無雨，木盛過極，故鬱怒發焉。土性靜定，至動也，雷雨大作，而木土相持之氣乃休解也。易曰：雷雨作解。此之謂也。土雖偪怒，木尚制之，故但震驚於氣交之中，而聲尚不能高遠也。故曰雷殷氣交。氣交謂土之上，盡山之高也。詩云：殷其雷也。所謂雷雨生於山中者，土既鬱抑，天木制之，平川土薄，氣常乾燥，故不能先發也。山原土厚，濕化豐深，土厚氣深，故先怒發也。擊石飛空，洪水迺從，川流漫衍，田牧土駒。疾氣驟雨，岸落山化，大水橫流，石迸勢急，高山空谷，擊石先飛，而洪水隨至也。洪，大也。巨川衍溢，流漫平陸，漂蕩瘞沒於粢盛。大水去已，石土危然，若羣駒散牧於田野。凡言土者，沙石同也。化氣迺敷，善爲時雨，始生始長始化始成化土化也土被制化氣不敷否極則泰屈極則伸處怫之時化氣因之乃能敷布於庶類以時而雨滋澤草木而成也善調應時也化氣既少長氣已過故萬物始生始長始化始成言是四始者明萬物化成之晚也故民病心腹脹腸鳴而爲數後甚則心痛脇䐜嘔吐霍亂飲發注下胕腫身重脾熱之生雲奔雨府霞擁朝陽山澤埃昏其迺發也以其四氣雨府太陰之所在也埃白氣似雲而薄也埃固有微甚微者如紗縠之騰甚者如薄雲霧也甚者發近微者發遠四氣謂夏至後三十一日起盡至秋分日也雲橫天山浮游生滅怫之先兆天際雲横山猶冠帶巖谷叢薄乍滅乍生有土之見怫兆已彰皆平明占之浮游以午前候望也金鬱之發天潔地明風清氣切大涼迺舉草樹浮煙燥氣以行霿霧數起殺氣來至草木蒼乾金迺有聲大涼次寒也舉用事也浮煙燥氣也殺氣霜氛正殺氣者以丑時至長者亦夘時辰時也其氣之來色黃赤黑雜而至也物不勝殺故草木蒼乾蒼者薄青色也故民病欬逆心脇滿引少

壓周本作陳

鹵即露之借字下文亦同

玉篇雰霧氣也

腹善暴痛不可反側嗌乾面塵色惡金勝而木病也山澤焦枯土凝霜鹵怫迺發也其氣五夏火炎亢時雨既愆故山澤焦枯土上凝白鹹鹵狀如霜也五氣謂秋分後至立冬後十五日內也夜零白露林莽聲悽怫之兆也夜濡白露曉聽風悽有是乃為金發徵也

水鬱之發陽氣迺辟陰氣暴舉大寒迺至川澤嚴凝寒雰結為霜雪雰音紛寒雰白氣也其狀如霧而不流行墜地如霜雪得日晞也甚則黃黑昏翳流行氣交迺為霜殺水迺見祥黃黑亦濁惡氣水氣也祥妖祥亦謂泉出平地故民病寒客心痛腰脽痛大關節不利屈伸不便善厥逆痞堅腹滿陰勝陽故陽光不治空積沉陰白埃昏暝而迺發也其氣二火前後陰精與水皆上承火故其發也在君相二火之前後亦猶辰星迎隨日也太虛深玄氣猶麻散微見而隱色黑微黃怫之先兆也深玄言高遠而黯黑也氣似散

崔難叔

麻薄微可見之也寅後卯時候之夏月兼辰前之時亦可候也木鬱之發太虛埃昏雲物以擾大風迺至屋發折木木有變屋發謂發鳴吻折木謂大樹摧拔揭落懸空中拉也變謂土生異木奇狀也故民病胃脘當心而痛上支兩脇鬲咽不通食飲不下甚則耳鳴眩轉目不識人善暴僵仆筋骨強直而不用卒倒而無所知也太虛蒼埃天山一色或氣濁色黃黑鬱若橫雲不起雨而迺發也其氣無常氣如塵如雲或黃黑鬱然猶在太虛之間而特異於常乃其候也長川草偃柔葉呈陰松吟高山虎嘯巖岫怫之先兆也草偃謂無風而自低柔葉謂白楊葉也無風而葉皆背見是謂呈陰如是皆通微其兆者發速微者發徐也山行之候則以松虎期之原行亦以麻黃為候秋冬則以梧桐蟬葉候之火鬱之發太虛腫翳大明不彰腫翳謂赤氣也大明日也新校正云詳經注中腫字疑誤炎火行大暑至山澤燔燎材木流津廣廈騰煙土浮霜

鹵止水迺減莫草焦黃風行惑言濕化迺後太陰太陽在上寒濕流於太虛心火應天鬱抑而莫能彰顯寒濕盛已火迺與行陽氣火光故曰澤燔燎井水減少妄作訛言雨已愆期也濕化迺後謂陽元主時氣不爭長故先旱而後雨也故民病少氣瘡瘍癰腫脇腹胷背面首四支䐜憤臚脹瘍痱嘔逆瘛瘲骨痛節迺有動注下溫瘧腹中暴痛血溢流注精液迺少目赤心熱甚則瞀悶懊憹善暴死火鬱而怒爲土水相持客主皆然悉無深犯則無咎也但熱已勝寒則爲摧敵而熱從心起是神氣孤危不速救之天真將竭故死火之用速故善暴死刻終大溫汗濡玄府其迺發也其氣四刻終謂晝夜水刻之終盡時也大溫次熱也玄府汗空也汗濡玄府謂早行而身蒸熱也刻盡之時陰盛於此反無涼氣是陰不勝陽熱既已萌故當怒發也　新校正云詳二火俱發四氣者何蓋火有二位爲水發之所又大熱發於申未故火鬱之發在四氣也動復則靜陽極反陰濕令迺化迺成火怒爍金陽極過亢畏火求救土中土救熱金發爲飄驟繼爲時雨氣迺和平故萬物由是迺生長化成壯極則反盛亦何長

也。華發水凝山川氷雪焰陽午澤怫之先兆也。謂君火王時有寒至也故歲君火發亦待時也。有怫之應而後報也皆觀其極而迺發也木發無時水隨火也。應爲先兆發必後至故先有應而後發也物不可以終壯觀其壯極則怫氣作焉有鬱則發氣之常謹候其時病可與期失時反歲五氣不行生化收藏政無恒也。人失其時則候無期準也帝曰水發而雹雪土發而飄驟木發而毁折金發而清明火發而曛昧何氣使然岐伯曰氣有多少發有微甚微者當其氣甚者兼其下徵其下氣而見可知也。六氣之下各有承氣也則如火位之下水氣承之水位之下土氣承之土位之下木氣承之木位之下金氣承之金位之下火氣承之君位之下陰精承之各徵其下則象可見矣故發兼其下則與本氣殊異帝曰善五氣之發不當位者何也。言不當其正月也岐伯曰命其差。謂差四時之正月位也新校正云按至真要大論云勝復之作動不當位或後時而至其故何也岐伯曰夫氣之生化與其衰盛異也寒暑溫涼盛衰之用其在四維故陽之動始於溫盛於暑陰之動始於清盛於寒春夏秋冬各差其分故大要曰彼春之暖爲夏之暑彼秋之忿爲冬之怒謹按四維斥候皆歸其終可見其始可知彼論勝復之不當位此論五氣之發不當位所論勝復五發之事則異而命其差之義則同也帝曰差有數乎言日數也岐伯曰後皆三十度而有奇也後謂四時之後也差三十日餘八十七刻半氣猶來去而甚盛也度日也四時之後今常爾新校正云詳注云八十七刻半當作四十三刻又四十分刻之三十帝曰氣至而先後者何謂未應至而至太早應至而至反太遲之類也正謂氣至在期前後岐伯曰運太過則其至先運不及則其至後此候之常也帝曰當時而至者何也岐伯曰非太過非不及則至當時非是者眚也當時謂應日刻之期也非應先後至而有先後至者皆爲災眚也帝曰善氣有非時而化者何也岐伯曰太過者當其時不及者歸其已勝也冬雨春涼秋熱冬寒之類皆爲歸已勝也帝曰四時之氣

至有早晏高下左右其候何如岐伯曰行有逆順至
有遲速故太過者化先天不及者化後天氣有餘故化先氣不足故化後
帝曰願聞其行何謂也岐伯曰春氣西行夏氣北行
秋氣東行冬氣南行觀萬物生長收藏如斯言故春氣始於下秋氣始
於上夏氣始於中冬氣始於標春氣始於左秋氣始
於右冬氣始於後夏氣始於前此四時正化之常察物
以明之可知也故至高之地冬氣常在至下之地春氣常在高山
之巔盛夏冰雪汚下川澤嚴冬草生長在之義足明矣新校正云按五常政大論云地有高下氣有温涼高者氣寒下者氣暑必謹察之
帝曰善天地陰陽視而可見何必思諸冥昧演法推求智極心勞而無所得邪黃帝問曰五運六氣
之應見六化之正六變之紀何如岐伯對曰夫六氣

正紀有化有變有勝有復有用有病不同其候帝欲何乎帝曰願盡聞之歧伯曰請遂言之（遂盡也）夫氣之所至也厥陰所至爲和平（初之氣木之化）少陰所至爲暄（二之氣君火也）太陰所至爲埃溽（四之氣土之化）少陽所至爲炎暑（三之氣相火也）陽明所至爲清勁（五之氣金之化）太陽所至爲寒雰（終之氣水之化）時化之常也（四時氣正化之常候）厥陰所至爲風府爲璺啓（璺微裂也啓開坼也）少陰所至爲火府爲舒榮太陰所至爲雨府爲員盈（物承土化質員盈滿又雨界地緑文見如環爲員化明矣）少陽所至爲熱府爲行出（藏熱者出行也）陽明所至爲司殺府爲庚蒼（庚更也更代也易也）太陽所至爲寒府爲歸藏（物寒故歸藏也）司化之常也厥陰所至爲生爲風摇（木之化也）少陰所至爲榮爲

形見火之化也太陰所至爲化爲雲雨土之化也少陽所至爲長爲蕃鮮火之化也陽明所至爲收爲霧露金之化也太陽所至爲藏爲周密水之化也氣化之常也厥陰所至爲風生終爲肅風化以生則風生也肅靜也　新校正云按六微旨大論云風位之下金氣承之故厥陰爲風生而終爲肅也少陰所至爲熱生中爲寒熱化以生則熱生也陰精承上故中爲寒也　新校正云按六微旨大論云少陰之上熱氣治之中見太陽故爲熱生而中爲寒也又云君位之下陰精承之亦爲寒之義也太陰所至爲濕生終爲注雨濕化以生則濕生也太陰在上故終爲注雨　新校正云按六微旨大論云土位之下風氣承之王注云疾風之後雨乃零濕爲風吹化而爲雨故太陰爲濕生而終爲注雨也矣少陽所至爲火生終爲蒸溽火化以生則火生也陽在上故終爲蒸溽　新校正云按六微旨大論云相火之下水氣承之故少陽爲火生而終爲蒸溽也矣陽明所至爲燥生終爲涼燥化以生則燥生也陰在上故終爲涼　新校正云詳此六氣俱先言本化次言所反之氣而獨陽明之化言燥生終爲涼未見所反之氣再尋上下文義當云陽明所至爲涼生終爲燥方與諸氣之義同

貫蓋以金位之下火氣承之故陽明爲淸生而終爲燥也太陽所至爲寒生中爲溫寒化以生則寒生也陽在內故中爲溫新校正云按五運行大論云太陽之上寒氣治之中見少陰故爲寒生而中爲溫德化之常也風生毛形熱生翮形濕生倮形火生羽形燥生介形寒生鱗形六化皆爲主歲及聞氣所在而各化生常無替也非德化則無能化生也厥陰所至爲毛化形之有毛者少陰所至爲羽化有羽翼飛行之類也太陰所至爲倮化無毛羽鱗甲之類也少陽所至爲羽化薄明羽翼蜂蟬之類非翎羽之羽也陽明所至爲介化有甲之類太陽所至爲鱗化身有鱗也德化之常也厥陰所至爲生化溫化也少陰所至爲榮化暄化也太陰所至爲濡化濕化也少陽所至爲茂化熱化也陽明所至爲堅化涼化也太陽所至爲藏化寒化也布政之常也厥陰所至爲飄怒太涼飄怒木也大涼下承之金氣也少陰所至爲大暄寒大暄君火也寒下承之陰精也太陰所至爲雷霆驟注烈

凝

胗即疹

風雷霆驟注土也烈風下承之水氣也少陽所至爲飄風燔燎霜凝飄風旋轉風也霜凝下承之水氣也陽明所至爲散落溫散落金也溫下承之火氣也太陽所至爲寒雪冰雹白埃霜雪冰雹水也白埃下承之土氣也氣變之常也變謂變常平之氣而爲甚用也用甚不已則下承之氣兼行故皆非本氣也厥陰所至爲撓動爲迎隨風之性也少陰所至爲高明焰爲曛焰陽焰也曛赤黄色也太陰所至爲沈陰爲白埃爲晦暝暗蔽不明也少陽所至爲光顯爲彤雲爲曛光顯電也流光也明也彤赤色也少陰氣同陽明所至爲煙埃爲霜爲勁切爲悽鳴殺氣也太陽所至爲剛固爲堅芒爲立寒化也令行之常也令行則庶物無違厥陰所至爲裏急筋緩縮故急少陰所至爲瘍胗身熱火氣生也太陰所至爲積飲否隔土礙也少陽所至爲嚏嘔爲瘡瘍火氣生也陽明所至爲浮虛

王注原本作慓欲同本經文作慓

約之要東畫節癰古字謂足跗腫也

浮虛薄腫按之復起也太陽所至爲屈伸不利病之常也厥陰所至爲支痛支柱妨也少陰所至爲驚惑惡寒戰慄譫妄譫亂言也今詳慓字當作慓字太陰所至爲稸滿少陽所至爲驚躁瞀昧暴病陽明所至爲鼽尻陰股膝髀腨䯒足病太陽所至爲腰痛病之常也厥陰所至爲緛戾少陰所至爲悲妄衄衊衊汙血亦脂也太陰所至爲中滿霍亂吐下少陽所至爲喉痹耳鳴嘔涌涌謂溢食不下也陽明所至皴揭身皮㿄象太陽所至爲寢汗痙寢汗謂睡中汗發於胸嗌頸掖之間也俗誤呼爲盜汗病之常也厥陰所至爲脇痛嘔泄泄謂利也少陰所至爲語笑太陰所至爲重胕腫胕腫謂肉泥按之不起也少陽所至爲暴注瞤瘛暴死陽明所至爲鼽嚏太陽

所至爲流泄禁止病之常也。凡此十二變者，報德以德，報化以化，報政以政，報令以令，氣高則高，氣下則下，氣後則後，氣前則前，氣中則中，氣外則外，位之常也。氣報德報化，謂天地氣也。高下前後中外，謂生病所也。手之陰陽其氣高，足之陰陽其氣下，足太陽氣在身後，足陽明氣在身前，足太陰少陰厥陰氣在身中，足少陽氣在身側，各隨所在言之，氣變生病象也。故風勝則動，動不寧也。新校正云：詳風勝則動至濕勝則濡泄五句，與陰陽應象大論文重，而兩注不同。熱勝則腫，熱勝氣則爲丹熛，勝血則爲癰膿，勝骨肉則爲胕腫，按之不起。燥勝則乾，乾於外則皮膚皴拆，乾於內則精血枯涸，乾於氣及津液則肉乾而皮著於骨。寒勝則浮，浮謂浮起，按之處見也。濕勝則濡泄，甚則水閉胕腫。濡泄，水利也。胕腫，肉泥，按之陷而不起也。水閉則逸於皮中也。隨氣所在以言其變耳。帝曰：願聞其用也。岐伯曰：夫六氣之用，各歸不勝而爲化，用謂施其化氣。故太陰雨化施於太陽，太陽寒化施於少陰。新校正云詳此當云少陰少陽。少陰熱化施於陽明，陽明燥化施於厥陰，厥陰風化施於太陰，各命其所在以徵之也。帝曰：自得其位何如？岐伯曰：自得其位，常化也。帝曰：願聞所在也。岐伯曰：命其位而方月可知也。隨氣所在以定其方，六分占之，則日及地分无差矣。帝曰：六位之氣盈虛何如？岐伯曰：太少異也，太者之至徐而常，少者暴而亡。力強而作，不能久長，故暴而无也。亡，無也。帝曰：天地之氣盈虛何如？岐伯曰：天氣不足，地氣隨之，地氣不足，天氣從之，運居其中而常先也。運謂木火土金水各主歲者也。地氣勝則歲運上升，天氣勝則歲氣下降，上升下降，運氣常先迁降也。惡所不勝，歸所同和，隨運歸從而生其病也。非其位則變生，變生則病作。故上勝則天氣降而下下勝則地氣遷而上勝謂多也上多則自降下多則自遷多少相移氣之常也　新校正云按六微旨大論云升已而降降者謂天降已而升升者謂地天氣下降氣流于地地氣上升氣騰于天故高下相召升降相因而變作矣此亦升降之義也矣多少而差其分多則遷降多少則遷降少多少之應有微有甚異之也微者小差甚者大差甚則位易氣交易則大變生而病作矣大要曰甚紀五分微紀七分其差可見此之謂也以其五分七分之所以知天地陰陽過差矣帝曰善論言熱無犯熱寒無犯寒余欲不遠寒不遠熱柰何岐伯曰悉乎哉問也發表不遠熱攻裏不遠寒汗泄故用熱不遠熱下利故用寒不遠寒皆以其不住於中也如是則夏可用熱冬可用寒不發不泄而無畏忌是謂妄遠法所禁也皆謂不獲已而用之也秋冬亦同　新校正云按至真要大論云發不遠熱無犯温涼帝曰不發不攻而犯寒犯熱何如岐伯曰寒熱內賊其病益甚以水濟水以火濟火適足以更生病豈唯本病之益甚乎帝

曰：願聞無病者何如？岐伯曰：無者生之，有者甚之。無病者犯禁忌，猶能生病，況有病者而未輕減，不亦難乎。帝曰：生者何如？岐伯曰：不遠熱則熱至，不遠寒則寒至。寒至則堅否腹滿，痛急下利之病生矣。食已不飢，吐利腥穢，亦寒之疾也。熱至則身熱，吐下霍亂，癰疽瘡瘍，瞀鬱注下，瞤瘛腫脹，嘔鼽衄頭痛，骨節變，肉痛血溢，血泄淋閟之病生矣。暴瘖冒昧，目不識人，躁擾狂越，妄見妄聞，罵詈驚癇，亦熱之病。帝曰：治之奈何？岐伯曰：時必順之，犯者治以勝也。春宜涼，夏宜寒，秋宜溫，冬宜熱，此時之宜，不可不順。然犯熱治以寒，犯寒治以熱，犯春宜用涼，犯秋宜用溫，是以勝也。犯熱治以鹹寒，犯寒治以甘熱，犯涼治以苦溫，犯溫治以辛涼，亦勝之道也。

黃帝問曰：婦人重身，毒之何如？岐伯曰：有故無殞，亦無殞也。故謂有大堅癥瘕，痛甚不堪，則治以破積愈癥之藥。是謂不救必迺盡死，救之蓋存其大也，雖服毒不死也。上無殞言母必全，亦無殞言子亦不死也帝曰願聞其故何謂也岐伯曰大積大聚其可犯也衰其太半而止過者死衰其太半不足以害生故衰太半則止其藥若過禁待盡毒氣内餘无病可攻以當毒藥毒攻不已則敗損中和故過則死　新校正云詳此婦人身重一節與上下文義不接疑他卷脫簡於此帝曰善鬱之甚者治之柰何天地五行應運有鬱抑不申甚者也岐伯曰木鬱達之火鬱發之土鬱奪之金鬱泄之水鬱折之然調其氣達謂吐之令其條達也發謂汗之令其踈散也奪謂下之令无擁礙也泄謂滲泄之解表利小便也折謂抑之制其衝逆也通是五法乃氣可平調後乃觀其虛盛而調理之也過者折之以其畏也所謂寫之過太過也太過者以其味寫之以鹹寫腎酸寫肝辛寫肺甘寫脾苦寫心過者畏寫故謂寫爲畏也帝曰假者何如岐伯曰有假其氣則無禁也正氣不足臨氣勝之假寒熱温涼以資四正之氣則可以熱犯熱以寒犯寒以温犯温以涼犯涼也所謂主氣不足客氣勝也客氣謂六氣更臨之氣主氣謂五藏應四時正王春夏秋冬也帝曰至哉聖人之道

天地大化運行之節，臨御之紀，陰陽之政，寒暑之令，非夫子孰能通之，請藏之靈蘭之室，署曰六元正紀，非齋戒不敢示，慎傳也。新校正云：詳此與《氣交變大論》末文同。

重廣補注黄帝内經素問卷第二十一

六元正紀大論
憒音會 曚音蒙 憹奴董切 融胡莖切 痙臣郢切

春始於仲春夏始於仲夏一件　廿二ノ廿四ヲ

隱曲　廿二ノ十八ヲ十二ヲ

治之　廿二ノ廿八ウ

後也 大便 二十二ノ十八ウ 五行
粗工嘻〻 二十二ノ廿三ヲ
丹熛 廿二ノ十七ウ 又丹胗見
鶩溏鮮 廿二ノ十八ウ
苛疾 廿二ノ廿五ヲ十二ヲ
森木 廿二ノ十七ヲ
燮欲減支明 廿四ノ二ウ
藨 廿二ノ十一ウ
嗌 廿二ノ十三ヲ 五ヲ 十三ヲ 十七ヲ
白血 廿二ノ十八ヲ
畢 廿二ノ六ヲ
掉 廿二ノ十三ヲ ウ 十七ウ 廿六ヲ
繇併 廿二ノ十八ヲ
掩衝 廿二ノ九ヲ
正理觀化藥集 廿二ノ卅一ヲ
知其要者一言而終不知其要流散無窮 廿二ノ七ウ
濡寫 廿二ノ十三ヲ十八ヲ
斁 敦俗 廿三ノ十ウ
苍白 廿四ノ五ウ
腸澼 二十三ノ二ヲ
瘍病 廿三ノ三ウ 二見
炅 廿三ノ八ヲ 廿四ノ三ヲ
弦急懸 廿四ノ二ウ
胎〻冥〻 廿四ノ四ヲ

三腸胞膻膽 廿二ノ廿ウ
下泜赤白 廿二ノ十二ウ
睍汗 廿二ノ十八ヲ
下白溺白 廿二ノ十八ウ
積寒良久 廿二ノ八ヲ
掉謂因中動 廿二ノ十三ヲ
四支轉筋 廿二ノ八ヲ 廿二ノ廿七ヲ
歲步 廿二ノ一ウ
黅 廿二ノ二ヲ
五藏配數 廿二ノ廿ウ
熱格 廿二ノ十ヲ
厲 廿二ノ十七ウ
氣遊 廿二ノ十ヲ
沃沫也 廿二ノ十ヲ
分臣 廿二ノ十三ヲ
疑殆 廿三ノ九ヲ
在經脈 諸名 廿四ノ六ウ
悗〻日暮 二十三ノ二ウ 廿四ノ九ウ
毒藥 廿三ノ三ウ 二見
上下經 廿三ノ八ウ 廿四ノ二ウ
腕下 廿四ノ三ウ
經論中 廿四ノ四ウ

飲 廿二ノ十一ウ 十三ヲ
格中而嘔 廿二ノ十八ウ
霞燒 廿二ノ二ヲ
膻 廿二ノ廿一ウ
目為心 廿四ノ八ウ
解㑊 廿二ノ十五ヲ
轉反戾 廿二ノ廿七ヲ
正行 廿二ノ廿三ヲ
溲 廿二ノ十八ヲ 二見
蟠焫 廿四ヲ 廿二ノ十三ヲ
口糜 廿二ノ十七ヲ
靈樞數紫白月論 二十二ノ王注多引
陰陽 廿二ノ三十ヲ
陽光 廿三ノ三十ヲ 廿四ウ
葆 廿三ノ十ヲ
奇恒之勢力 廿四ノ七ヲ
胞 廿三ノ三ヲ
閔〻 廿三ノ五ウ
鞹數 廿三ノ四ヲ 八ウ
膿胕 廿四ノ七ヲ
己以也 廿四ノ四ウ

感字訓估 廿二ノ廿一ウ 初行
足下溫 廿二ノ十ウ
本 廿二ノ三ヲ
脈名 廿二ノ廿二ヲ
胞 廿二ノ廿七ウ注
拔刺雪汗 廿二ノ廿六ヲ
弦急懸不絕 廿四ノ二ウ
張公 二十二ノ二十九ヲ 初行
心肺為近腎肝為遠 廿二ノ廿ウ
肅咽 廿二ノ四ウ 七ヲ 十ヲ
頔 廿二ノ五ヲ
霿霜霧 廿二ノ九ウ
絞痛 廿二ノ十三ヲ
鬲腸 廿二ノ十三ヲ
酸 廿二ノ十ウ 十七ヲ
病生四類 廿二ノ廿七ウ
瞤瘛 廿二ノ十七ヲ
掉瘛 廿二ノ十三ウ
驚瘛 廿二ノ十七ヲ
内為瘛瘲 廿二ノ十七ウ
拘瘛 廿二ノ十八ヲ
瘲瘛 廿二ノ廿六ウ 廿六ウ
沖猶升也 廿四ノ九ウ
三陽者至陽 廿四ノ三ヲ 十ウ
藥餌暴夭 廿三ノ卅一ヲ
民君卿 廿四ノ六ウ
脈經上下篇 廿三ノ三ヲ 三ウ
洒〻 廿三ノ六ウ
窈〻冥〻 廿三ノ十ヲ
土脾 廿四ノ四ヲ
理重也 廿四ノ四ウ

重廣補注黃帝内經素問卷第二十二

啓玄子次注林億孫奇高保衡等奉　敕校正孫兆重改誤

至眞要大論篇第七十四

黃帝問曰五氣交合盈虛更作余知之矣六氣分治司天地者其至何如五行主歲歲有少多故曰盈虛更作也天元紀大論曰其始也有餘而往不足隨之不足而往有餘從之則其義也天分六氣散主太虛三之氣司天終之氣監地天地生化是爲大紀故言司天地者餘四可知矣岐伯再拜對曰明乎哉問也天地之大紀人神之通應也天地變化人神運爲中外雖殊然其通應則一也帝曰願聞上合昭昭下合冥冥奈何岐伯曰此道之所主工之所疑也不知其要流散無窮帝曰願聞其道也岐伯曰厥陰司天其化以風飛揚鼓拆和氣發生萬物榮枯皆因而化變成敗也少陰司天

其化以熱。炎蒸鬱燠，故庶類蕃茂。太陰司天，其化以濕。雲雨潤澤，津液生成。少陽司天，其化以火。炎熾赫烈，以爍寒災。陽明司天，其化以燥。乾化以行，物無濕敗。太陽司天，其化以寒。對陽之化也。新校正云：詳注云對陽之化，陽字疑誤。以所臨藏位命其病者也。肝木位東方，心火位南方，脾土位西南方及四維，肺金位西方，腎水位北方，是五藏定位。然六氣御五運，所至氣不相得則病，相得則和，故先以六氣所臨，後言五藏之病也。帝曰：地化奈何？岐伯曰：司天同候，間氣皆然。六氣之本，自有常性，故雖位易而化治皆同。帝曰：間氣何謂？岐伯曰：司左右者是謂間氣也。六氣分化，常以二氣司天地，爲上下吉凶勝復客主之事。歲中悔吝從而明之，餘四氣散居左右也。故陰陽應象大論曰：天地者，萬物之上下，左右者，陰陽之道路。此之謂也。帝曰：何以異之？岐伯曰：主歲者紀歲，間氣者紀步也。歲三百六十五日四分日之一，步六十日餘八十七刻半也。積步之日，而成歲也。帝曰：善。歲主奈何？岐伯曰：厥陰司天爲風化。巳亥之歲，風高氣遠，雲飛物揚風之化也。在泉爲酸化。寅申之歲木司地氣，故物化從酸。司氣爲蒼化。木運之氣，丁壬之歲化蒼青也。間氣爲動化。徧主六十日餘八十七刻半也。新校正云：詳丑未之歲厥陰爲初之氣，子午之歲爲二之氣，辰戌之歲爲四之氣，卯酉之歲爲五之氣。少陰司天爲熱化。子午之歲陽光熠耀，暄暑流行，熱之化也。在泉爲苦化。卯酉之歲火司地氣，故物以苦生。不司氣化。君不主運。新校正云：按天元紀大論云：君火以名，相火以位。謂君火不主運也。居氣爲灼化。六十日餘八十七刻半也。居本位君火爲居，不當間之也。新校正云：詳少陰不曰間氣而云居氣者，蓋尊君火無所不居，不當間之也。王注云：居本位爲居，不當間之，則居他位不爲居而可間也。寅申之歲爲初之氣，丑未之歲爲二之氣，巳亥之歲爲四之氣，辰戌之歲爲五之氣也。太陰司天爲濕化。丑未之歲埃鬱曚昧，雲雨潤濕之化也。在泉爲甘化。辰戌之歲也。土司地氣，故甘化先焉。司氣爲黅化。土運之氣，甲巳之歲黅黃也。間氣爲柔化。濕化行則庶物柔耎。新校正云：詳太陰卯酉之歲爲初之氣，寅申之歲爲二之氣，子午之歲爲四之氣，巳亥之歲爲五之氣。少陽司天爲火化。寅申之歲也。炎光赫烈，燔灼焦然，火之化也。在泉爲苦化。巳亥之歲也。火司地氣，故苦化先焉。司氣爲丹化。火運之氣，戊癸歲也。間氣爲明化明炳明也亦謂霞燒 新校正云詳少陽辰戌之歲爲初之氣卯酉之歲爲二之氣寅申之歲爲四之氣丑未之歲爲五之氣陽明司天爲燥化卯酉之歲清切高明霧露蕭瑟燥之化也在泉爲辛化子午之歲也金司地氣故辛化先焉司氣爲素化金運之氣乙庚歲也間氣爲清化風生高勁草木清冷清之化也 新校正云詳陽明巳亥之歲爲初之氣辰戌之歲爲二之氣寅申之歲爲四之氣丑未之歲爲五之氣太陽司天爲寒化辰戌之歲嚴肅峻整慘慄凝堅寒之化也在泉爲鹹化丑未之歲水司地氣故化從鹹司氣爲玄化水運之氣丙辛歲也間氣爲藏化陰凝而冷庶物斂容歲之化也 新校正云詳子午之歲太陽爲初之氣巳亥之歲爲二之氣卯酉之歲爲四之氣寅申之歲爲五之氣也故治病者必明六化分治五味五色所生五藏所宜迺可以言盈虛病生之緒也學不厭備習也帝曰厥陰在泉而酸化先余知之矣風化之行也何如岐伯曰風行于地所謂本也餘氣同法厥陰在泉風行于地少陰在泉熱行于地太陰在泉濕行于地少陽在泉火行于地陽明

言之案安文則字案作前故案恐當此之西條人亦從案多說重改前作則拙

在泉燥行于地太陽在泉寒行于地故曰餘氣同法也本謂六氣之上元氣也本乎天者天之氣也本乎地者地之氣也化於天者爲天氣化於地者爲地氣易曰本乎天者親上本乎地者親下此之謂也新校正云按天地合氣六節分而萬物化生矣萬物居天地之間悉爲六氣所生化陰陽之用未嘗有逃生化出陰陽也故曰謹候氣宜無失病機此之謂也病機下文具矣帝曰其主病何如言采藥之歲也岐伯曰司歲備物則無遺主矣謹候司天地所生化者則其味正當其歲也故彼藥工專司歲氣所收藥物則一歲二歲其所主用無遺略也今詳前字當作則帝曰先歲物何也岐伯曰天地之專精也專精之氣藥物肥膿又於使用當其正氣味也新校正云詳先歲疑作司歲帝曰司氣者何如司運氣也岐伯曰司氣者主歲同然有餘不足也五運主歲者有餘不足比之歲物恐有薄有餘之歲藥專精也帝曰非司歲物何謂也岐伯曰散也非專精則散氣散氣則物不純也故質同而異等也形質雖同力用則異故不尚之氣

味有薄厚性用有躁靜治保有多少力化有淺深此之謂也物與歲不同者何以此爾帝曰歲主藏害何謂岐伯曰以所不勝命之則其要也木不勝金金不勝火之類是也帝曰治之奈何岐伯曰上淫于下所勝平之外淫于內所勝治之淫謂行所不勝己者也上淫于下天之氣也外淫于內地之氣也隨所制勝而以平治之也制勝謂五味寒熱溫涼隨勝用之下文備矣　新校正云詳天氣生歲雖有淫勝但當平調之故不曰治而曰平也帝曰善平氣何如平謂診平和之氣岐伯曰謹察陰陽所在而調之以平為期正者正治反者反治知陰陽所在則知尺寸應與不應不知陰陽所在則以得為失以逆為從故謹察之也陰病陽不病陽病陰不病是為正病則正治之謂以寒治熱以熱治寒也陰位已見陽脈陽位又見陰脈是謂反病則反治之謂以寒治寒以熱治熱也諸方之制咸悉不然故曰反者反治也帝曰夫子言察陰陽所在而調之論言人迎與寸口相應若引繩小大齊等命曰

王運

平。新校正云：詳論言至曰平，本靈樞經之文，今出甲乙經。云寸口主中，人迎主外，兩者相應，俱往俱來，若引繩小大齊等，春夏人迎微大，秋冬寸口微大者，故名曰平也。陰之所在寸口何如？陰之所在，脉沉不應，引繩齊等，其候頗乖，故問以明之。岐伯曰：視歲南北可知之矣。帝曰：願卒聞之。岐伯曰：北政之歲，少陰在泉，則寸口不應；木火金水運面北受氣，凡氣之在泉者，脉悉不見，唯其左右之氣脉可見之，在泉之氣善則不見，惡者可見，病以氣及客主淫勝名之，在天之氣，其亦然矣。厥陰在泉，則右不應；少陰在右故。太陰在泉，則左不應；少陰在左故。南政之歲，少陰司天，則寸口不應；土運之歲，面南行令，故少陰司天，則二手寸口不應也。厥陰司天，則右不應；太陰司天，則左不應。亦左右義也。諸不應者，反其診則見矣。不應皆爲脉沉，脉沉下者，仰手亦沉，覆其手則沉爲浮，細爲大也。帝曰：尺候何如？岐伯曰：北政之歲，三陰在下，則寸不應；三陰在上，則尺不應。司天曰上，在泉曰下。南政之歲，三陰在天則寸不應三陰在泉則尺不應左右同尺不應寸左右悉與寸不應義同故曰知其要者一言而終不知其要流散無窮此之謂也要謂知陰陽所在也知則用之不惑不知則尺寸之氣沉浮小大常三歲一差欲求其意猶遶樹問枝雖白首區區尚未知所詣況其旬月而可知乎帝曰善天地之氣內淫而病何如岐伯曰歲厥陰在泉風淫所勝則地氣不明平野昧草迺早秀民病洒洒振寒善伸數欠心痛支滿兩脇裏急飲食不下鬲咽不通食則嘔腹脹善噫得後與氣則快然如衰身體皆重謂甲寅丙寅戊寅庚寅壬寅甲申丙申戊申庚申壬申歲也氣不明謂天圍之際氣色昏暗風行地上故平野皆然昧謂暗也胸脅謂兩乳之下及胠外也伸謂以欲伸努筋骨也　新校正云按甲乙經洒洒振寒善伸數欠為胃病食則嘔腹脹善噫得後與氣則快然如衰身體皆重為脾病飲食不下鬲咽不通邪在胃脘也蓋厥陰在泉之歲木王而剋脾胃故病如是又按脉解云所謂食則嘔者物盛滿而上溢故嘔也所謂得後與氣則快

瞑盖瞑 後八頁面曰發熱惡寒而瘧 而此如瘧義

和刻回作曲 注同

王注別作列 可從列裂也

然如衰者十二月陰氣下衰而陽氣且出故曰得後與氣則快然如衰也歲少陰在泉熱淫所勝則焰浮川澤陰處反明民病腹中常鳴氣上衝胷喘不能久立寒熱皮膚痛目瞑齒痛𩑺腫惡寒發熱如瘧少腹中痛腹大蟄蟲不藏謂乙卯丁卯己卯辛卯癸卯乙酉丁酉己酉辛酉癸酉歲也陰處北方也不能久立足無力也腹大謂心氣不足也金火相薄而爲是也　新校正云按甲乙經齒痛𩑺腫爲大腸病腹中雷鳴氣常衝胷喘不能久立邪在大腸也蓋少陰在泉之歲火剋金故大腸病也歲太陰在泉草乃早榮新校正云詳此四字疑衍濕淫所勝則埃昏巖谷黄反見黑至陰之交民病飲積心痛耳聾渾渾焞焞嗌腫喉痺陰病血見少腹痛腫不得小便病衝頭痛目似脫項似拔腰似折髀不可以回膕如結腨如別謂甲辰丙辰戊辰庚辰壬辰甲戌丙戌戊戌庚戌壬戌歲也太陰爲土色見應黄於天中而反見於北方黑處也水土同見故曰至陰之交

冥暝正俗字
霿稽霿稽之訛
霿稽霿務云三十字即狀霿稽之二物朝霿稽也名晦
言霿務起霿稽晦云三十三字即狀本文霿稽及霿霧二物並薄寒也
霿務或作霿霧晚
霿本也
霿本訛今足大錯謬說文解字全是空從焉　夫霿稽朝降晴者也霿務晚發而起者也此王氏言簡約而详悉

交合其氣色也。衝頭痛，謂腦後眉間痛也。膕，謂膝後曲脚之中也。腨，䏚後耎肉處也。　新校正云：按甲乙經耳聾渾渾焞焞嗌腫喉痺爲三焦病，爲病衝頭痛，目似脱，項似拔，腰似折，髀不可以回，膕如結，腨如列，爲膀胱足太陽病。又少腹腫痛，不得小便，邪在三焦。蓋太陰在泉之歲，土正剋太陽，故病如是也。

歲少陽在泉，火淫所勝，則焰明郊野，寒熱更至。民病注泄赤白，少腹痛，溺赤，甚則血便。少陰同候。謂乙巳、丁巳、己巳、辛巳、癸巳、乙亥、丁亥、己亥、辛亥、癸亥歲也。處寒之時，熱更其氣，熱氣既往，寒氣後來，故云更至也。餘候與少陰在泉正同。

歲陽明在泉，燥淫所勝，則霿霧清暝。民病喜嘔，嘔有苦，善大息，心脅痛，不能反側，甚則嗌乾面塵，身無膏澤，足外反熱。謂甲子、丙子、戊子、庚子、壬子、甲午、丙午、戊午、庚午、壬午歲也。霿霧，謂霧暗不分，似霧也。清，薄寒也。言霧起霿暗，不辨物形而薄寒也。心脅痛，謂心之傍脇中痛也。面塵，謂面上如有觸冒塵土之色也。　新校正云：按甲乙經病喜嘔，嘔有苦，善大息，心脅痛，不能反側，甚則面塵，身無膏澤，足外反熱，爲膽病；嗌乾面塵，爲肝病。蓋陽明在泉之歲，金王剋木，故病如是。又按脉解云：少陽所謂心脅痛者，言少陽盛也，盛者心之所表也。九月陽氣盡而陰氣盛，故心脅痛。所謂不可反側者，陰氣藏物也，物藏則不動，故不可反側也。

歲太陽在泉，寒淫所勝，則凝肅慘慄。民病少腹控睪，引腰脊，上衝心痛，血見，嗌痛頷腫。謂乙丑、丁丑、己丑、辛丑、癸丑、乙未、丁未、己未、辛未、癸未歲也。凝肅，謂寒氣靄空，凝而不動，萬物靜肅其儀形也。慘慄，寒甚也。控，引也。睪，陰丸也。頷，頰車前牙之下也。新校正云：按《甲乙經》嗌痛頷腫為小腸病，又少腹控睪引腰脊上衝心肺，邪在小腸也。蓋太陽在泉之歲，水剋火，故病如是。

帝曰：善。治之奈何？

岐伯曰：諸氣在泉，風淫于內，治以辛涼，佐以苦，以甘緩之，以辛散之。風性喜溫而惡清，故治之涼，是以勝氣治之也。佐以苦，隨其所利也。木苦急，則以甘緩之；苦抑，則以辛散之。《藏氣法時論》曰：肝苦急，急食甘以緩之。肝欲散，急食辛以散之。此之謂也。食亦音飼。已曰食，他曰飼也。大法正味如此，諸為方者，不必盡用之，但一佐二佐，病已則止。餘氣皆然。

熱淫于內，治以鹹寒，佐以甘苦，以酸收之，以苦發之。熱性惡寒，故治以寒也。熱之大盛，甚於表者，以苦發之；不盡，復寒制之；寒制不盡，復苦發之，以酸收之。甚者再方，微者一方，可使必已。時發時止，亦以酸收之。

濕淫于內，治以苦熱，佐以酸淡，以苦燥之，以淡泄之。濕與燥反，故治以苦熱，佐以酸淡也。燥除濕，故以苦燥其濕也。淡利竅，故以淡滲泄也。藏氣法時論曰：脾苦濕，急食苦以燥之。靈樞經曰：淡利竅也。生氣通天論曰：味過於苦，脾氣不濡，胃氣乃厚。明苦燥也。新校正云：按天元正紀大論曰：下太陰，其化下甘溫。火淫于內，治以鹹冷，佐以苦辛，以酸收之，以苦發之。火氣大行，心腹心怒之所生也。鹹性柔耎，故以治之，以酸收之，大法候其須汗者，以辛佐之，不必要資苦味令其汗也。欲耎者，以鹹治之。藏氣法時論曰：心欲耎，急食鹹以耎之。心苦緩，急食酸以收之。此之謂也。燥淫于內，治以苦溫，佐以甘辛，以苦下之。溫利涼性，故以苦治之。下謂利之，使不得也。新校正云：按藏氣法時論曰：肺苦氣上逆，急食苦以泄之，用辛寫之，酸補之。又按下文司天燥淫所勝，佐以酸辛，此云甘辛者，甘字疑當作酸。天元正紀大論云：下酸熱，與苦溫之治又異。又云以酸收之而安其下，甚則以苦泄之也。寒淫于內，治以甘熱，佐以苦辛，以鹹寫之，以辛潤之，以苦堅之。以熱治寒，是為摧勝，折其氣用，令不滋繁也。苦辛之佐，通事行之。新校正云：按藏氣法時論曰：腎苦燥，急食辛以潤之。腎欲堅，急食苦以堅之，用苦補之，鹹寫之。舊注引此在濕淫于內之下，上無義，今移於此矣。帝曰：善。天氣之變何如？岐伯曰：厥陰司天，風淫所勝則太虛埃昏雲物以擾寒生春氣流水不冰民病胃脘當心而痛上支兩脅鬲咽不通飲食不下舌本強食則嘔冷泄腹脹溏泄瘕水閉蟄蟲不去病本于脾謂乙巳丁巳己巳辛巳癸巳乙亥丁亥己亥辛亥癸亥歲也是歲民病集於中也風自天行故太虛埃起風動飄蕩故雲物擾也埃青塵也不分遠物是爲埃昏土之爲病其善泄利若病水則小便閉而不下若大泄利則經水亦多閉絕也　新校正云按甲乙經舌本強食則嘔腹脹溏泄瘕水閉爲脾病又胃病者腹脾脹胃脘當心而痛上支兩脅鬲咽不通食飲不下蓋厥陰司天之歲木勝土故病如是也衝陽絕死不治衝陽在足跗上動脈應手胃之氣也衝陽脈微則食飲減少絕則藥食不入亦下嗌還出也攻之不入養之不生邪氣日強真氣內絕故其必死不可復也

少陰司天熱淫所勝怫熱至火行其政民病胸中煩熱嗌乾右胠滿皮膚痛寒熱欬喘大雨且至唾血血泄鼽衄嚏嘔溺色變甚則瘡瘍胕腫肩背臂臑及缺

右

盆中痛，心痛，肺䐜，腹大滿，膨膨而喘欬，病本于肺。謂甲子丙子戊子庚子壬子甲午丙午戊午庚午壬午歲也。怫熱至是，火行其政乃爾。是歲民病集於右，蓋以小腸通心故也。病自肺生，故曰病本于肺也。新校正云：按甲乙經，溺色變，肩背臂臑及缺盆中痛，肺脹滿膨膨而喘欬，爲肺病；鼽衄爲大腸病。蓋少陰司天之歲，火剋金，故病如是。又王注民病集於右，以小腸通心故。按甲乙經，小腸附脊左環，回腸附脊在環，所說不應，得非火勝剋金，而大腸病歟。尺澤絶，死不治。尺澤在肘內廉大文中，動脈應手，肺之氣也。火爍於金，承天之命，金氣內絶，故必危亡。尺澤不至，肺氣已絶，榮衛之氣宣行無主，真氣內竭，生之何有哉。太陰司天，濕淫所勝，則沈陰且布，雨變枯槁，胕腫骨痛，陰痺，陰痺者按之不得，腰脊頭項痛，時眩，大便難，陰氣不用，飢不欲食，欬唾則有血，心如懸，病本于腎。謂乙丑丁丑己丑辛丑癸丑乙未丁未己未辛未癸未歲也。沈，久也。腎氣受邪，水無能潤，下焦枯涸，故大便難也。新校正云：按甲乙經，飢不用食，欬唾則有血，心懸如飢狀，爲腎病。又邪在腎則骨痛陰痺，陰痺者按之而不得，腹脹腰痛，大便難，肩背頸項強痛，時眩。蓋太陰司天之歲，土剋水，故病如是矣。太谿絶，死不治。太谿在足

案此肺當天鬲二二六藏之一也

內踝後跟骨上動脈應手腎之氣也土邪勝水而腎氣內絕邪甚正微故方無所用矣少陽司天火淫所勝則溫氣流行金政不平民病頭痛發熱惡寒而瘧熱上皮膚痛色變黃赤傳而爲水身面胕腫腹滿仰息泄注赤白瘡瘍欬唾血煩心胷中熱甚則鼽衄病本于肺謂甲寅丙寅戊寅庚寅壬寅甲申丙申戊申庚申壬申歲也火來用事則金氣受邪故曰金政不平也火炎於上金肺受邪客熱內燔水無能救故化生諸病也制火之客則已矣　新校正云按甲乙經邪在肺則皮膚痛發寒熱蓋少陽司天之歲火剋金故病如是也天府絕死不治天府在肘後彼側上掖下同身寸之三寸動脈應手肺之氣也火勝而金脉絕故死陽明司天燥淫所勝則木廼晚榮草廼晚生筋骨內變民病左胠脇痛寒清于中感而瘧大凉革候欬腹中鳴注泄鶩溏名木歛生菀于下草焦上首心脅暴痛不可反側嗌乾面塵腰

眛从日

要大腸之首居右其絡差

痛。丈夫癩疝。婦人少腹痛。目眛眥瘍。瘡痤癰。蟄蟲來見。病本于肝。謂乙卯丁卯己卯辛卯癸卯乙酉丁酉己酉辛酉癸酉歲也。金勝、故草木晚生榮也。配於人身、則筋骨內應而不用也。大涼之氣變易時候、則人寒清發於中。內感寒氣、則為痎瘧也。大腸居右、肺氣通之。今肺氣內淫、肝居于左、故左胠脇痛如刺割也。其歲民自注泄、則無淫勝之疾也。大涼次寒也。大涼且甚、陽氣不行、故大容收斂、草榮悉晚。生氣已升、陽不布令、故閉積生氣而稸於下也。在人之應、則少腹之內痛氣居之、發疾於仲夏。瘡瘍之疾、猶及秋中。瘡痤之類、生於上。癰腫之患、生於下。瘡色雖赤、中心正白、物氣之常也。新校正云、按甲乙經、腰痛不可以俛仰、丈夫癩疝、婦人少腹腫、甚則嗌乾面塵、為肝病。又胷滿洞泄、為肝病。又心脅痛不能反側、目銳眥痛、缺盆中腫痛、腋下腫、馬刀挾癭、汗出振寒瘧、為膽病。蓋陽明司天之歲、金剋木、故病如是。又按脈解云、厥陰所謂癩疝、婦人少腹腫者、厥陰者辰也。三月陽中之陰、邪在中、故曰癩疝少腹腫也。太衝絕。死不治。太衝在足大指本節後二寸、脈動應手、肝之氣也。金來伐木、肝氣內絕、真不勝邪、死其宜也。太陽司天。寒淫所勝。則寒氣反至。水且冰。血變于中。發為癰瘍。民病厥心痛。嘔血血泄鼽衄。善悲。時眩仆。運火炎烈。雨暴迺雹。

和坊刻作掖 可攷
色炲 本舌苔攷
案珠形雹三字一句半逗

司

胷腹滿手熱肘攣掖衝心澹澹大動胷脇胃脘不安面赤目黄善噫嗌乾甚則色炲渴而欲飲病本于心謂甲辰丙辰戊辰庚辰壬辰甲戌丙戌戊戌庚戌壬戌歲也太陽司天寒氣布化故水且冰而血凝皮膚之間衞氣結聚故爲癰也若乘火運而火熱炎烈與水交戰故暴雨半珠形雹也心氣爲噫故善噫是歲民病集於心脅之中也陽氣內鬱濕氣下蒸故心厥痛而嘔血血泄鼽衄面赤目黄善噫手熱肘攣掖腫嗌乾甚則寒氣勝陽水行凌火火氣內鬱故渴而欲飲也病始心生爲陰凌犯故云病本于心也新校正云按甲乙經手熱肘攣掖腫甚則胷脇支滿心澹澹大動面赤目黄爲手心主病又邪在心則病心痛善悲時眩仆蓋太陽司天之歲水剋火故病如是神門絕死不治神門在手之掌後銳骨之端動脈應手眞心氣也水行乘火而心氣內結神氣已亡不死何待善知其診故不治也所謂動氣知其藏也所以診視而知死者何以皆是藏之經脉動氣知神藏之存亡爾帝曰善治之柰何謂司攻治者岐伯曰司天之氣風淫所勝平以辛涼佐以苦甘以甘緩之以酸寫之厥陰之氣未爲盛熱故曰涼藥平之夫氣之用也積涼爲寒積温爲熱以熱少之其則温也以寒少之其則涼也以温多之其則熱也以

內經二十二

涼多之其則寒也各當其分則寒寒也溫溫也熱熱也涼涼也方書之用可不務乎故寒熱溫涼商降多少善爲方者意必精通餘氣皆然從其制也 新校正云按本論上文云上淫于下所勝平之外淫于内所勝治之故在泉曰治司天曰平也

熱淫所勝平以鹹寒佐以苦甘以酸收之熱氣已退時發動者是爲心虚氣散不斂以酸收之雖以酸收亦兼寒助乃能殄除其源本矣熱見太甚則以苦發之汗已便涼是邪氣盡勿寒水之汗已猶熱是邪氣未盡則以酸收之已又熱則復汗之已汗復熱是藏虚也則補其心可矣法則合爾諸治熱者亦未必得再三發三治況四變而反覆者乎

濕淫所勝平以苦熱佐以酸辛以苦燥之以淡泄之濕氣所淫皆爲腫滿但除其濕腫滿自衰因濕生病不腫不滿者亦爾治之濕氣在上以苦吐之濕氣在下以苦泄之以淡滲之則皆燥也泄謂滲泄以利水道下小便爲法然酸雖熱亦用利小便去伏水也治濕之病不下小便非其法也 新校正云按濕淫于内佐以酸淡此云酸辛者辛疑當作淡

濕上甚而熱治以苦溫佐以甘辛以汗爲故而止身半以上濕氣餘火氣復鬱鬱濕相薄則以苦溫甘辛之藥解表流汗而袪之故云以汗爲除病之故而已也

火淫所勝平以酸冷佐以苦甘以酸收之以苦發之以酸復之

熱淫同。同熱淫義，熱亦如此法。以酸復其本氣也。不復其氣，則淫氣空虛，招其損。燥淫所勝，平以苦濕，佐以酸辛，以苦下之。制燥之勝，必以苦濕，是以火之氣味也。宜下必以苦，宜補必以酸，宜寫必以辛。清甚生寒，留而不去，則以苦濕下之。氣有餘，則以辛寫之。諸氣同。新校正云：按上文燥淫于內，治以苦溫。此云苦濕者，濕當爲溫。文注中濕字三，並當作溫。又按天元正紀大論亦作苦小溫。寒淫所勝，平以辛熱，佐以甘苦，以鹹寫之。淫散止之，不可過也。新校正云：按上文寒淫于內，治以甘熱，佐以苦辛。此云平以辛熱，佐以甘苦者，此文爲誤。又按天元正紀大論云：太陽之政，歲宜苦以燥之也。帝曰：善。邪氣反勝，治之柰何？不能淫勝於他氣，反爲不勝之氣爲邪以勝之。岐伯曰：風司于地，清反勝之，治以酸溫，佐以苦甘，以辛平之。厥陰在泉則風司于地，謂五寅歲、五申歲，邪氣勝盛，故先以酸寫，佐以苦甘。邪氣退則正氣虛，故以辛補養而平之。熱司于地，寒反勝之，治以甘熱，佐以苦辛，以鹹平之。少陰在泉則熱司于地，謂五卯五酉之歲也。先寫其邪，而後平其正氣也。濕司于地，熱反勝之，治以苦冷，佐以鹹甘，以苦平之太陰在泉則濕司于地謂五辰五戌歲也補寫之義餘氣皆同火司于地寒反勝之治以甘熱佐以苦辛以鹹平之少陽在泉則火司于地謂五巳五亥歲也燥司于地熱反勝之治以平寒佐以苦甘以酸平之以和為利陽明在泉則燥司于地謂五子五午歲也燥之性惡熱亦畏寒故以冷熱和平為方制也寒司于地熱反勝之治以鹹冷佐以甘辛以苦平之太陽在泉則寒司于地謂五丑五未歲也此六氣方治與前淫勝法殊貫云治者寫客邪之勝氣也云佐者皆所利所宜也云平者補巳弱之正氣也帝曰其司天邪勝何如岐伯曰風化於天淸反勝之治以酸溫佐以甘苦亥巳歲也熱化於天寒反勝之治以甘溫佐以苦酸辛子午歲也濕化於天熱反勝之治以苦寒佐以苦酸丑未歲也火化於天寒反勝之治以甘熱佐以苦辛寅申歲也燥化於天熱反勝之治以辛寒佐以

也下文曰心胃生寒同理

如字或也蓋憒和坊刻作瞶

遊氣千金外台可攷

苦甘（卯酉歲也）寒化於天，熱反勝之，治以鹹冷，佐以苦辛。（辰戌歲也）

帝曰：六氣相勝柰何？（先舉其用爲勝）岐伯曰：厥陰之勝，耳鳴頭眩，憒憒欲吐，胃鬲如寒，大風數舉，倮蟲不滋，胠脇氣并，化而爲熱，小便黃赤，胃脘當心而痛，上支兩脇，腸鳴飧泄，少腹痛，注下赤白，甚則嘔吐，鬲咽不通。（五巳五亥歲也。心下齊上，胃之分。胃鬲謂胃脘之上及大鬲之下，風寒氣生也。氣并謂偏著一邊。鬲咽謂食飲入而復出也。新校正云：按甲乙經，胃病者，胃脘當心而痛，上支兩脇，鬲咽不通也。）少陰之勝，心下熱善飢，齊下反動，氣遊三焦，炎暑至，木迺津，草迺萎，嘔逆躁煩，腹滿痛溏泄，傳爲赤沃。（五子五午歲也。沃，沫也。）太陰之勝，火氣內鬱，瘡瘍於中，流散於外，病在胠脇，甚則心痛，熱格頭痛，喉痺項強，獨勝則濕

驚字可玩

臀內可攷

氣內鬱寒迫下焦痛留頂互引眉間胃滿雨數至燥化廼見少腹滿腰脽重強內不便善注泄足下溫頭重足脛胕腫飲發於中胕腫於上五丑五未歲也濕勝於上則火氣內鬱鬱勝於中則寒迫下焦水溢河渠則鱗蟲離水也脽謂臀肉也不便謂腰重內強直屈伸不利也獨勝謂不兼鬱火也胕腫於上謂首面也足脛腫是火鬱所生也新校正云詳注云水溢河渠則鱗蟲離水也王作此注於經文無所解又按太陰之復云大雨時行鱗見於陸則此文於雨數至下脫少鱗見於陸四字不然則王注無因爲解也少陽之勝熱客於胃煩心心痛目赤欲嘔嘔酸善飢耳痛溺赤善驚譫妄暴熱消爍草萎水涸介蟲廼屈少腹痛下沃赤白五寅五申歲也熱暴甚故草萎水涸陰氣消爍介蟲金化也火氣大勝故介蟲屈伏酸醋水也陽明之勝清發於中左胠脇痛溏泄內爲嗌塞外發癩疝大涼肅殺華英改容毛蟲廼殃胷中不便嗌塞

筋拘肉苛之義

戶謂顱骨

而欬五卯五酉歲也大涼肅殺金氣勝木故草木華英爲殺氣損削改易形容而焦其上首也毛蟲木化氣不宜金故金政大行而毛蟲死耗也肝木之氣下主於陰故大涼行而癩疝發也胸中不便謂呼吸回轉或痛或緩急而不利便也氣大盛故嗌塞而欬也嗌謂喉之下接連胸中肺兩葉之間者也

太陽之勝凝凓且至非時水冰羽迺後化痔瘧發寒厥入胃則内生心痛陰中迺瘍隱曲不利互引陰股筋肉拘苛血脉凝泣絡滿色變或爲血泄皮膚否腫腹滿食減熱反上行頭項囟頂腦戶中痛目如脫寒入下焦傳爲濡寫五辰五戌歲也寒氣凌逼陽不勝之故非寒時而止水冰結也水氣大勝陽火不行故諸羽蟲生化而後也拘急也苛重也絡絡脉也太陽之氣標在於巔故熱反上行於頭也以其脉起於目内眥上額交巔上入絡腦還出別下項故囟頂及腦戶中痛目如欲脫也濡謂水利也　新校正云按甲乙經痔瘧頭項囟頂腦戶中痛目如脫爲太陽經病

帝曰治之奈何岐伯曰厥陰之勝治以甘清佐以苦辛以酸寫之少陰之勝

治以辛寒佐以苦鹹以甘寫之太陰之勝治以鹹熱佐以辛甘以苦寫之少陽之勝治以辛寒佐以甘鹹以甘寫之陽明之勝治以酸温佐以辛甘以苦泄之太陽之勝治以甘熱佐以辛酸以鹹寫之六勝之至皆先歸其不勝已者之故不勝者當先寫之以通其道次寫所勝之氣令其退釋也治諸勝而不寫遣之則勝氣浸盛而内生諸病也　新校正云詳此爲治皆先寫其不勝而後寫其來勝獨太陽之勝治以甘熱寫異疑甘字苦之誤也若云治以苦熱則六勝之治皆一貫也

帝曰六氣之復何如復謂報復報其勝也凡先有勝後必有復　新校正云按玄珠云六氣分正化對化厥陰正司於亥對化於巳少陰正司於午對化於子太陰正司於未對化於丑少陽正司於寅對化於申陽明正司於酉對化於卯太陽正司於戌對化於辰正司化令之實對司化令之虚對化勝而有復正化勝而不復此注云凡先有勝後必有復似未然

岐伯曰悉乎哉問也厥陰之復少腹堅滿裏急暴痛偃木飛沙倮蟲不榮厥心痛汗發嘔吐飲

豪大合僉恒
問義

食不入入而復出筋骨掉眩清厥甚則入脾食痺而吐土裏腹脇之内也木偃沙飛風之大也風爲木勝故土不榮氣厥謂氣衝胸脇而支及心也胃受逆氣而上攻心痛也痛甚則汗發泄掉謂肉中動也清厥手足冷也食痺謂食已心下痛陰陰然不可名也不可忍也吐出乃止此爲胃氣逆而不下流也食飲不入入而復出肝乘脾胃故令爾也衝陽絶死不治衝陽胃脉氣也少陰之復燠熱内作煩躁鼽嚏少腹絞痛火見燔焫嗌燥分注時止氣動於左上行於右欬皮膚痛暴瘖心痛鬱冒不知人廼洒淅惡寒振慄譫妄寒已而熱渴而欲飲少氣骨痿隔腸不便外爲浮腫噦噫赤氣後化流水不冰熱氣大行介蟲不復病疿胗瘡瘍癰疽痤痔甚則入肺欬而鼻淵火熱之氣自小腸從臍下之左入大腸上行至左脇甚則上行於右而入肺故動於左上行於右皮膚痛也分注謂大小俱下也骨痿言骨弱而無力也隔腸謂腸如隔絶而不便

也行

也寫也寒熱甚則然陽明先勝故赤氣後化流水不氷少陰之本司於地也在
人之應則冬脉不疑若高山窮谷已是至高之處水亦當氷平下川流則如經
矣火氣内蒸金氣外拒陽熱内鬱故爲痱胗瘡瘍胗甚亦爲瘡也熱少則外生
痱胗熱多則内結癰痤小腸有熱則中外爲痔其復熱之變皆病於身後及外
側也瘡瘍痱胗生於上癰疽痤
痔生於下反其處者皆爲逆也天府絶死不治天府肺脉氣也　新校正云
按上文少陰司天熱淫所勝
尺澤絶死不治少陽司天火淫所勝天府絶死不治此云少陰之復天府絶死
不治下文少陽之復尺澤絶死不治文如相反者蓋尺澤天府俱手太陰脉之
所發動故
此互文也太陰之復濕變迺舉體重中滿食飲不化陰氣
上厥胷中不便飲發於中欬喘有聲大雨時行鱗見
於陸頭頂痛重而掉瘛尤甚嘔而密默唾吐清液甚
則入腎竅寫無度濕氣内逆寒氣不行太陽上流故爲是病頭頂痛重
則腦中掉瘛尤甚腸胃寒濕熱無所行重灼胷府故
胷中不便食飲不化嘔而密默欲靜定也喉中惡冷故唾吐冷水也寒氣易位
上入肺喉則息道不利故欬喘而喉中有聲也水居平澤則魚遊於市頭頂囟
痛女人亦兼痛於眉間也　新校正云按上文太陰在泉頭
痛項似拔又太陰司天云頭項痛此云頭頂痛頂疑當作項太谿絶死不

糜即糜訛

治大谿腎脈氣也少陽之復大熱將至枯燥燔爇介蟲廼耗驚瘛欬衄心熱煩躁便數憎風厥氣上行面如浮埃目乃瞤瘛火氣內發上爲口糜嘔逆血溢血泄發而爲瘧惡寒鼓慄寒極反熱嗌絡焦槁渴引水漿色變黃赤少氣脈萎化而爲水傳爲胕腫甚則入肺欬而血泄火氣專暴枯燥草木燔焫自生故燔爇也爇音焫火內熾故驚瘛欬衄心熱煩躁便數憎風也火炎於上則庶物失色故如塵埃浮於面而目瞤動也火爍於內則口舌糜爛嘔逆及爲血溢血泄風火相薄則爲溫瘧氣蒸熱化則爲水病傳爲胕腫胕謂皮肉俱腫按之陷下泥而不起也如是之證皆火氣所生也尺澤絕死不治尺澤肺脈氣也陽明之復清氣大舉森木蒼乾毛蟲廼厲病生胠脇氣歸於左善太息甚則心痛否滿腹脹而泄嘔苦欬噦煩心病在鬲中頭痛甚則入

疵可攷

肝驚駭筋攣殺氣大舉木不勝之故蒼清之葉不及黃而乾燥也厲謂疵厲疾疫死也清甚於内熱鬱於外故也太衝絶死不治太衝肝脉氣也太陽之復厥氣上行水凝雨冰羽蟲廼死心胃生寒胷膈不利心痛否滿頭痛善悲時眩仆食減腰脽反痛屈伸不便地裂冰堅陽光不治少腹控睾引腰脊上衝心唾出清水及爲噦噫甚則入心善忘善悲雨冰謂雹也寒而遇雹死亦其宜寒化於地其上復土故地體分裂水積冰堅久而不釋是陽光之氣不治寒凝之物也太陽之復與不相持上濕下寒火無所往心氣内鬱熱由是生火熱内燔故生斯病　新校正云詳注云與不相持不字疑作土神門絶死不治神門真心脉氣帝曰善治之奈何復氣倍勝故先問以治之岐伯曰厥陰之復治以酸寒佐以甘辛以酸瀉之以甘緩之不太緩之夏猶不已復重於勝故治以辛寒也　新校正云按别本治以酸寒作治以辛寒也少陰之復治以鹹寒佐以苦辛

以甘寫之，以酸收之，辛苦發之，以鹹耎之。不大發汗，以寒攻之，持至仲秋，熱内伏結，而爲悲熱少氣，少力而不能起矣。熱伏不散，歸於骨矣。太陰之復，治以苦熱，佐以酸辛，以苦寫之，燥之，泄之。不燥泄之，久而爲身腫腹滿，關節不利，腨及伏兔髀滿，内作膝腰脛内側胕腫病。少陽之復，治以鹹冷，佐以苦辛，以鹹耎之，以酸收之，辛苦發之，發不遠熱，無犯温涼，少陰同法。不發汗以奪盛陽，則熱内淫於四支，而爲解㑊不可名也。謂熱不甚，謂寒不甚，謂強不甚，謂弱不甚，不可以名言，故謂之解㑊。粗醫呼爲鬼氣惡病也。久久不已，則骨熱髓涸齒乾，乃爲骨熱病也。發汗奪陽，故無留熱。故發汗者，雖熱生病夏月，及差亦用熱藥以發之。當春秋時，縱火熱勝，亦不得以熱藥發汗，汗不發而藥熱内甚，助病爲瘧，逆伐神靈，故曰無犯温涼。少陰氣熱，爲療則同，故云與少陰同法也。數奪其汗，則津竭涸，故以酸收，以鹹潤也。新校正云：按天元正紀大論云：發表不遠熱。陽明之復，治以辛温，佐以苦甘，以苦泄之，以苦下之，以酸補之。泄謂滲泄，汗及小便湯浴皆是也。秋分前後則亦發之，春有勝則依勝法，或不已，亦湯漬和其中外也。怒復之後，其氣皆虛，故補之。

以安全其氣餘復治同。太陽之復，治以鹹熱，佐以甘辛，以苦堅之。不堅則寒氣內變，止而復發，發而復止，綿歷年歲，生大寒疾。治諸勝復，寒者熱之，熱者寒之，溫者清之，清者溫之，散者收之，抑者散之，燥者潤之，急者緩之，堅者耎之，脆者堅之，衰者補之，強者寫之，各安其氣，必清必靜，則病氣衰去，歸其所宗，此治之大體也。太陽氣寒，少陰少陽氣熱，厥陰氣溫，陽明氣清，太陰氣濕，有勝復則各倍其氣以調之，故可使平也。宗，屬也。調不失理，則餘之氣自歸其所屬，少之氣自安其所居。勝復衰已，則各補養而平定之，必清必靜，無妄撓之，則六氣循環，五神安泰。若運氣之寒熱，治之平之，亦各歸司天地氣也。帝曰：善。氣之上下，何謂也？岐伯曰：身半以上，其氣三矣，天之分也，天氣主之；身半以下，其氣三矣，地之分也，地氣主之。以名命氣，以氣命處，而言其病。半，所謂天樞也。

運
二九

身之半正謂齊中也或以腰爲身半是以居中爲義過天中也中原之人悉如此矣當伸臂指天舒足指地以繩量之中正當齊也故又曰半所謂天樞也天樞正當齊齊兩傍同身寸之二寸也其氣三者假如少陰司天則上有熱中有太陽兼之三也六氣皆然司天者其氣三司地者其氣三故身半以上三氣身半以下三氣也以名言其氣以氣言其處以氣處寒熱而言其病之形證也則如足厥陰氣居足及股脛之內側上行於少腹循脅足陽明氣在足之上䯒之外股之前上行腹齊之傍循胸乳上面足太陽氣起於目上額絡頭下項背過腰橫過髀樞股後下行入膕貫腨出外踝之後足小指外側足太陰氣循足及股脛之內側上行腹脅之前足少陰同之足少陽氣循脛外側上行腹脅之側循頰耳至目銳眥在首之側此足六氣之部主也手厥陰少陰太陰氣從心胷橫出循臂內側至中指小指大指之端手陽明少陽太陽氣並起手表循臂外側上肩及甲上頭此手六氣之部主也欲知病診當隨氣所在以言之當陰之分冷病歸之當陽之分熱病歸之故勝復之作先言病生寒熱者必依此物理也新校正云按六微旨大論云天樞之上天氣主之天樞之下地氣主之氣交之分人氣從之也

故上勝而下俱病者以地名之下勝而上俱病者以天名之。

彼氣既勝此未能復抑鬱不暢而無所行進則困於讎嫌退則窮於怫塞故上勝至則下與俱病下勝至則上與俱病上勝下病地氣鬱也故從地鬱以名地病下勝上病天氣塞也故從天塞以名天病夫以天名者方順天氣爲制逆地氣而攻之以地名者方從天氣爲制則可

假如陽明司天少陰在泉上勝而下俱病者是怫於下而生也天氣正勝天可逆之故順天之氣方同淸也少陰等司天上下勝同法　新校正云按六元正紀大論云上勝則天氣降而下下勝則地氣遷而上此之謂也所謂勝至報氣屈伏而未發也復至則不以天地異名皆如復氣爲法也勝至未復而病生以天地異名爲式復氣以發則所生無問上勝下勝悉皆依復氣爲病寒熱之主也帝曰勝復之動時有常乎氣有必乎岐伯曰時有常位而氣無必也雖位有常而發動有無不必定之也帝曰願聞其道也岐伯曰初氣終三氣天氣主之勝之常也四氣盡終氣地氣主之復之常也有勝則復無勝則否帝曰善復已而勝何如岐伯曰勝至則復無常數也衰乃止耳勝微則復微故復已而又勝勝甚則復甚故復已則少有再勝者也假有勝者亦隨微甚而復之爾然勝復之道雖無常數至其衰謝則勝復皆自止也復已而勝不復則害此傷生也有勝無復是復

氣已衰衰未能復是天真之氣已傷敗甚而生意盡帝曰：復而反病何也？岐伯曰：居非其位，不相得也。大復其勝則主勝之，故反病也。捨己宮觀適於他邦，己力已衰，主不相得，怨隨其後，唯便是求，故力極而復，主反襲之，反自病者也。所謂火燥熱也。少陽火也，陽明燥也，少陰熱也。少陰少陽在泉，為火居水位；陽明司天，為金居火位。金復其勝則火主勝之，火復其勝則水主勝之。餘氣勝復則無主勝之病氣也，故又曰所謂火燥熱也。帝曰：治之何如？岐伯曰：夫氣之勝也，微者隨之，甚者制之；氣之復也，和者平之，暴者奪之。皆隨勝氣，安其屈伏，無問其數，以平為期，此其道也。隨謂隨之，安謂順勝氣以和之也，制謂制止，平謂平調，奪謂奪其盛氣也。治此者不以數之多少，但以氣平和為準度爾。帝曰：善。客主之勝復奈何？客謂天之六氣，主謂五行之位也。氣有宜否，故各有勝復之者。岐伯曰：客主之氣，勝而無復也。客主自有多少，以其為勝與常勝殊。帝曰：其逆從何如？岐伯曰：主勝逆，客勝從，天

內經二十七

運、三十

胗即疹

而乃也則也

之道也[客承天命部統其方主爲之下固宜祗奉天命不順而勝則天命不行故爲逆也客勝於主承天而行理之道故爲順也]帝曰其生病何如岐伯曰厥陰司天客勝則耳鳴掉眩甚則欬主勝則胷脇痛舌難以言[五巳五亥歲也]少陰司天客勝則鼽嚏頸項強肩背瞀熱頭痛少氣發熱耳聾目瞑甚則胕腫血溢瘡瘍欬喘主勝則心熱煩躁甚則脇痛支滿[五子五午歲也]太陰司天客勝則首面胕腫呼吸氣喘主勝則胷腹滿食已而瞀[五丑五未歲也]少陽司天客勝則丹胗外發及爲丹熛瘡瘍嘔逆喉痺頭痛嗌腫耳聾血溢内爲瘛瘲主勝則胷滿欬仰息甚而有血手熱[五寅五申歲也]陽明司天清復内餘則欬衄嗌塞心鬲中熱欬不止

靈樞根結篇有骨繇者節緩而不收也所謂骨繇者搖故也又則此筋併骨搖之謂併者惕瞤之謂欲繇併

内云〻外不便

痠〻重也非疼痛之義也和訓大留之坊本旁訓之缺礼大误

而起者乃起也

而白血出者死。復，謂復舊居也。白血，謂欬出淺紅色血，似肉似肺者。五卯五酉歲也。新校正云：詳此不言客勝主勝者，以金居火位，無客勝之理，故不言也。太陽司天，客勝則胸中不利，出清涕，感寒則欬；主勝則喉嗌中鳴。五辰五戌歲也。厥陰在泉，客勝則大關節不利，內爲痙強拘瘛，外爲不便；主勝則筋骨繇併，腰腹時痛。五寅五申歲也。大關節，腰膝也。少陰在泉，客勝則腰痛，尻股膝髀腨䯒足病，瞀熱以酸，胕腫不能久立，溲便變；主勝則厥氣上行，心痛發熱，鬲中衆痹皆作，發於胠脇，魄汗不藏，四逆而起。五卯五酉歲也。太陰在泉，客勝則足痿下重，便溲不時，濕客下焦，發而濡寫，及爲腫隱曲之疾；主勝則寒氣逆滿，食飲不下，甚則爲疝。五辰五戌歲也。隱曲之疾，謂隱蔽委曲之處病也。少陽在泉，客勝則腰腹痛而反惡寒，甚則下白溺白；主勝則熱反上行而客於心，心痛發熱，格中而嘔。少陰同候。五巳五亥歲也。陽明在泉，客勝則清氣動下，少腹堅滿而數便寫；主勝則腰重腹痛，少腹生寒，下爲鶩溏，則寒厥於腸，上衝胷中，甚則喘不能久立。五子五午歲也。鶩，鴨也。言如鴨之後也。太陽在泉，寒復內餘，則腰尻痛，屈伸不利，股脛足膝中痛。五丑五未歲也。新校正云：詳此不言客主勝者，蓋太陽以水居水位，故不言也。帝曰：善。治之奈何？岐伯曰：高者抑之，下者舉之，有餘折之，不足補之，佐以所利，和以所宜，必安其主客，適其寒溫，同者逆之，異者從之。高者抑之，制其勝也。下者舉之，濟其弱也。有餘折之，屈其銳也。不足補之，全其氣也。雖制勝扶弱，而客主須安。一氣失所，則矛循更作，榛棘互興，各伺其便，不相得志，內淫外併，而危敗之由作矣。同，謂寒熱温清氣相比和者。異，謂水火金木土不比和者。氣相得者則逆所勝之氣以治之，不相得者則順所不勝氣亦治之。治火勝負欲益者，以其味；欲寫者，亦以其味。勝與不勝皆折其氣也。何者？以其性躁動也。治熱亦然。帝曰：治寒以熱，治熱以寒，氣相得者逆之，不相得者從之，余以知之矣。其於正味何如？岐伯曰：木位之主，其寫以酸，其補以辛。木位，春分前六十一日，初之氣也。火位之主，其寫以甘，其補以鹹。君火之位，春分之後六十一日，二之氣也。相火之位，夏至前後各三十日，三之氣也。二火之氣則殊，然其氣用則一矣。土位之主，其寫以苦，其補以甘。土之位，秋分前六十一日，四之氣也。金位之主，其寫以辛，其補以酸。金之位，秋分後六十一日，五之氣也。水位之主，其寫以鹹，其補以苦。水之位，冬至前後各三十日，終之氣也。厥陰之客，以辛補之，以酸寫之，以甘緩之。少陰之客，以鹹補之，以甘寫之，以鹹收之。新校正云：按《藏氣法時論》

也字唐以上文之僅存者

云心苦緩急食酸以收之心欲耎急食鹹以耎之此云以鹹收之者誤也太陰之客以甘補之以苦寫之以甘緩之少陽之客以鹹補之以甘寫之以鹹耎之陽明之客以酸補之以辛寫之以苦泄之太陽之客以苦補之以鹹寫之以苦堅之以辛潤之開發腠理致津液通氣也客之部主各六十一日居無常所隨歲遷移客勝則寫客而補主主勝則寫主而補客應隨當緩當急以治之帝曰善願聞陰陽之三也何謂歧伯曰氣有多少異用也太陰爲正陰太陽爲正陽次少者爲少陰次少者爲少陽又次爲陽明又次爲厥陰厥陰爲盡義具靈樞繫日月論中新校正云按天元紀大論云何謂氣有多少鬼臾區曰陰陽之氣各有多少故曰三陰三陽也帝曰陽明何謂也歧伯曰兩陽合明也靈樞繫日月論曰辰者三月主左足之陽明巳者四月主右足之陽明兩陽合於前故曰陽明也帝曰厥陰何也歧伯曰兩陰交盡也靈樞繫日月論曰戌者九月主右足之厥陰亥者十月主左足之厥陰兩陰交盡故曰厥

要約要也

陰也

帝曰氣有多少病有盛衰新校正云按天元紀大論曰形有盛衰治有緩急方有大小願聞其約柰何歧伯曰氣有高下病有遠近證有中外治有輕重適其至所爲故也藏位有高下府氣有遠近病證有表裏藥用有輕重調其多少和其緊慢令藥氣至病所爲故勿太過與不及也大要曰君一臣二奇之制也君二臣四偶之制也君二臣三奇之制也君二臣六偶之制也奇謂古之單方偶謂古之複方也單複一制皆有小大故奇方云君一臣二君二臣三偶方云君二臣四君二臣六也病有小大氣有遠近治有輕重所宜故云之制也故曰近者奇之遠者偶之汗者不以奇下者不以偶補上治上制以緩補下治下制以急急則氣味厚緩則氣味薄適其至所此之謂也汗藥不以偶方氣不足以外發泄下藥不以奇制藥毒攻而致過治上補上方迅急則止不住而迫下治下補下方緩慢則滋道路而力又微制急方而氣味薄則力與緩等制緩方而

論治 三

腸与

案曰三腸而一腸義長奉胞膻而含三焦蓋光也

氣味厚則勢與急同如是爲緩不能緩急不能急厚而不厚薄而不薄則大小非制輕重無度則虛實寒熱藏府紛撓無由致理豈神靈而可望安哉病所遠而中道氣味之者食而過之無越其制度也假如病在腎而心之氣味飼而冷足仍急過之不飼以氣味腎藥凌心心復益衰餘上下遠近例同是故平氣之道近而奇偶制小其服也遠而奇偶制大其服也大則數少小則數多多則九之少則二之湯丸多少凡如此也近遠謂府藏之位也心肺爲近腎肝爲遠脾胃居中三陽胞膻膽亦有遠近身三分之上爲近下爲遠也或識見高遠權以合宜方奇而分兩偶方偶而分兩奇如是者近而偶制多數服之遠而奇制少數服之則肺服九心服七脾服五肝服三腎服二爲常制矣故曰小則數多大則數少　新校正云詳注云三陽胞膻膽一本作三陽胞膻膽再詳三陽無義三腸亦未爲得腸有大小并膻腸爲三今已云胞膻則不得去三腸三當作二奇之不去則偶之是謂重方偶之不去則反佐以取之所謂寒熱溫涼反從其病也方與其重也寧輕與其毒也寧善與其大也寧小是以奇方不去偶方主之偶方病在則反一佐以同病之氣而取之也夫熱與寒背寒與熱

燥字寺為金字看即此互文見意

王注以胴腫鍋大腸故与迴腸別言乃上文二腸之義新校署未允

以膏肓焦屬心小腸為心火部

違，微小之熱，為寒所折；微小之冷，為熱所消。甚大寒熱，則必能與違性者爭雄，能與異氣者相格。聲不同不相應，氣不同不相合，如是則且憚而不敢攻之，攻之則病氣與聲氣抗行，而自為寒熱以開閉固守矣。是以聖人反其佐以同其氣，令聲氣應合，復令寒熱參合，使其終異始同，燥潤而敗，堅剛必折，柔脆自消爾。

帝曰：善。病生於本，余知之矣。生於標者，治之柰何？

歧伯曰：病反其本，得標之病；治反其本，得標之方。言少陰太陽之二氣，餘四氣標本同。

帝曰：善。六氣之勝，何以候之？歧伯曰：乘其至也。清氣大來，燥之勝也，風木受邪，肝病生焉。流於膽也。熱氣大來，火之勝也，金燥受邪，肺病生焉。流於迴腸大腸。新校正云：詳注云迴腸大腸，按甲乙經迴腸即大腸。寒氣大來，水之勝也，火熱受邪，心病生焉。流於三焦小腸。濕氣大來，土之勝也，寒水受邪，腎病生焉。流於膀胱。風氣大來，木之勝也，土濕受邪，脾病生焉。流於胃。所謂感邪

內經二十二

標本三

運一三

而生病也外有其氣而内惡之中外不喜因而遂病是謂感也乘年之虛則邪甚也年木不足外有清邪年火不足外有寒邪年土不足外有風邪年金不足外有熱邪年水不足外有濕邪是年之虛也歲氣不足外邪湊甚失時之和亦邪甚也六氣臨統與位氣相剋感之而病亦隨所不勝而與内藏相應邪復甚也遇月之空亦邪甚也謂上弦前下弦後月輪中空也重感於邪則病危矣年已不足邪氣大至是一感也年已不足天氣剋之此時感邪是重感也内氣召邪天氣不祐病不危可乎有勝之氣其必來復也天地之氣不能相無故有勝之氣其必來復也帝曰其脉至何如岐伯曰厥陰之至其脉弦耎虛而滑端直以長是謂弦實而強則病不實而微亦病不端直長亦病不當其位亦病位不能弦亦病少陰之至其脉鈎來盛去衰如偃帶鈎是謂鈎來不盛去反盛則病來盛去盛亦病來不盛去不盛亦病不偃帶鈎亦病不當其位亦病位不能鈎亦病太陰之至其脉沈沈下也按之乃得下諸位脉也沈甚則病不沈亦病不當其位亦病位不能沈亦病少陽之至大而浮浮高也大謂稍大諸位脉也大浮甚則病浮而不大亦病大而不浮亦病不大不浮亦病不當其位亦病位不能大浮亦病陽明之至短而

濇往來不利是謂濇也往來不遠是謂短也短甚則病濇甚則病不短不濇亦病不當其位亦病位不能短濇亦病太陽之至大而長往來遠是謂長大甚則病長甚則病長而不大亦病大而不長亦病不當其位亦病位不能長大亦病至而和則平去太甚則爲平調不弱不強是爲和也至而甚則病弦似張弓弦滑如連珠沉而附骨浮高於皮濇而止住短如麻黍大如帽簪長如引繩皆謂至而太甚也至而反者病應弦反濇應大反細應沉反浮應浮反沉應短濇反長滑應耎虛反強實應細反大是皆爲氣反常平之候有病乃如此見也至而不至者病氣位已至而脉氣不應也未至而至者病按曆占之凡得節氣當年六位之分當如南北之歲脉象改易而應之氣序未移而脉先變易是先天而至故病陰陽易者危不應天常氣見交錯失其恒位更易見之候位見陽脉陽位見陰脉是易位而見也二氣之亂故氣危新校正云按六微旨大論云帝曰其有至而至有至而不至有至而太過何也岐伯曰至而至者和至而不至來氣不及也未至而至來氣有餘也帝曰至而不至未至而至何如岐伯曰應則順否則逆逆則變生變生則病帝曰請言其應岐伯曰物生其應也氣脉其應也所謂脉應即此脉應也帝曰六氣標本所從不同柰何岐伯曰氣有從本者有從標本者有不從標本者也帝

曰願卒聞之岐伯曰少陽太陰從本少陰太陽從本從標陽明厥陰不從標本從乎中也少陽之本火太陰之本濕本末同故從本也少陰之本熱其標陰太陽之本寒其標陽本末異故從本從標陽明之中太陰厥陰之中少陽本末與中不同故不從標本從乎中也從本從標從中皆以其爲化生之用也故從本者化生於本從標本者有標本之化從中者以中氣爲化也化謂氣化之元主也有病以元主氣用寒熱治之新校正云按六微旨大論云少陽之上火氣治之中見陽明厥陰之上燥氣治之中見太陰太陽之上寒氣治之中見少陰厥陰之上風氣治之中見少陽少陰之上熱氣治之中見太陽太陰之上濕氣治之中見陽明所謂本也本之下中之見也見之下氣之標也本標不同氣應異象此之謂也帝曰脉從而病反者其診何如岐伯曰脉至而從按之不鼓諸陽皆然言病熱而脉數按之不動乃寒盛格陽而致之非熱也帝曰諸陰之反其脉何如岐伯曰脉至而從按之鼓甚而盛也形證是寒按之而脉氣鼓擊於手下盛者此爲熱盛拒陰而生病非寒也是

二標

案若而也非是若循從也

故百病之起，有生於本者，有生於標者，有生於中氣者，有取本而得者，有取標而得者，有取中氣而得者，有取標本而得者，有逆取而得者，有從取而得者。反佐取之，是爲逆取；奇偶取之，是爲從取。寒病治以寒，熱病治以熱，是爲逆取。從，順也。逆，正順也；若順，逆也。寒盛格陽，治熱以熱；熱盛拒陰，治寒以寒之類，皆時謂之逆。外雖用逆，中乃順也。此逆乃正順也。若寒格陽而治以寒，熱拒寒而治以熱，外則雖順，中氣乃逆，故方若順，是逆也。故曰：知標與本，用之不殆；明知逆順，正行無問。此之謂也。不知是者，不足以言診，足以亂經。故《大要》曰：粗工嘻嘻，以爲可知，言熱未已，寒病復始，同氣異形，迷診亂經。此之謂也。嘻嘻，悅也。言心意怡悅，以爲知道終盡也。六氣之用，粗之與工，得其半也。厥陰之化，粗以爲寒，其乃是溫；太陽之化，粗以爲熱，其乃是寒。由此差互，用失其道，故其學問識用，不達工之道半矣。夫太陽、少陰，各有寒化、熱量，其標本應用，則正反矣。何以言之？太陽本

曰大圖恐脫不字

爲寒標爲熱少陰本爲熱標爲寒方之用亦如是也厥陰陽明中氣亦爾厥陰之中氣爲熱陽明之中氣爲濕此二氣亦反其類太陽少陰也然太陽與少陰有標本用與諸氣不同故曰同氣異形也夫一經之標本寒熱既殊言本當究其標論標合尋其本言氣不窮其標本論病未辨其陰陽雖同一氣而生且阻寒温之候故心迷正理治益亂經呼曰粗工允膺其稱爾

夫標本之道要而博小而大可以言一而知百病之害言標與本易而勿損察本與標氣可令調明知勝復爲萬民式天之道畢矣

天地變化尚可盡知況一人之診而云其昧得經之要持法之宗爲天下師尚卑其道萬民之式豈曰大哉

新校正云按標本病傳論云有其在標而求之於標有其在本而求之於本有其在本而求之於標有其在標而求之於本故治有取標而得者有取本而得者有逆取而得者有從取而得者故知逆與從正行無問知標本者萬舉萬當不知標本是爲妄行夫陰陽逆從標本之爲道也小而大言一而知百病之害少而多淺而博可以言一而知百也以淺而知深察近而知遠言標與本易而勿及治反爲逆治得爲從先病而後逆者治其本先逆而後病者治其本先寒而後生病者治其本先熱而後生病者治其本先熱而後生中滿者治其標先病而後泄者治其本先泄而後生他病者治其本必且調之乃治其他病先病而後生中滿者治其標先中滿而後煩心者治其本人有客氣有同氣小

未申

大不利治其標小大利治其本病發而有餘本而標之先治其本後治其標病發而不足標而本之先治其標後治其本謹察間甚以意調之間者并行甚者獨行先小大不利而後生病者治其本此經論標本尤詳帝曰勝復之變早晏何如岐伯曰夫所勝者勝至已病病已慍慍而復已萌也復心之慍不遠而有夫所復者勝盡而起得位而甚勝有微甚復有少多勝和而和勝虛而虛天之常也帝曰勝復之作動不當位或後時而至其故何也言陽盛於夏陰盛於冬清盛於秋溫盛於春天之常候然其勝復氣用四序不同其何由哉岐伯曰夫氣之生與其化衰盛異也寒暑溫涼盛衰之用其在四維故陽之動始於溫盛於暑陰之動始於清盛於寒春夏秋冬各差其分言春夏秋冬四正之氣在於四維之分也即事驗之春之溫正在辰巳之月夏之暑正在午未之月秋之涼正在戌亥之月冬之寒正在寅丑之月春始於仲春夏始於仲夏秋始於仲秋冬始於仲冬

運 三二

約之安泰省
說夏省喜言
秋省原冬省
畏也忿舍中之
小也好怒含中矣
也說見外又微
也喜見外之甚
也

故丑之月，陰結層冰於厚地；未之月，陽焰電掣於天垂；戌之月，霜清肅殺而庶物堅；辰之月，風扇和舒而陳柯榮秀。此則氣差其分，昭然而不可蔽也。然陰陽之氣生發收藏與常法相會，徵其氣化及在人之應，則四時每差其日數與常法相違。從差法乃正當之也。故大要曰：彼春之暖，為夏之暑；彼秋之忿，為冬之怒。謹按四維斥候皆歸，其終可見，其始可知，此之謂也。言氣之少壯也。陽之少為暖，其壯也為暑。陰之少為忿，其壯也為怒。此悉謂少壯之異氣，證用之盛衰。但立盛衰於四維之位，則陰陽終始應用皆可知矣。帝曰：差有數乎？岐伯曰：又凡三十度也。度者，日也。新校正云：按六元正紀大論曰：差有數乎？曰：後皆三十度而有奇也。此云三十度也者，此文為略。帝曰：其脉應皆何如？岐伯曰：差同正法，待時而去也。脉亦差以隨氣應也。待差日足，應王氣至而乃去也。脉要曰：春不沉，夏不弦，冬不濇，秋不數，是謂四塞。天地四時之氣，閉塞而無所運行也。沉甚曰病，弦甚曰病，濇甚曰病，數甚曰病。但應天和氣，是則為平；形見太甚，則為力致，以力而致，安能久乎？故甚皆病。參見曰病，復見曰病，未去而去曰病，去而不去曰病。謂參和諸氣來見，復見謂再見已衰已死之氣也。去謂王已而去者也。曰行之度未出於差，是為天氣未出；日度過差，是謂天氣已去而脉尚在，既非得應，故曰病也。反者死。夏見沉，秋見數，冬見緩，春見濇，是謂反也。犯違天命，生其能久乎？新校正云：詳上文秋不數是謂四塞，此注云秋見數是謂反，蓋以脉差只在仲月，差之度盡而數不去，謂秋之季月而脉尚數，則為反也。故曰：氣之相守司也，如權衡之不得相失也。權衡，秤也。天地之氣，寒暑相對，温清相望，如持秤也。高者否，下者否，兩者齊等，無相奪倫，則清靜而生化各得其分也。夫陰陽之氣，清靜則生化治，動則苛疾起，此之謂也。動謂變動常平之候而為災眚也。苛，重也。新校正云：按六微旨大論云：成敗倚伏生乎動，動而不已則變作矣。帝曰：幽明何如？岐伯曰：兩陰交盡故曰幽，兩陽合明故曰明，幽明之配，寒暑之異也。兩陰交盡於戌亥，兩陽合明於辰巳。靈樞繫日月論云：亥十月左足之厥陰，戌九月右足之厥陰，此兩陰交盡，故曰厥陰；辰三月左足之陽明，巳四月右足之陽明，此兩陽合於前，故曰陽明。然陰交則幽，陽合則明，幽明之象，當由是也。寒暑位西南、東北，幽明位西北東南幽明之配，寒暑之位，誠斯異也。新校正云：按太始天元册文云：幽明既位，寒暑弛張。帝曰：分至何如？岐伯曰：氣至之謂至，氣分之謂分，至則氣同，分則氣異，所謂天地之正紀也。因幽明之問而形斯義也。言冬夏二至，是天地氣主歲至其所在也。春秋二分，是間氣初二四五四氣各分其政於主歲左右也。故曰至則氣同，分則氣異也。所言二至二分之氣配者，此所謂是天地氣之正紀也。帝曰：夫子言春秋氣始于前，冬夏氣始于後，余已知之矣。然六氣往復，主歲不常也，其補冩奈何？以分至明六氣分位，則初氣四氣始於立春立秋前各一十五日為紀法，三氣六氣始於立夏立冬後各一十五日為紀法。由是四氣前後之紀，則三氣六氣之中，正當二至日也。故曰春秋氣始于前，冬夏氣始于後也。然以三百六十五日易一氣，一歲已往，氣則改新，新氣既來，舊氣復去，所宜之味，天地不同，補冩之方，應知先後，故復以問之也。岐伯曰：上下所主，隨其攸利，正其味，則其要也，左右同法。大要曰：少陽之主，先甘後鹹；陽明之主，先辛後酸；太陽之主，先鹹後苦厥陰之主先酸後辛少陰之主先甘後鹹太陰之主先苦後甘佐以所利資以所生是謂得氣主謂主氣得謂得其性用也得其性用則舒卷由人不得性用則動生乖忤豈祛邪之可望乎適足以伐天真之妙氣爾如是先後之味皆謂有病先寫之而後補之也帝曰善夫百病之生也皆生於風寒暑濕燥火以之化之變也風寒暑濕燥火天之六氣也靜而順者爲化動而変者爲変故曰之化之変也經言盛者寫之虛者補之余錫以方士而方士用之尚未能十全余欲令要道必行桴鼓相應猶拔刺雪汙工巧神聖可得聞乎鍼曰工巧藥曰神聖　新校正云按難經云望而知之謂之神聞而知之謂之聖問而知之謂之工切脉而知之謂之巧以外知之曰聖以内知之曰神岐伯曰審察病機無失氣宜此之謂也得其機要則動小而功大用淺而功深也帝曰願聞病機何如岐伯曰諸風掉眩皆屬於

衝衝之名幹

肝風性動木氣同之諸寒收引皆屬於腎收謂斂也引謂急也寒物收縮水氣同也諸氣膹鬱皆屬於肺高秋氣涼霧氣煙集涼至則氣熱復甚則氣殫徵其物象屬可知也膹謂膹滿鬱謂奔迫也氣之為用金氣同之諸濕腫滿皆屬於脾土薄則水淺土厚則水深土平則乾土高則濕濕氣之有土氣同之諸熱瞀瘛皆屬於火火象徵諸痛痒瘡皆屬於心心寂則痛微心躁則痛甚百端之起皆自心生痛痒瘡瘍生於心也諸厥固泄皆屬於下下謂下焦肝腎氣也夫守司於下腎之氣也門戶束要肝之氣也故厥固泄皆屬下也厥謂氣逆也固謂禁固也諸有氣逆上行及固不禁出入無度燥濕不恒皆由下焦之主守也諸痿喘嘔皆屬於上上謂上焦心肺氣也炎熱薄爍心之氣也承熱分化肺之氣也熱鬱化上故病屬上焦新校正云詳痿之為病似非上病王注不解所以屬上之由使後人疑議今按痿論云五藏使人痿者因肺熱葉焦發為痿躄故云屬於上也痿又謂肺痿也諸禁鼓慄如喪神守皆屬於火熱之內作諸痙項強皆屬於濕太陽傷濕諸逆衝上皆屬於火炎上之性用也諸脹腹大皆屬於熱熱鬱於內肺脹所生諸躁狂越皆屬於火熱盛於胃及四末也

諸暴強直皆屬於風。陽內鬱而陰行於外。諸病有聲鼓之如鼓皆屬於熱。謂有聲也。諸病胕腫疼酸驚駭皆屬於火。熱氣多也。諸轉反戾水液渾濁皆屬於熱。反戾筋轉也。水液小便也。諸病水液澄澈清冷皆屬於寒。上下所出及吐出溺出也。諸嘔吐酸暴注下迫皆屬於熱。酸，酸水及味也。故大要曰：謹守病機，各司其屬，有者求之，無者求之，盛者責之，虛者責之，必先五勝，疏其血氣，令其調達，而致和平，此之謂也。深乎聖人之言，理宜然也。有無求之，虛盛責之，言悉由也。夫如大寒而甚，熱之不熱，是無火也；熱來復去，晝見夜伏，夜發晝止，時節而動，是無火也，當助其心。又如大熱而甚，寒之不寒，是無水也；熱動復止，倏忽往來，時動時止，是無水也，當助其腎。內格嘔逆，食不得入，是有火也；病嘔而吐，食久反出，是無火也；暴速注下，食不及化，是無水也；溏泄而久，止發無恒，是無水也。故心盛則生熱，腎盛則生寒，腎虛則寒動於中，心虛則熱收於內。又熱不得寒，是無火也；寒不得熱，是無水也。夫寒之不寒，責其無水；熱之不熱，責其無火；熱之不久，責心之虛；寒之不久，責腎之少有者寫之無者補之虛者補之盛者寫之居其中間疎者壅塞令上下無礙氣血通調則寒熱自和陰陽調達矣是以方有治熱以寒寒之而水食不入攻寒以熱熱之而昏躁以生此則氣不踈通壅而為是也紀於水火餘氣可知故曰有者求之無者求之盛者責之虛者責之令氣通調妙之道也五勝謂五行更勝也先以五行寒暑溫涼濕酸鹹甘辛苦相勝為法也

帝曰善五味陰陽之用何如岐伯曰辛甘發散為陽酸苦涌泄為陰鹹味涌泄為陰淡味滲泄為陽六者或收或散或緩或急或燥或潤或耎或堅以所利而行之調其氣使其平也涌吐也泄利也滲泄小便也言水液自迴腸泌別汁滲入膀胱之中自胞氣化之而為溺以泄出也 新校正云按藏氣法時論云辛散酸收甘緩苦堅鹹耎又云辛酸甘苦鹹各有所利或散或收或緩或急或堅或耎四時五藏病隨五味所宜也

帝曰非調氣而得者治之奈何有毒無毒何先何後願聞其道夫病生之類其有四焉一者始因氣動而內有所成二者不因氣動而外有所成三者始因氣動而病生於內四者不因氣動而病生於外夫因氣動而內成者謂積聚癥瘕瘤氣癭起結核癲癇之類也外成者謂癰腫瘡瘍疣疥疽

痔掉瘛浮腫目赤瘭胗胕腫痛癢之類也不因氣動而病生於内者謂留飲澼食飢飽勞損宿食霍亂悲恐喜怒想慕憂結之類也生於外者謂瘴氣賊魅蟲蛇蠱毒蜚尸鬼擊衝薄墜墮風寒暑濕斫射刺割捶朴之類也如是四類有獨治内而愈者有兼治内而愈者有獨治外而愈者有兼治外而愈者有先治内後治外而愈者有先治外後治内而愈者有須齊毒而攻擊者有須無毒而調引者凡此之類方法所施或重或輕或緩或急或收或散或潤或燥或耎或堅方士之用見解不同各擅己心好丹非素故復問之者也

岐伯曰：有毒無毒，所治爲主，適大小爲制也。言但能破積愈疾解急脫死則爲良方非必要言以先毒爲是後毒爲非無毒爲非有毒爲是必量病輕重大小制之者也

帝曰：請言其制。岐伯曰：君一臣二，制之小也；君一臣三佐五，制之中也；君一臣三佐九，制之大也。寒者熱之，熱者寒之，微者逆之，甚者從之。夫病之微小者猶人火也遇草而焫得木而燔可以濕伏可以水滅故逆其性氣以折之攻之病之大甚者猶龍火也得濕而焰遇水而燔不知其性以水濕折之適足以光焰詣天物窮方止矣識其性者反常之理以火逐之則燔灼自消焰光撲滅然逆之謂以寒攻熱以熱攻寒從之謂攻以寒熱雖從其性用不必皆同是以下文曰逆者正治從者反治從少從多

觀其事也此之謂平。新校正云按神農云藥有君臣佐使以相宣攝合和宜用一君二臣三佐五使又可一君三臣九佐使也堅者削之客者除之勞者溫之結者散之留者攻之燥者濡之急者緩之散者收之損者溫之逸者行之驚者平之上之下之摩之浴之薄之劫之開之發之適事爲故量病證候適事用之帝曰何謂逆從岐伯曰逆者正治從者反治從少從多觀其事也言逆者正治也從者反治也逆病氣而正治則以寒攻熱以熱攻寒雖從順病氣乃反治法也從少謂一同而二異從多謂二同而三異也言盡同者是奇制也帝曰反治何謂岐伯曰熱因寒用寒因熱用塞因塞用通因通用必伏其所主而先其所因其始則同其終則異可使破積可使潰堅可使氣和可使必已夫大寒內結稸聚疝瘕以熱攻除除寒格熱反縱反縱之則痛發尤甚攻之則熱不得前方以蜜

綿緬也

前爲頭佐之以熱審多其藥服已便消是則張公從此而以熱因寒用也有火氣動服冷已過熱爲寒格而身冷嘔噦嗌乾口苦惡熱好寒衆議攸同咸呼爲熱冷治則甚其如之何逆其好則拒治順其心則加病若調寒熱逆冷熱必行則熱物冷服下嗌之後冷體既消熱性便發由是病氣隨愈嘔噦皆除情且不違而致大益醇酒冷飲則其類矣是則以熱因寒用也所謂惡熱者凡諸食餘氣主於生者　新校正云詳王字疑悞上見之已嘔也又病熱者寒攻不入惡其寒勝熱乃消除從其氣則熱增寒攻之則不入以豉豆諸冷藥酒漬或煴而服之酒熱氣同固無違忤酒熱既盡寒藥已行從其服食熱便隨散此則寒因熱用也或以諸冷物熱齊和之服之食之熱復圍解是亦寒因熱用也又熱食猪肉及粉葵乳以椒薑橘熱齊和之亦其類也又熱在下焦治亦然假如下氣虛乏中焦氣擁胠脇滿甚食已轉增粗工之見無能斷也欲散滿則恐虛其下補下則滿甚於中散氣則下焦轉虛補虛則中滿滋甚醫病參議言意皆同不救其虛且攻其滿藥入則減藥過依然故中滿下虛其病常在乃不知疎啓其中峻補於下少服則資壅多服則宣通由是而療中滿自除下虛斯實此則塞因塞用也又大熱內結注泄不止熱宜寒療結復須除以寒下之結散利止此則通因通用也又大熱凝內久利溏泄愈而復發綿歷歲年以熱下之寒去利止亦其類也投寒以熱涼而行之投熱以寒溫而行之始同終異斯之謂也諸如此等其徒寔繁略舉宗兆猶是反治之道斯其類也　新校正云按五常政大論云治熱以寒溫而行之治寒以熱涼而行之亦熱因寒用寒因熱用之義也

帝曰善氣調而得者何如

岐伯曰逆之從之逆而從之從而逆之踈氣令調則其道也逆謂逆病氣以正治從謂從病氣而反療逆其氣以正治使其從順從其病以反取令彼和調故曰逆從也不踈其氣令道路開通則氣感寒熱而爲變始生化多端也帝曰善病之中外何如岐伯曰從内之外者調其内從外之内者治其外各絶其源從内之外而盛於外者先調其内而後治其外從外之内而盛於内者先治其外而後調其内皆謂先除其根屬後削其枝條也中外不相及則治主病中外不相及自各一病也帝曰善火熱復惡寒發熱有如瘧狀或一日發或間數日發其故何也岐伯曰勝復之氣會遇之時有多少也陰氣多而陽氣少則其發日遠陽氣多而陰氣少則其發日近此勝復相薄盛衰之

節瘧亦同法。陰陽齊等則一日之中寒熱相半，陽多陰少則一日一發而但熱不寒，陽少陰多則隔日發而先寒後熱。雖復勝之氣若氣微則一發後六七日乃發，時謂之愈而復發，或頻三日發而六七日止，或隔十日發而四五日止者，皆由氣之多少、會遇與不會遇也。俗見不遠，乃謂鬼神暴疾，而又祈禱避匿，病勢已過，旋至其斃，病者殞殁，自謂其分，致令寃魂塞於冥路，夭死盈於曠野，仁愛鑒兹，能不傷楚？習俗既久，難卒釐革，非復可改，末如之何，悲哉悲哉。帝曰：論言治寒以熱，治熱以寒，而方士不能廢繩墨而更其道也。有病熱者寒之而熱，有病寒者熱之而寒，二者皆在，新病復起，奈何治？謂治之而病不衰退，反因藥寒熱而隨生寒熱，病之新者也。亦有止而復發者，亦有藥在而除、藥去而發者，亦有全不息者。方士若廢此繩墨，則無更新之法；欲依標格，則病勢不除；捨之則阻彼凡情，治之則藥無能驗。心迷意惑，無由通悟，不知其道，何恃而爲？因藥病生，新舊相對，欲求其愈，安可奈何？岐伯曰：諸寒之而熱者取之陰，熱之而寒者取之陽，所謂求其屬也。言益火之源以消陰翳，壯水之生以制陽光，故曰求其屬也。夫粗工褊淺，學未精深，以熱攻寒，以寒療熱，治熱未已而冷疾已生，攻寒日深而熱病更起，熱起而中寒尚在寒生而外熱不除欲攻寒則懼熱不前欲療熱則思寒又止進退交戰危亟已臻豈知藏府之源有寒熱温涼之主哉取心者不必齊以熱取腎者不必齊以寒但益心之陽寒亦通行強腎之陰熱之猶可觀斯之故或治熱以熱治寒以寒萬舉萬全孰知其意思方智極理盡辭窮嗚呼人之死者豈謂命不謂方士愚昧而殺之耶

帝曰善服寒而反熱服熱而反寒其故何也岐伯曰治其王氣是以反也物體有寒熱氣性有陰陽觸王之氣則強其用也夫肝氣温和心氣暑熱肺氣清涼腎氣寒列脾氣兼并之故也春以清治肝而反温夏以冷治心而反熱秋以温治肺而反清冬以熱治腎而反寒蓋由補益王氣太甚也補王太甚則藏之寒熱氣自多矣

帝曰不治王而然者何也岐伯曰悉乎哉問也不治五味屬也夫五味入胃各歸所喜攻酸先入肝苦先入心甘先入脾辛先入肺鹹先入腎新校正云按宣明五氣篇云五味所入酸入肝辛入肺苦入心鹹入腎甘入脾是謂五入也久而增氣物化之常也氣增而久夭之由也夫入肝爲温入心爲熱入肺爲清入腎爲寒入脾爲至陰而四氣兼之皆爲增其味而益其氣故各從本藏之

氣用爾故久服黃連苦參而反熱者此其類也餘味皆然但人疎忽不能精候矣故曰久而增氣物化之常也氣增不已益歲年則藏氣偏勝氣有偏勝則有偏絶藏有偏絶則有暴夭者故曰氣增而久夭之由也是以正理觀化藥集商較服餌曰藥不具五味不備四氣而久服之雖且獲勝益久必致暴夭此之謂也絶粒服餌則不暴亡斯何由哉無五穀味資助故也復令食穀其亦夭焉

帝曰善方制君臣何謂也

岐伯曰主病之謂君佐君之謂臣應臣之謂使非上下三品之謂也

上藥爲君中藥爲臣下藥爲佐使所以異善惡之名位服餌之道當從此爲法治病之道不必皆然以主病者爲君佐君者爲臣應臣之用者爲使皆所以贊成方用也

帝曰三品何謂岐伯曰所以明善惡之殊貫也

三品上中下品此明藥善惡不同性用也 新校正云按神農云上藥爲君主養命以應天中藥爲臣主養性以應人下藥爲佐使主治病以應地也

帝曰善病之中外何如

前問病之中外謂調氣之法今此未盡故復問之此下對當次前求其屬也之下應古之錯簡也

岐伯曰調氣之方必別陰陽定其中外各守其鄉内者内治外者外治微者調之其次平之盛

論治五

論治六

土

者奪之汗者下之寒熱温涼衰之以屬隨其攸利病者中外治有表裏在內者以內治法和之在外者以外治法和之氣微不和以調氣法調之其次大者以平氣法平之盛甚不已則奪其氣令甚衰也假如小寒之氣温以和之大寒之氣熱以取之甚寒之氣則下奪之奪之不已則逆折之折之不盡則求其屬以衰之小熱之氣涼以和之大熱之氣寒以取之甚熱之氣則汗發之發不盡則逆制之制之不盡則求其屬以衰之故曰汗之下之寒熱温涼衰之以屬隨其攸利攸所也謹道如法萬舉萬全氣血正平長有天命守道以行舉無不中故能驅役草石召遣神靈調御陰陽蠲除衆疾血氣保平和之候天真無耗竭之由夫如是者蓋以舒卷在心去留從意故精神內守壽命靈長帝曰善

重廣補注黃帝內經素問卷第二十二

至真要大論 熠羊入切 焞他渾切 膨普盲切 痤徂禾切 爇如悅切 熛匹摇切 膱之力切 脆須醉切

八

重廣補注黄帝内經素問卷第二十三

啓玄子次注林億孫奇高保衡等奉勑校正孫兆重改誤

著至教論　示從容論

疏五過論　徵四失論

著至教論篇第七十五

新校正云：按全元起本在四時病類論篇末。

黄帝坐明堂，召雷公而問之曰：子知醫之道乎？明堂，布政之宮也。八窻四闥，上圓下方，在國之南，故稱明堂。夫求民之瘼，恤民之隱，大聖之用心，故召引雷公，問拯濟生靈之道也。雷公對曰：誦而頗能解，解而未能別，別而未能明，明而未能彰。言所知解，但得法守數而已，猶未能深盡精微之妙用也。新校正云：按楊上善云：習道有五，一誦、二解、三別、四明、五彰。足以治群僚，不足至侯王。公不敢自高其道，然則布衣與血食，主療亦殊矣。願得受樹天之度，四時

内經二十三　黄帝

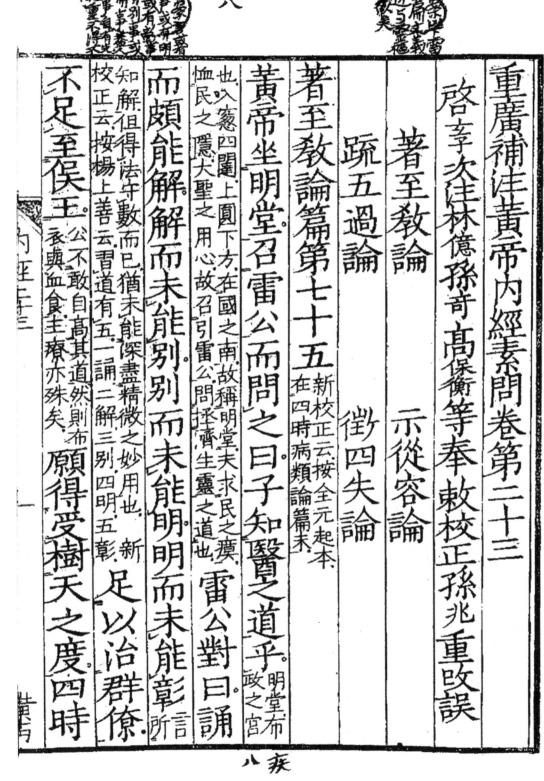

約□二皇即伏古□戲神農

三知□气之文變論尚可參

殆亦疑也王引之有說

陰陽傳扁倉傳乎致

陰陽合之別星辰與日月光以彰經術後世益明樹天之度言高遠不極四時陰陽合之言順氣序也別星辰與日月光言別學者二明大小異也　新校正云按太素別作列字上通神農著至教疑於二皇公欲其經法明著通於神農使後世見之疑是二皇並行之教　新校正云按全元起本及太素疑作擬帝曰善無失之此皆陰陽表裏上下雌雄相輸應也而道上知天文下知地理中知人事可以長久以教衆庶亦不疑殆醫道論篇可傳後世可以爲寶以明著故雷公曰請受道諷誦用解誦亦諭也諷諭者所以比切近而令解也帝曰子不聞陰陽傳乎曰不知曰夫三陽天爲業天爲業言三陽之氣在人身形所行居上也陰陽傳上古書名也　新校正云按太素天作太上下無常合而病至偏害陰陽上下無常言氣乖通不定在上下也合而病至謂手足三陽氣相合而爲病至也陽并至則精氣微故偏損害陰陽之用也雷公曰三陽莫當請

甲四経脉下
載之至三陽
之病

聞其解。莫當，言氣并至而不可當。帝曰：三陽獨至者，是三陽并至，并至如風雨，上爲巔疾，下爲漏病。并至，謂手三陽足三陽氣并合而至也。足太陽脉起於目内眥，上額交巔上；其支別者，從巔至耳上角；其直行者，從巔入絡腦，還出別下項，從肩髆内，夾脊抵腰中，入循膂絡腎屬膀胱。手太陽脉起於手，循臂上行，交肩上，入缺盆，絡心，循咽下鬲，抵胃屬小腸。故上爲巔疾，下爲漏病也。漏，血膿出。所謂并至如風雨者，言無常準也。故下文曰：新校正云：按楊上善云：漏病謂膀胱漏洩，大小便數，不禁守也。外無期，内無正，不中經紀，診無上下，以書別。言三陽并至，上下無常，外無色氣可期，内無正經常爾，所至之時，皆不中經脉綱紀，所病之證，又復上下無常，以書記銓量，乃應分別爾。雷公曰：臣治疎愈，說意而已。雷公言臣之所治，稀得痊愈，請言深意，而已疑心。已，止也，謂得說則疑心乃止。帝曰：三陽者，至陽也。六陽并合，故曰至盛之陽也。積并則爲驚，病起疾風，至如礔礰，九竅皆塞，陽氣滂溢，乾嗌喉塞。積，謂重也。言六陽重并，洪盛莫當，陽憤鬱惟盛，是爲滂溢無涯，故乾竅塞。并於陰，則上下無常，薄爲腸澼。陰，謂藏也。然陽薄於藏爲病，亦上下無常定之診，若在下爲病便數赤白。此謂三陽直心，坐不得起，臥者便身全。三陽之病。足太陽脉循肩下至腰，故坐不得起，臥便身全也。所以然者，起則陽盛鼓，故常欬；得臥，臥則經氣均，故身安全。新校正云：按《甲乙經》"便身全"作"身重"也。

且以知天下，何以别陰陽，應四時，合之五行。言知未備也。

雷公曰：新校正云：按自此至篇末，全元起本别爲一篇，名《方盛衰》也。陽言不别，陰言不理，請起受解，以爲至道。帝未許以爲深知，故重請也。

帝曰：子若受傳，不知合至道，以惑師教，語子至道之要。不知其要，流散無窮，後世相習，去聖久遠，而學者各自是其法，則惑亂於師氏之教旨矣。

病傷五藏，筋骨以消，子言不明不别，是世主學盡矣。言病之深重，尚不明别，然輕微者亦何開愈令得偏知耶？然由是不知明世主學教之道，從斯盡矣。

腎且絶，惋惋日暮，從容不出，人事不殷。舉藏之易知者也。然腎脉且絶，則心神内爍，筋骨脉肉日晚酸空也。暮，晚也。若以此之類，諸藏氣俱少，不出者，當人事萎弱，不復殷多，所以爾者，是則腎不足，非傷損故也。新校正云：按《太素》作"腎且絶，死死日暮"也。

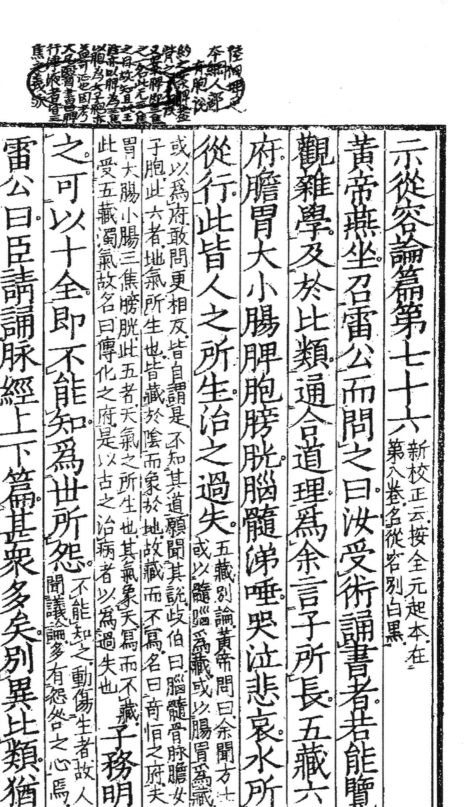

示從容論篇第七十六 新校正云按全元起本在第八卷名從容別白黑

黃帝燕坐召雷公而問之曰汝受術誦書者若能覽觀雜學及於比類通合道理為余言子所長五藏六府膽胃大小腸脾胞膀胱腦髓涕唾哭泣悲哀水所從行此皆人之所生治之過失 五藏別論黃帝問曰余聞方士或以腦髓為藏或以腸胃為藏或以為府敢問更相反皆自謂是不知其道願聞其說歧伯曰腦髓骨脉膽女子胞此六者地氣所生也皆藏於陰而象於地故藏而不寫名曰奇恒之府夫胃大腸小腸三焦膀胱此五者天氣之所生也其氣象天寫而不藏此受五藏濁氣故名曰傳化之府是以古之治病者以為過失也 子務明之可以十全即不能知為世所怨 不能知之動傷生者故人聞議論多有怨咎之心焉

雷公曰臣請誦脉經上下篇甚衆多矣別異比類猶未能以十全又安足以明之 言臣所請誦脉經兩篇衆多別異比類例猶未能以義而會見十全又何

九奏

攻

足以心明至理乎安尚何也 帝曰子別試通五藏之過六府之所不和鍼石之敗毒藥所宜湯液滋味具言其狀悉言以對請問不知過謂過失所謂不率常候而生病者也毒藥政邪滋味充養試公之問知與不知爾 新校正云按太素別試作誠別而已

雷公曰肝虛腎虛脾虛皆令人體重煩冤當投毒藥刺灸砭石湯液或已或不已願聞其解公以帝問使言五藏之過毒藥湯液滋味故問此病也

帝曰公何年之長而問之少余真問以自謬也言問之不相應也以問不相應故言余真發問以自招謬誤之對也

吾問子窈冥子言上下篇以對何也窈冥謂不可見者則形氣榮衛也八正神明論岐伯對黃帝曰觀其冥冥者言形氣榮衛之不形於外而工獨知之以日之寒溫月之虛盛四時氣之浮沉參伍相合而調之工常先見之然而不形於外故曰觀於冥冥焉由此帝故曰吾問子窈冥也然肝虛腎虛脾虛則上下篇之旨帝故曰子言上下篇以對何也耳

夫脾虛浮似肺腎小浮似脾肝急沉散似腎

此皆工之所時亂也然從容得之脾虛脉浮候則似肺腎小浮上候則似脾肝急沉散候則似腎
者何以然以三藏相近故脉象參差而相類也是以工惑亂之爲治之過失矣雖爾乎猶宜從容安緩審比類之而得三藏之形候矣何以取之然浮而緩曰
脾浮而短曰肺小浮而滑曰心急緊而散曰肝搏沉而滑曰腎不能比類則疑亂彌甚若夫三藏土木水參居
此童子之所知問之何也脾合土肝合木腎合水三藏皆在鬲下居止相近也雷公曰於
此有人頭痛筋攣骨重怯然少氣噦噫腹滿時驚不
嗜臥此何藏之發也脉浮而弦切之石堅不知其解
復問所以三藏者以知其比類也脉有浮弦石堅故云問所以三藏者以知其比類也帝曰
夫從容之謂也言比類也夫年長則求之於府年少則求之
於經年壯則求之於藏年之長者甚於味年之少者勞於使年之壯者過於內過於內則耗傷精氣勞於使則經
中風邪恣於求則傷於府故求之異也今子所言皆失八風菀熟五藏消爍傳

約之案以循猶也漢書劉向傳注引由也引以字由猶同道

邪相受夫浮而弦者是腎不足也脉浮為虛弦為肝氣以腎氣不足故脉浮弦也沉而石者是腎氣内著也石之言堅也著謂腎氣内薄著而不行也怯然少氣者是水道不行形氣消索也腎氣不足故水道不行肺藏被衝故形氣消散索盡也欬嗽煩寃者是腎氣之逆也腎氣内著上歸於母也一人之氣病在一藏也若言三藏俱行不在法也經不然也雷公曰於此有人四支解墯喘欬血泄而愚診之以為傷肺切脉浮大而緊愚不敢治粗工下砭石病愈多出血血止身輕此何物也帝曰子所能治知亦衆多與此病失矣以為傷肺而不敢治是乃狂見法所失也譬以鴻飛亦沖於天鴻飛沖天偶然而得豈其羽翮之所能哉粗工下砭石亦猶是矣夫聖人之治病循法守度援物比類化之冥冥循上及下何必

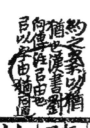

守經。經謂經脉，非經法也。今夫脉浮大虛者，是脾氣之外絶，去胃外歸陽明也。足太陰絡支別者，入絡腸胃，是以脾氣外絶，不至胃，外歸陽明也。夫二火不勝三水，是以脉亂而無常也。二火謂二陽藏，三水謂三陰藏。二陽藏者，心肺也，以在膈上故。三陰藏者，肝脾腎也，以在膈下故。然三陰之氣上勝二陽，陽不勝陰，故脉亂而無常也。四支解墯，此脾精之不行也。土主四支，故四支解墯，脾精不化，故使之然。喘欬者，是水氣并陽明也。腎氣逆入於胃，故水氣并於陽明。血泄者，脉急血無所行也。泄謂泄出也。然脉氣數急，血溢於中，血不入經，故為血泄。以脉奔急而血溢，故曰血無所行也。若夫以為傷肺者，由失以狂也。不引比類，是知不明也。言所識不明，不能比類，以為傷肺，猶失狂言耳。夫傷肺者，脾氣不守，胃氣不清，經氣不為使，眞藏壞決，經脉傍絶，五藏漏泄，不衄則嘔，此二者不相類也。肺氣傷則脾外救，故云脾氣不守。肺藏損則氣不行，不行則胃滿，故云胃氣不淸。肺者主行榮衛陰陽，故肺傷則經脉不能為之行使也。眞藏謂肺藏也。若肺藏損壞，皮膜決破，經脉傍絶而不流行，五藏之氣上溢而漏泄者，不衄血則嘔血也。何者？肺主鼻，胃應口也。然口鼻者，氣之門戶也。今肺藏已損，胃氣不清，不上衄則血下流於胃中，故不衄出則嘔出也。然傷肺傷脾，衄血泄血，標出且異，本歸亦殊，故此二者不相類也。**譬如天之無形，地之無理，白與黑相去遠矣。**言傷肺傷脾，形證懸別，譬天地之相遠，如黑白之異象也。**是失吾過矣。以子知之，故不告子。**是猶此也。言雷公子之此見，病疏者是吾不告子比類之道，故自謂過也。**明引比類從容，是以名曰診輕。**新校正云：按太素輕作經。**是謂至道也。**明引形證，比量類例，今從容之旨，則輕微之者亦不失矣。所以然者何哉？以道之至妙而能尔也。從容，上古經篇名也。何以明之？陰陽類論雷公曰：臣悉盡意，受傳經脉，須得從容之道，以合從容。明古文有從容矣。

疏五過論篇第七十七

新校正云：按全元起本在第八卷，名論過失。

黃帝曰：嗚呼遠哉！閔閔乎若視深淵，若迎浮雲。視深淵尚可測，迎浮雲莫知其際。嗚呼遠哉，歎至道之不極也。閔閔乎，言妙用之不窮也。深淵清澄，見之必

定故可測浮雲漂寓際不守常故莫知新校正云詳此文與六微旨論文重

聖人之術為萬民式論裁志意必有法則循經守數按循醫事為萬民副故事有五過四德汝知之乎慎五過則敬順四時之德氣矣然德者道之用生之主故不可不敬順之也上古天真論曰所以能年皆度百歲而動作不衰者以其德全不危故也靈樞經曰天之在我者德也由此則天降德氣人賴而生主氣抱神上通於天生氣通天論曰夫自古通天者生之本此之謂也　新校正云按為萬民副楊上善云副助也

雷公避席再拜曰臣年幼小蒙愚以惑不聞五過與四德比類形名虛引其經心無所對經未師受心匪生知功業微薄故卑辭也

帝曰凡未診病者必問嘗貴後賤雖不中邪病從內生名曰脫營神屈故也貴之尊榮賤之屈辱心懷眷慕志結憂惶故雖不中邪而病從內生血脉虛減故曰脫營嘗富後貧名曰失精五氣留連病有所并富而從欲貧奪豐財內結憂煎外悲過物然則心從想慕神隨往計榮衛之道閉以遲留氣血不行積并為病醫工診之不在

藏府不變軀形診之而疑不知病名。言病之初也。病由想戀所爲，故未居藏府。事因情念所起，故不變軀形。醫不悉之，故診而疑也。身體日減，氣虛無精。言病之次也。氣血相逼，形肉消爍，故身體日減。陰陽應象大論曰：氣歸精，精食氣。今氣虛不化，精無所滋故也。病深無氣，洒洒然時驚。言病之深也。病氣深，穀氣盡，陽氣內薄，故惡寒而驚。洒洒，寒貌。病深者，以其外耗於衛，內奪於榮。血爲憂煎，氣隨悲減，故外耗於衛，內奪於榮。病深者何？以此耗奪故爾也。新校正云：按太素病深者以其作病深以甚也。良工所失，不知病情。此亦治之一過也。失謂失問其所始也。

凡欲診病者，必問飲食居處。飲食處居，其有不同，故問之也。異法方宜論曰：東方之域，天地之所先生，魚鹽之地，海濱傍水，其民食魚而嗜鹹，皆安其處，美其食。西方者，金玉之域，沙石之處，天地之所收引，其民陵居而多風，水土剛強，其民不衣而褐薦，其民華食而脂肥。北方者，天地所閉藏之域，其地高陵居，風寒水列，其民樂野處而乳食。南方者，天地所長養，陽之所盛處，其地下，水土弱，霧露之所聚，其民嗜酸而食胕。中央者，其地平以濕，天地所以生萬物也衆，其民食雜而不勞。由此則診病之道，當先問焉。故聖人雜合以法，各得其所宜，此之謂矣。

暴樂暴苦，始樂後苦。新校正云：按太素作始苦。皆傷精氣精氣竭絶形體毀沮。喜則氣緩，悲則氣消，然悲哀動中者，竭絶而失生，故精氣竭絶，形體殘毀，心神沮喪矣。暴怒傷陰，暴喜傷陽。怒則氣逆，故傷陰；喜則氣緩，故傷陽。厥氣上行，滿脉去形。厥氣，逆也。逆氣上行，滿於經絡，則神氣憚散，去離形骸矣。愚醫治之，不知補寫，不知病情，精華日脱，邪氣乃并，此治之二過也。不知喜怒哀樂之殊情，槩爲補寫而同貫，則五藏精華之氣日脱，邪氣薄蝕而乃并於正真之氣矣。善爲脉者，必以比類奇恒從容知之，爲工而不知道，此診之不足貴，此治之三過也。奇恒，謂氣候奇異於恒常之候也。從容，謂分別藏氣虛實，脉見高下，幾相似也。示從容論曰：脾虛浮似肺，腎小浮似脾，肝急沉散似腎，此皆工之所時亂，然從容分別而得之矣。診有三常，必問貴賤，封君敗傷，及欲侯王。貴則形樂志樂，賤則形苦志苦，苦樂殊貫，故先問也。封君敗傷，降君之位，封公卿也。及欲侯王，謂情慕尊貴，而妄爲不已也。　新校正云：按太素欲作公。故貴脱勢，雖不中邪，精神内傷，身必敗亡。憂惶煎迫，怫結所爲。始富後貧，雖不

内經三之三　七

傷邪皮焦筋屈痿躄爲攣以五藏氣留連病有所并而爲是也醫不能嚴不能動神外爲柔弱亂至失常病不能移則醫事不行此治之四過也嚴謂戒所以禁非也所以令從命也外爲柔弱言委隨而順從也然戒不足以禁非動不足以從令委隨任物乱失天常病且不移何醫之有

凡診者必知終始有知餘緒切脈問名當合男女終始謂氣色也脈要精微論曰知外者終而始之明知五氣色象終而復始也餘緒謂病發端之餘緒也切謂以指按脈也問名謂問病證之名也男子陽氣多而左脈大爲順女子陰氣多而右脈大爲順故宜以候常先合之也離絶菀結憂恐喜怒五藏空虛血氣離守工不能知何術之語離謂離間親愛絶謂絶念所懷菀謂菀積思慮結謂結固餘怨夫間親愛者魂遊絶所懷者意喪積所慮者神勞結餘怨者志苦憂愁者閉塞而不行恐懼者蕩憚而失守盛怒者迷惑而不治喜樂者憚散而不藏由是八者故五藏空虛血氣離守工不思曉又何言哉 新校正云按蕩憚而失守甲乙經作不收

嘗富大傷斬筋絶脈身體復行令澤不息斬筋絶脈言非分之過損也身體雖以復舊而行且令津液不爲滋息也何者精氣耗減也澤

者液也故傷敗結留薄歸陽膿積寒炅陽謂諸陽脉及六府也炅謂熱也言非分傷敗筋脉之氣血氣内結留而不去薄於陽脉則化爲膿久積腹中則外爲寒熱也粗工治之亟刺陰陽身體解散四支轉筋死日有期不知寒熱爲膿積所生以爲常熱之疾槩施其法數刺陰陽經脉氣奪病甚故身體解散而不用四支廢運而轉筋如是故知死日有期豈謂命不謂醫耶醫不能明不問所發唯言死日亦爲粗工此治之五過也言粗工不必謂解不備學者縱備盡三世經法診不備三常療不慎五過不求餘緒不問特身亦足爲粗略之醫爾凡此五者皆受術不通人事不明也言是五者但名受術之徒未足以通悟精微之理人間之事尚猶憒然故曰聖人之治病也必知天地陰陽四時經紀五藏六府雌雄表裏刺灸砭石毒藥所主從容人事以明經道貴賤貧富各異品理問年少長勇怯之理審於分部知病本始八正九候診必副

内經二十三

矣。聖人之備識也如此。工宜勉之。治病之道。氣内爲寶。循求其理。求之不得。過在表裏。工之治病必在於形氣之内求有過者是爲聖人之寶也求之不得則以藏府之氣陰陽表裏而察之 新校正云按全元起本及太素作氣内爲實楊上善云天地間氣爲外氣人身中氣爲内氣外氣裁成萬物是爲外實内氣榮衛裁生故爲内實治病能求内氣之理是治病之要也。守數據治。無失俞理。能行此術。終身不殆。守數謂血氣多少及刺深淺之數也據治謂據穴俞所治之旨而用之也但守數據治而用之則不失穴俞之理矣殆者危也不知俞理。五藏菀熟。癰發六府。菀積也熟熱也五藏積熱六府受之陽熱相薄熱之所過則爲癰矣診病不審。是謂失常。謂失常經術正用之道也謹守此治。與經相明。謂前氣内循求俞會之理也上經下經。揆度陰陽。奇恒五中。決以明堂。審於終始。可以橫行。所謂上經者言氣之通天也下經者言病之變化也言此二經揆度陰陽之氣奇恒五中皆決於明堂之部分也揆度者度病之深淺也奇恒者言奇病也五中者謂五藏之氣色也夫明堂者所以視萬物別白黑審長短故曰決以明堂也審於終始者謂審察五色囚王終而復始也夫道循如是應用不窮目牛無全萬舉萬當由

斯高遠故可以横行於世間矣

徵四失論篇第七十八

新校正云按全元起本在第八卷名方論得失明著

黃帝在明堂雷公侍坐黃帝曰夫子所通書受事衆多矣試言得失之意所以得之所以失之雷公對曰循經受業皆言十全其時有過失者請聞其事解也言循學經師受傳事業皆謂十全於人庶及乎施用正術宣行至道或得失之於世中故請聞其解說也帝曰子年少智未及邪將言以雜合耶言謂年少智未及而不得十全耶爲復且以言而雜合衆人之用耶帝疑先知而反問也夫經脉十二絡脉三百六十五此皆人之所明知工之所循用也謂循學而用也所以不十全者精神不專志意不理外内相失故時疑殆外謂色内謂脉也然精神不專於循用志意不從於條理所謂粗略揆度失常故色脉相失而

時自疑殆也

診不知陰陽逆從之理此治之一失矣脉要精微論曰冬至四十五日陽氣微上陰氣微下夏至四十五日陰氣微上陽氣微下陰陽有時與脉爲期又曰微妙在脉不可不察察之有紀從陰陽始由此故診不知陰陽逆從之理爲一失矣

受師不卒妄作雜術謬言爲道更名自功新校正云按太素功作巧

妄用砭石後遺身咎此治之二失也不終師術惟妄是爲易古變常自功循己遺身之咎不亦宜乎故爲失二也老子曰无遺身殃是謂襲常蓋嫌其妄也

不適貧富貴賤之居坐之薄厚形之寒溫不適飲食之宜不別人之勇怯不知比類足以自亂不足以自明此治之三失也貧賤者勞富貴者佚佚則邪不能傷易傷以勞勞則易傷以邪其於勞也則富者處貴者之半其於邪也則貧者貧賤者之半例率如此然世祿之家或此殊矣夫勇者難感怯者易傷二者不同蓋以其神氣有壯弱也觀其貧賤富貴之義則坐之薄厚形之寒溫飲食之宜理可知矣不知比類用必乖衷則適足以汨亂心緒豈通明之可妄乎故爲失三也

診病不問其始憂患飲食之失節起居之過度或

傷於毒，不先言此，卒持寸口，何病能中，妄言作名，為粗所窮，此治之四失也。（憂謂憂懼也，患謂患難也，飲食失節，言甚飽也，起居過度，言漬耗也，或傷於毒，謂病不可拘於藏府相類之法而為療也。卒持寸口，謂不先持寸口之脈和平與不和平也。然工巧備識四術，猶疑，故診不能中病之形名，言不能合經而妄作粗略，醫者尚能窮妄謬之違背，況深明者見而不謂非乎？故為失四也。）是以世人之語者，馳千里之外，不明尺寸之論，診無人事。（言工之得失毀譽，在世人之言語，皆可至千里之外，然其不明尺寸之診論，當以何事知見於人耶？）治數之道，從容之葆。（治，王也。葆，平也。言診數當王之氣，皆以氣高下而為比類之原本也，故下文曰。）坐持寸口，診不中五脈，百病所起，始以自怨，遺師其咎。（自下能深學道術而致診差違，始乃申怨謗之詞，遺過咎於師氏者，未之有也。）是故治不能循理，棄術於市，妄治時愈，愚心自得。（不能修學至理，乃衒賣於市廛，人不信之，謂乎虛謬，故云棄術於市也。然愚者百慮而一得，何自功之有耶？新校正云：按全元起本自作巧，太素作自功。）嗚呼！窈窈冥冥，熟知其道。（今詳熟當作孰。）

保

道之大者擬於天地，配於四海，汝不知道之諭，受以明爲晦。嗚呼，歎也。窈窈冥冥，言玄遠也。至道玄遠，誰得知之。孰，誰也。擬於天地，言高下之不可量也。配於四海，言深廣之不可測也。然不能曉諭於道，則授明道而成暗昧也。晦，暗也。

重廣補注黄帝内經素問卷第二十三

著至教論 恤音戌

示從容論 砭方驗切

疏五過論 沮七余反

憚音但 佚音逸 葆音葆

徵四失論 徇

甲四經脈下

重廣補注黃帝內經素問卷第二十四

啓玄子次注林億孫奇高保衡等奉敕校正孫兆重改誤

陰陽類論　方盛衰論

解精微論

陰陽類論篇第七十九 新校正云按全元起本在第八卷

孟春始至黃帝燕坐臨觀八極正八風之氣而問雷公曰陰陽之類經脉之道五中所主何藏最貴 孟春始至謂立春之日也燕安也觀八極謂視八方遠際之色正八風謂候八方所至之風朝會於太一者也五中謂五藏 新校正云詳八風朝太一具天元玉冊中又按楊上善云夫天爲陽地爲陰人爲和陰無其陽衰殺無已陽無其陰生長不止生長不止則傷於陰陰傷則陰灾起衰殺不已則傷於陽陽傷則陽禍生矣故須聖人在天地間和陰陽氣令萬物生也和氣之道謂先脩身爲德則陰陽氣和陰陽氣和則八節風調八節風調則八虛風止於是疵癘不起嘉祥竟集此

內經二十四　一　上

七 疾、

亦不知所以然而然也故黄帝問身之經脉貴賤依之調攝修德於身以正八風之氣雷公對曰春甲乙青中主肝治七十二日是脉之主時臣以其藏最貴東方甲乙春氣主之自然青色内通肝也金匱眞言論曰東方青色入通於肝故曰青中主肝也然五行之氣各王七十二日五積而乘之則終一歲之數三百六十日故云治七十二日也夫四時之氣以春爲始五藏之應肝藏合之公故以其藏爲最貴藏或爲道非也帝曰却念上下經陰陽從容子所言貴最其下也從容謂安緩比類也帝念脉經上下篇陰陽比類形氣不以肝藏爲至貴故謂公之所貴最其下也雷公致齋七日旦復侍坐悟非故齋以洗心願益故坐而復請帝曰三陽爲經二陽爲維一陽爲游部經謂經綸所以濟成務維謂維持所以繫天眞游謂游行部謂身形部分也故主氣者濟成務化穀者繫天眞主色者散布精微游行諸部也　新校正云按楊上善云三陽足太陽脉也從目内眥上頭分爲四道下項并正別脉上下六道以行於背與身爲經二陽足陽明脉也從鼻而起下咽分爲四道并正別脉六道上下行腹綱維於身一陽足少陽脉也起目外眥絡頭分爲四道下缺盆并正别脉六道上下生經營百節流氣三部故曰游部此知五藏終始觀其經綸維繫游部之義則五

藏之終始，可謂知矣。三陽爲表，二陰爲裏。三陽，太陽。二陰，少陰也。少陰與太陽爲表裏，故曰三陽爲表，二陰爲裏。一陰至絶作朔晦，却具合以正其理。一陰，厥陰也。厥猶盡也。靈樞經曰：亥爲左足之厥陰，戌爲右足之厥陰，兩陰俱盡，故曰厥陰。夫陰盡爲晦，陰生爲朔，厥陰者，以陰盡爲義也。徵其氣王則朔，適言其氣盡則晦，既見其朔，又當其晦，故曰一陰至絶作朔晦也。然徵彼俱盡之陰，合此發生之木，以正應五行之理，而無替循環，故云却具合以正其理也。新校正云：按注言陰盡爲晦，陰生爲朔，疑是陽生爲朔。雷公曰：受業未能明。言未明氣候之應見。帝曰：所謂三陽者，太陽爲經。陽氣盛大，故曰太陽。三陽脉至手太陰，弦浮而不沉，決以度，察以心，合之陰陽之論。太陰爲寸口也。寸口者，手太陰也。脉氣之所行，故脉皆至於寸口也。太陽之脉洪大以長，今弦浮不沉，則當約以四時高下之度而斷決之，察以五藏異同之候而參合之，以應陰陽之論，知其臧否耳。所謂二陽者，陽明也。靈樞經曰：辰爲左足之陽明，巳爲右足之陽明，兩陽合明，故曰二陽者陽明也。至手太陰，弦而沉急不鼓，炅至以病皆死。鼓謂鼓動。炅，熱也。陽明之脉浮大而短，今弦而沉急不鼓者，是陰氣勝陽，木來乘土也。然陰氣勝陽，木來乘土，而反熱病至者是陽氣之衰敗也猶燈之焰欲滅反明故皆死也一陽者少陽也陽氣未大故曰少陽至手太陰上連人迎弦急懸不絕此少陽之病也人迎謂結喉兩傍同身寸之一寸五分脉動應手者也弦爲少陽之脉今急懸不絕是經氣不足故曰少陽之病也懸者謂如懸物之動摇也專陰則死專獨也言其獨有陰氣而無陽氣則死三陰者六經之所主也三陰者太陰也言所以諸脉皆至手太陰者何耶以是六經之主故也六經謂三陰三陽之經脉也所以至手太陰者何以肺朝百脉之氣皆交會於氣口也故下文曰交於太陰此正發明肺朝百脉之義也經脉别論曰肺朝百脉伏鼓不浮上空志心脉伏鼓擊而不上浮者是心氣不足故上控引於心而爲病也志心謂小心也刺禁論曰七節之傍中有小心此之謂也　新校正云按楊上善云肺脉浮濇此爲平也今見伏鼓是腎脉也足少陰脉貫脊屬腎上入肺中從肺出絡心肺氣下入腎志上入心神也王氏謂志心爲小心義未通二陰至肺其氣歸膀胱外連脾胃二陰謂足少陰腎之脉少陰之脉别行者入跟中以上至股内後廉貫脊屬腎絡膀胱其直行者從腎上貫肝鬲入肺中故上至於肺其氣歸於膀胱外連於脾胃一陰獨至經絕氣浮不鼓鉤而滑若一陰獨至肺經氣内絕則氣浮不鼓於手若經不内絕則鉤而滑　新校正云按楊上善云一陰

厥陰也此六脉者乍陰乍陽交屬相并繆通五藏合於陰
陽或陰見陽脉陽見陰脉故云乍陰乍陽也所以然者以氣交會故爾當審比類以知陰陽也先至為主後至為客
脉氣乍陰見陽乍陽見陰何以別之當以先至為主後至為客也至謂至寸口也雷公曰臣悉盡意受傳經
脉頌得從容之道以合從容不知陰陽不知雌雄頌今
為誦也公言臣所頌誦今從容之妙道以合上古從容而比類形名猶不知陰陽尊卑之次不知雌雄殊目之義請言其旨以明著至教陰陽雌雄相輸應也
帝曰三陽為父父所以督濟群小言高尊也二陽為衛衛所以却禦諸邪言扶生也一陽
為紀紀所以綱紀形氣言其平也三陰為母母所以育養諸子言滋生也二陰為雌雌者陰之目也
一陰為獨使一陰之藏外合三焦三焦主謁導諸氣名為使者故云獨使也二陽一陰陽明主病
不勝一陰耎而動九竅皆沈一陰厥陰肝木氣也二陽陽明胃土氣也木土相薄故陽明主
病也木伐其土土不勝木故云不勝一陰脉耎而動者耎為胃氣動謂木形土木相持則胃氣不轉故九竅沈滯而不通利也三陽一陰

太陽脉勝一陰不能止內亂五藏外爲驚駭三陽足太陽之氣故曰太陽勝也木生火今盛陽燔木木復受之陽氣洪盛內爲狂熱故內亂五藏也肝主驚駭故外形驚駭之狀也二陰二陽病在肺少陰脉沈勝肺傷脾外傷四支二陰謂手少陰心之脉也二陽亦胃脉也心胃合病邪上下并故內傷脾外勝肺也所以然者胃爲脾府心火勝金故爾脾主四支故脾傷則外傷於四支矣少陰脉謂手掌後同身寸之五分當小指神門之脉也新校正云詳此二陽乃手陽明大腸肺之府也少陰心火勝金之府故云病在肺王氏以二陽爲胃義未甚通況又以見胃病腎之說此乃是心病肺也又全元起本及甲乙經太素等並云二陰一陽二陰二陽皆交至病在腎罵詈妄行巔疾爲狂二陰爲腎水之藏也二陽爲胃土之府也土氣刑水故交至而病在腎也以水腎不勝故胃盛而顛爲狂二陰一陽病出於腎陰氣客遊於心脘下空竅堤閉塞不通四支別離一陽謂手少陽三焦心主火之府也水上于火故火病出於腎陰氣客游於心也何者腎之脉從腎上貫肝鬲入肺中其支別者從肺中出絡心注胸中故如是也然空竅陰客上游胃不能制胃不能制是土氣衰故脘下空竅皆不通也言堤者謂如堤堰不容泄漏胃脉循足心脉絡

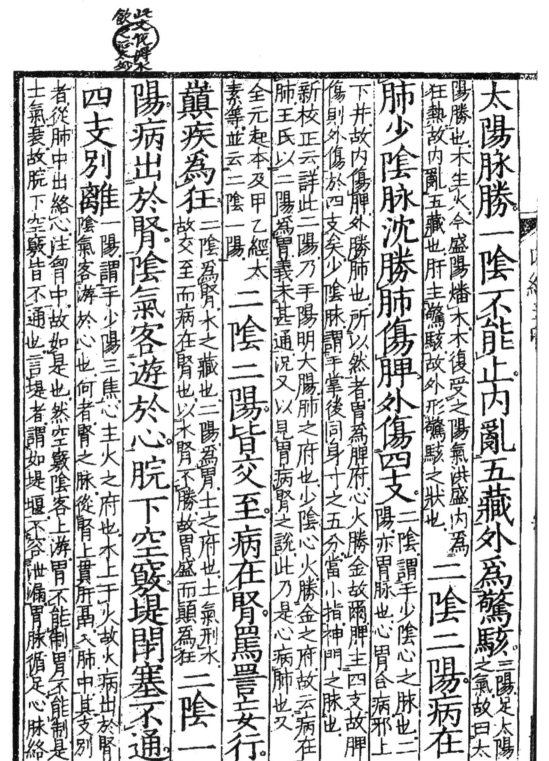

巳

手故四支如別離而不用也 新校正云按王氏云胃脉循足按此二陰一陽病出於腎胃當作腎 一陰一陽代絶此陰氣至心上下無常出入不知喉咽乾燥病在土脾 一陰厥陰脉一陽少陽脉並木之氣也代絶者動而中止也以其代絶故爲病也木氣生火故病生而陰氣至心也夫肝膽之氣上至頭首下至腰足中主腹脇故病發上下無常處也若受納不知其味竅寫不知其度而喉咽乾燥者喉嚨之後屬咽爲膽之使故病則咽喉乾燥雖病在脾土之中蓋由肝膽之所爲爾 二陽三陰至陰皆在陰不過陽陽氣不能止陰陰陽並絶浮爲血瘕沈爲膿胕 二陽陽明三陰手太陰至陰脾也故曰至陰皆在也然陰氣不能過越於陽陽氣不能制心今陰陽相薄故脉並絶斷而不相連續也脉浮爲陽氣薄陰故爲血瘕脉沈爲陰氣薄陽故爲膿聚而胕爛也 陰陽皆壯下至陰陽 若陰陽皆壯而相薄不已者漸下至於陰陽之内爲大病矣陰陽者男子爲陽道女子爲陰器者以其能盛受故而也 上合昭昭下合冥冥 昭昭謂陽明之上冥冥謂至陰之内幽暗之所也 診決死生之期遂合歲首 謂下短期之首 雷公曰請問短期黄帝不應 欲其復問而實之也

甲六陰陽大論

[illegible]

雷公復問黄帝曰在經論中。上古經之中也。新校正云按全元起本自雷公已下別爲一篇名四時病類

雷公曰請聞短期黄帝曰冬三月之病病合於陽者至春正月脉有死徵皆歸出春病合於陽謂前陰合陽而爲病者也雖正月脉有死徵陽已發生至已王不死故出春三月而至夏初也冬三月之病在理已盡草與柳葉皆殺裏謂二陰腎之氣也然腎病而正月脉有死徵者以枯草盡靑柳葉生出而皆死也理裏也已以也古用同春陰陽皆絶期在孟春立春之後而脉陰陽皆懸絶者期死不出正月新校正云太素無春字春三月之病曰陽殺陽病不謂傷寒温熱之病謂非時病熱脉洪盛數也然春三月中陽氣尚少未當全盛而反病熱脉應夏氣者經云脉不再見夏脉當洪數無陽外應故必死於夏至也以死於夏至陽氣殺物之時故云陽殺也陰陽皆絶期在草乾若不陽病但陰陽之脉皆懸絶者死在於霜降草乾之時也夏三月之病至陰不過十日謂熱病也脾熱病則五藏危土成數十故不過十日也陰陽交期在濂水評熱病論曰温病而汗出輒復熱而脉躁疾不爲汗衰言不能食者病名曰陰陽交六月病暑陰陽復交二氣

内經二十四　　四　　闕

疾、九六

相持，故乃死於立秋之候也。新校正云：按全元起本云：濂水者，七月也。建申，水生於申，陰陽逆也。楊上善云：濂，廉檢反，水靜也。七月水生時也。秋三月之病，三陽俱起，不治自已。秋陽氣衰，陰氣漸出，陽不勝陰，故自已也。陰陽交合者，立不能坐，坐不能起。以氣不由其正用，故爾。三陽獨至，期在石水。有陽無陰，故云獨至也。著至教論曰：三陽獨至者，是三陽并至。由此則但有陽而無陰也。石水者，謂冬月水冰如石之時，故云石水也。火墓於戌，冬陽氣微，故石水而死也。新校正云：詳石水之解，本全元起之說，王氏取之。二陰獨至，期在盛水。亦所謂并至而無陽也。盛水謂雨雪皆解為水之時，則止謂正月中氣也。新校正云：按全元起本二陰作三陰。

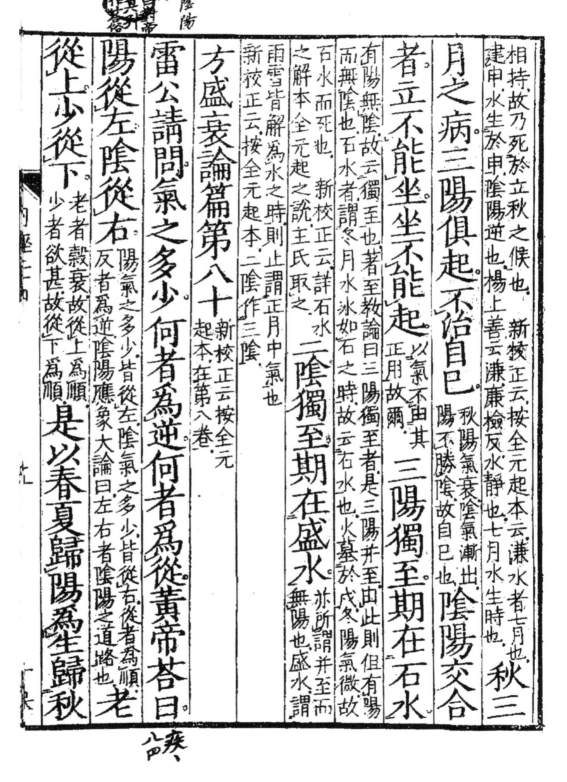

方盛衰論篇第八十

新校正云：按全元起本在第八卷。

雷公請問：氣之多少，何者為逆？何者為從？黃帝荅曰：陽從左，陰從右。陽氣之多少皆從左，陰氣之多少皆從右。從者為順，反者為逆。陰陽應象大論曰：左右者，陰陽之道路也。老從上，少從下。老者穀衰，故從上為順。少者欲甚，故從下為順。是以春夏歸陽為生，歸秋冬爲死。歸秋冬謂反歸陰也歸陰則順殺伐之氣故也。反之則歸秋冬爲生。反之謂秋冬秋冬則歸陰爲生也。是以氣多少逆皆爲厥。陽氣之多少反從右陰氣之多少反從左是爲不順故曰氣少多逆也如是從左從右之不順者皆爲厥厥謂氣逆故曰皆爲厥也。問曰有餘者厥耶。言少之不順者爲逆有餘者則成厥逆之病乎答曰一上不下寒厥到膝少者秋冬死老者秋冬生。一經之氣厥逆上而陽氣不下者何以別之寒厥到膝是也四支者諸陽之本當溫而反寒上故曰寒厥也秋冬謂歸陰歸陰則從右發生其病也少者以陽氣用事故秋冬死老者以陰氣用事故秋冬生 新校正云按楊上善云虛者厥也陽氣一上於頭不下於足足脛虛故寒厥至膝 氣上不下頭痛巓疾。巓謂身之上巓疾則頭首之疾也。求陽不得求陰不審五部隔無徵若居曠野若伏空室緜緜乎屬不滿日。謂之陽乃脈似陰盛謂之陰又脈似陽盛故曰求陽不得求陰不審也五部謂五藏之部隔謂隔遠无徵无徵猶无可信驗也然求陽不得其熱求陰不審是寒五藏部分又隔遠而无可信驗故曰求陽不得求陰不審五部隔无徵也夫如是者乃從氣久逆所作非由陰陽寒熱之氣所爲也若居曠野言心神散越若伏空室謂志意沈潛散越以氣逆而痛甚未

二十七肺

[illegible]

二十九腎

[illegible]

止，沉潜以痛定而復恐再來也。縣縣乎，謂動息微也。身雖縣縣乎且存，然其心所屬望，將不得終其盡日也，故曰縣縣乎屬不滿日也。新校正云：按太素云若伏空室爲陰陽之，有此五字，疑此脫漏。**是以少氣之厥，令人妄夢，其極至迷。**氣之少有厥逆，則令人妄爲夢寐。其厥之盛極，則令人夢至迷亂。**三陽絕，三陰微，是爲少氣。**三陽之脈懸絕，三陰之診細微，是爲少氣之候也。新校正云：按太素云至陽絕陰，是爲少氣。**是以肺氣虛則使人夢見白物，見人斬血藉藉。**白物是象金之色也。斬者，金之用也。藉藉，夢死狀也。**得其時則夢見兵戰。**得時謂秋三月也。金爲兵革，故夢見兵戰也。**腎氣虛則使人夢見舟船溺人。**舟船溺人皆水之用，腎象水，故夢形之。**得其時則夢伏水中，若有畏恐。**冬三月也。**肝氣虛則夢見菌香生草。**菌香草、生草，草木之類也。肝合草木，故夢見之。新校正云：按全元起本云菌香是桂。**得其時則夢伏樹下不敢起。**春三月也。**心氣虛則夢救火陽物。**心合火，故夢之。陽物亦火之類。**得其時則夢燔灼。**夏三月也。**脾氣虛則夢飲**

食不足。脾納水穀，故夢飲食不足。得其時則夢築垣蓋屋。得其時，謂辰戌丑未之月，各王十八日。築垣蓋屋，皆土之用也。此皆五藏氣虛，陽氣有餘，陰氣不足。府者陽氣，藏者陰氣。合之五診，調之陰陽，以在經脈。靈樞經備有調陰陽合五診，故引之曰以在經脈也。經脈則靈樞之篇目也。診有十度，度人脈度、藏度、肉度、筋度、俞度。度各有其二，故二五為十度也。陰陽氣盡，人病自具。診備蓋陰陽虛盛之理，則人病自具知之。脈動無常，散陰頗陽，脈脫不具，診無常行，診必上下，度民君卿。脈動無常數者，是陰散而陽頗調理也。若脈診脫略而不具備者，無以常行之診也。察候之，則當度量民及君卿三者調養之殊異爾。何者？憂樂苦分不同其秩故也。受師不卒，使術不明，不察逆從，是為妄行，持雌失雄，棄陰附陽，不知并合，診故不明。皆謂學不該備。傳之後世，反論自章。章，露也。以不明而授與人，反古之迹，自然章露也。至陰虛，天氣絕；至陽盛，地氣不

淮南兵略訓詘伸不獲五度注五度五行也

足。至陰虚，天氣絶而不降；至陽盛，地氣微而不升。是所謂不交通也。至謂至盛也。陰陽並交至人之所行。交謂交通也。唯至人乃能調理使行也。陰陽並交者，陽氣先至，陰氣後至。陰陽之氣並行而交通於一處者，則當陽氣先至，陰氣後至。何者？陽速而陰遲也。靈樞經曰：所謂交通者，並行一數也。由此則二氣亦交會於一處也。是以聖人持診之道，先後陰陽而持之，奇恒之勢乃六十首，診合微之事，追陰陽之變，章五中之情，其中之論，取虚實之要，定五度之事，知此乃足以診。奇恒勢六十首，今世不傳。是以切陰不得陽，診消亡；得陽不得陰，守學不湛。知左不知右，知右不知左，知上不知下，知先不知後，故治不久。知醜知善，知病知不病，知高知下，知坐知起，知行知止，用之有紀，診道乃具，萬世不殆。聖人持診之明誡也。起所有餘知所不足寶命全形論曰內外相得無以形先言起己身之有餘則當知病人之不足也度事上下脉事因格度事上下之宜脉事因而至於微妙矣格至也是以形弱氣虛死中外俱不足也形氣有餘脉氣不足死藏衰故脉不足也脉氣有餘形氣不足生藏盛故脉氣有餘是以診有大方坐起有常坐起有常則息力調適故診之方法必先用之出入有行以轉神明言所以貴坐起有常者何以出入行運皆神明隨轉也必清必淨上觀下觀司八正邪別五中部按脉動靜上觀謂氣色下觀謂形氣也八正謂八節之正候五中謂五藏之部分然後按寸尺之動靜而定死生矣循尺滑濇寒溫之意視其大小合之病能逆從以得復知病名診可十全不失人情故診之或視息視意故不失條理數息之長短候脉之至數故診之法或視喘息也知息合脉病處必知聖人察候條理斯皆合也道甚明察故能長久不知此道失經絕

八脉

理三言妄期此謂失道（謂失精微至妙之道也）

解精微論篇第八十一

（新校正云按全元起本在第八卷名方論解）

黃帝在明堂雷公請曰臣授業傳之行教以經論從容形法陰陽刺灸湯藥所滋行治有賢不肖未必能十全（謂所自授用可十全然傳所教習未能必十全也賢謂心明智遠不肖謂擁造不法）若先言悲哀喜怒燥濕寒暑陰陽婦女請問其所以然者卑賤富貴人之形體所從群下通使臨事以適道術謹聞命矣（皆以先問聖旨猶未究其意端）請問有毚愚仆漏之問不在經者欲聞其狀（言不知狡見頗問多也漏脫漏也謂經有所未解者也毚狡也愚不智見也仆猶頓也猶不漸也新校正云按全元起本仆作朴）帝曰大矣（人之所大要也）公請問哭泣而淚不出者若出而少涕其

故何也言何藏之所爲而致是乎帝曰在經有也靈樞經有悲哀涕泣之義復問不知水所從生涕所從出也復問謂重問也欲知水涕所生之由也帝曰若問此者無益於治也工之所知道之所生也言涕水者皆道氣之所生問之何也夫心者五藏之專精也專任也言五藏精氣任心之所使以爲神明之府是故能焉目者其竅也神内守明外鑒故目其竅也華色者其榮也華色其神明之外飾是以人有德也則氣和於目有亡憂知於色德者道之用人之生也老子曰道生之德畜之氣者生之主神之舍也天布德地化氣故人因之以生也氣和則神安神安則外鑒明矣氣不和則神不守神不守則外榮滅矣故曰人有德也氣和於目有亡也憂知於色也　新校正云按太素德作得是以悲哀則泣下泣下水所由生水宗者積水也新校正云按甲乙經水宗作衆精積水者至陰也至陰者腎之精也宗精之水所以不出者是精持之也輔之裹之故水不行

也夫水之精爲志火之精爲神水火相感神志俱悲是以目之水生也目爲上液之道故水火相感神志俱悲水液上行方生於目故諺言曰心悲名曰志悲志與心精共湊於目也水火相感故曰心悲名曰志悲神志俱升故志與心神共奔湊於目是以俱悲則神氣傳於心精上不傳於志而志獨悲故泣出也泣涕者腦也腦者陽也五藏別論以腦爲地氣所生言藏於陰而象於地故言腦者陰陽上鑠也鑠則消也新校正云按全元起本及甲乙經太素陰作陽髓者骨之充也充滿也言髓填於骨充而滿也故腦滲爲涕鼻竅通腦故腦滲爲涕流於鼻中矣志者骨之主也是以水流而涕從之者其行類也類謂同類夫涕之與泣者譬如人之兄弟急則俱死生則俱生同源故生死俱新校正云按太素生則俱生作出則俱亡其志以早悲是以涕泣俱出而橫行也行恐當爲流夫

人涕泣俱出而相從者所屬之類也 所屬謂於腦也句首上文云涕泣者腦也 雷公曰大矣請問人哭泣而淚不出者若出而少涕不從之何也 怪其所屬同而行出異也 帝曰夫泣不出者哭不悲也不泣者神不慈也神不慈則志不悲陰陽相持泣安能獨來 泣不出者謂哭也不泣者泣謂哭也水之精為志火之精為神水為陰火為陽故曰陰陽相持安能獨來也 夫志悲者惋惋則沖陰沖陰則志去目志去則神不守精精神去目涕泣出也 惋謂內爍也沖猶升也神志相感泣由是生故內爍則陽氣升於陰也陰腦也去目謂陰陽不守目也志去於目故神亦浮游夫志去目則光無內照神失守則精不外明故曰精神去目涕泣出也 且子獨不誦不念夫經言乎厥則目無所見夫人厥則陽氣并於上陰氣并於下 并謂各并於本位也 陽并於上則火獨光也陰并於下則

足寒則脹也。夫一水不勝五火，故目眥盲。眥，視也。一水，目也。五火，謂五藏之厥陽也。新校正云：按甲乙經無眥字。是以衝風泣下而不止。夫風之中目也，陽氣內守於精，是火氣燔目，故見風則泣下也。風迫陽伏不發，故內燔也。有以比之，夫火疾風生乃能雨，此之類也。故陽并則火獨光盛於上，不明於下，是故目，首陽之所生，系於藏，故陰陽和則精明也；陽厥則光不上，陰厥則足冷而脹也。言一水不可勝五火者，是手足之陽為五火，下一陰者，肝之氣也。衝風泣下而不止者，言風之中於目也，是陽氣內守於精，故陽氣盛而火氣燔於目，風與熱交，故泣下。是故火疾而風生乃能雨，以陽火之熱而風生於泣，以此譬之類也。新校正云：按甲乙經無火字，太素云天之疾風乃能雨，無生字。

重廣補注黄帝内經素問卷第二十四

釋音

陰陽類論　謙（音廉）　方盛衰論　菌（袪倫切）　解精微論　毚（士銜切）

湊（倉句切）

明脩職郎直　聖濟殿太醫院御醫上海顧定芳校

文久壬戌十二月初七夜燈下与見存大素校

合一過竟　華他術人七八翁枳園

素問次注二十四卷明代翻雕宋本存于世者不一、醫庠藏有明初所鍥者、文字端正可喜、澀江道純所弆顧從德本、全覆刻之、而吴勉學則從顧本重鐫者也、余嘗病坊間俗刻譌舛相仍、殆致不可讀、因令倩道純本更校以醫庠本、纖毫無差、乃命工鋟梓、以廣其傳、庶乎不失宋本之舊、而嘉祐之真、犂然可以觀矣、而校讎之任、道純

及森立夫倶有力焉道純名全善弘前醫
員立夫名立之福山醫員並為醫庠講授
云安政丙辰季春度會常珍誌

右久志本左京度會常珍綠﨑氏跋文其實茝庭
先生代撰今此一紙家大人所書偶探筐笥見得之故
釘附諸此云文久辛酉九月季三日時燕書今日成田
玄昌石川厚安補外班醫員廿棲庭森約之

天祿琳琅書目卷八秦漢印統下云松江志稱顧定芳字世安上海人博綜典籍尤深於醫以夏文愍薦授太醫院御醫直聖濟殿令黃序稱醫顧公當即其人晋亨其別字也志又稱顧從礼字汝由上海人以夏文愍薦修承天府志特授翰林院典籍累官光祿寺少卿顧從義字汝和嘉靖二十年以善書應御試第一授中書舍人加大理評事顧光錫字天賜國子生萬曆中以薦授詹事府主簿所言官爵世系悉與黃序符合但遠汝修鴻臚一人以宋版漢書中王世貞跋語并收藏印記證之則汝修當名從德也又考六館目抄言嘉靖三十六年丁巳美樓題名碑爲中書舍人顧從礼書則汝由又歷官中書而後爲光祿且素工于書者云云

宋版漢書牒文前葉有趙孟頫像左方上書趙文敏公小像下書長洲陸師道題於顧汝修芸閣考王世貞弇州續藁載陸師道字子傳長洲人官尚寶少卿按明版秦漢印統有黃姬水序稱其書爲東川御醫顧公所資纂欽嗣汝由光祿汝修鴻臚汝和廷評共成之考松江府志顧從禮字汝由顧從義字汝和而不及汝修今卷中有顧從德印以從禮從義證之當即汝修之名但姬水稱其官爲鴻臚而世貞跋是書以光祿稱似誤以汝由之官屬之汝修固不若姬水序其所著之書爲可據也

右天祿琳琅書目